À PROPOS DES *JOURS DE L'OMBRE*...

« MERVEILLEUX, J'EN SUIS ENCORE
ÉMERVEILLÉE !!! [...] FRANCINE PELLETIER JOUE
AVEC NOS NERFS PENDANT 300 PAGES,
ELLE JONGLE AVEC LE FUTUR, LE PRÉSENT,
L'ICI ET L'AILLEURS À MERVEILLE. »
Les Chroniques de l'Imaginaire

« SI CE N'ÉTAIT PAS DE CET ŒIL QUI APPARAÎT
D'ENTRÉE DE JEU SOUS LE SEIN [illegible] E,
CETTE DERN[illegible]
ACCESSIBLE [illegible]
D'UN RO[illegible]
Le [illegible]

« ON SE LA[illegible] DOUCEUR
PAR L'INTRIGUE [illegible] *JOURS DE L'OMBRE*, QUI MET
EN SCÈNE UN PERSONNAGE FÉMININ
AUQUEL ON S'ATTACHE RAPIDEMENT
ET QU'ON REGRETTE DE QUITTER
AU MOMENT DE TOURNER LA DERNIÈRE PAGE. »
Voir – Montréal

« IMPOSSIBLE D'ARRÊTER LA LECTURE
TANT L'HISTOIRE COULE D'ELLE-MÊME. [...]
PELLETIER NOUS OFFRE DE BELLES SURPRISES,
GRÂCE À UNE HISTOIRE BIEN FICELÉE
ET DES PERSONNAGES VIVANTS, ATTACHANTS
ET COMPLETS. À LIRE ABSOLUMENT. »
Brins d'éternité

« MAIS L'ÉCRIVAINE, COMME DIEU,
EST DANS LES DÉTAILS, ET CE SONT EUX
QUI DONNENT AU RÉCIT SA PROFONDEUR – SANS
OUBLIER SON CHARME DISCRET MAIS PÉNÉTRANT. »
Solaris

UN TOUR EN ARKADIE

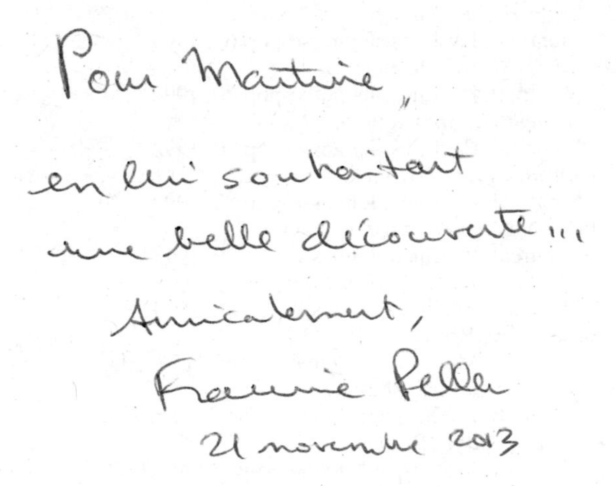

De la même auteure

Livres jeunesse (extraits)

Le Rendez-vous du désert. Roman.
Montréal, Paulines, Jeunesse-pop 59, 1987.
Mort sur le Redan. Roman.
Montréal, Paulines, Jeunesse-pop 64, 1988.
Le Crime de l'Enchanteresse. Roman.
Montréal, Paulines, Jeunesse-pop 66, 1989.
Monsieur Bizarre. Roman.
Montréal, Paulines, Jeunesse-pop 70, 1990.
Le Septième Écran. Roman.
Montréal, Paulines, Jeunesse-pop 80, 1992.
La Saison de l'exil. Roman.
Montréal, Paulines, Jeunesse-pop 82, 1992.
La Planète du mensonge. Roman.
Montréal, Paulines, Jeunesse-pop 89, 1993.
Le Cadavre dans la glissoire. Roman.
Montréal, Paulines, Jeunesse-pop 92, 1994.
Cher ancêtre. Roman.
Montréal, Médiaspaul, Jeunesse-pop 115, 1996.
Damien mort ou vif. Roman.
Montréal, Médiaspaul, Jeunesse-pop 119, 1997.
Les Eaux de Jade. Roman.
Montréal, Médiaspaul, Jeunesse-pop 134, 2000.
Le Crime de Culdéric. Roman.
Montréal, Médiaspaul, Jeunesse-pop 141, 2001.

Livres adulte

Le Temps des migrations. Recueil.
Longueuil, Le Préambule, Chroniques du futur 11, 1987.

Le Sable et l'Acier
1. *Nelle de Vilvèq*. Roman.
Beauport, Alire, Romans 011, 1997.
2. *Samiva de Frée*. Roman.
Beauport, Alire, Romans 016, 1998.
3. *Issabel de Qohosaten*. Roman.
Beauport, Alire, Romans 019, 1998.

Les Jours de l'ombre. Roman.
Lévis, Alire, Romans 075, 2004.

Si l'oiseau meurt. Roman.
Lévis, Alire, Romans 107, 2007.

Un tour en Arkadie

Francine Pelletier

Illustration de couverture : Guy England
Photographie : Danielle Couture

Distributeurs exclusifs :

Canada et États-Unis :
Messageries ADP
2315, rue de la Province
Longueuil (Québec) Canada
J4G 1G4
Téléphone : 450-640-1237
Télécopieur : 450-674-6237

France et autres pays :
Interforum editis
Immeuble Paryseine
3, Allée de la Seine, 94854 Ivry Cedex
Tél. : 33 (0) 4 49 59 11 56/91
Télécopieur : 33 (0) 1 49 59 11 33
Service commande France Métropolitaine
Tél. : 33 (0) 2 38 32 71 00
Télécopieur : 33 (0) 2 38 32 71 28
Service commandes Export-DOM-TOM
Télécopieur : 33 (0) 2 38 32 78 86
Internet : www.interforum.fr
Courriel : cdes-export@interforum.fr

Suisse :
Interforum editis Suisse
Case postale 69 – CH 1701 Fribourg – Suisse
Téléphone : 41 (0) 26 460 80 60
Télécopieur : 41 (0) 26 460 80 68
Internet : www.interforumsuisse.ch
Courriel : office@interforumsuisse.ch
Distributeur : OLS S.A.
Zl. 3, Corminboeuf
Case postale 1061 – CH 1701 Fribourg – Suisse
Commandes :
Tél. : 41 (0) 26 467 53 33
Télécopieur : 41 (0) 26 467 55 66
Internet : www.olf.ch
Courriel : information@olf.ch

Belgique et Luxembourg :
Interforum editis Benelux S.A.
Boulevard de l'Europe 117, B-1301 Wavre – Belgique
Tél. : 32 (0) 10 42 03 20
Télécopieur : 32 (0) 10 41 20 24
Internet : www.interforum.be
Courriel : info@interforum.be

Pour toute information supplémentaire
Les Éditions Alire inc.
C. P. 67, Succ. B, Québec (Qc) Canada G1K 7A1
Tél. : 418-835-4441 Fax : 418-838-4443
Courriel : info@alire.com
Internet : www.alire.com

Les Éditions Alire inc. bénéficient des programmes d'aide à l'édition de la Société de développement des entreprises culturelles du Québec (SODEC), du Conseil des Arts du Canada (CAC) et reconnaissent l'aide financière du gouvernement du Canada par l'entremise du Programme d'aide au développement de l'industrie de l'édition (PADIÉ) pour leurs activités d'édition.

Gouvernement du Québec – Programme de crédit d'impôt pour l'édition de livres – Gestion Sodec.

Dépôt légal : 2e trimestre 2009
Bibliothèque nationale du Québec
Bibliothèque nationale du Canada

10 9 8 7 6 5 4 3 2e mille

Pour Clodjee,
qui a connu l'ancêtre de cette histoire.

Table des matières

« Considérons par exemple le merle rouge – qui, soit dit en passant, n'a rien d'un merle. Pourquoi donne-t-on à une créature étrangère un nom terrien, si ce n'est pour rendre familier ce qui nous dérange par son étrangeté ? Ou, plus vraisemblablement, pour nous approprier cette chose, cet être vivant qui existait déjà, dans sa propre réalité, bien avant d'être "découvert" par l'œil terrien.

À noter, pour la petite histoire, que les premiers explorateurs firent de cet oiseau un symbole de mort… Curieusement, il s'agit désormais de l'emblème de la planète Arkadie. »

Michel Prairie
Pour une linguistique de l'altérité

PREMIÈRE PARTIE

LE NID

CHAPITRE 1

Il y aurait un temple, avait indiqué Christane ; le temple d'Artémis.

Frédérique ignorait quelle secte se livrait à l'adoration de cette déesse, mais, apercevant plus haut un petit édifice au fronton soutenu par des colonnes, elle s'engagea dans le sentier escarpé. La montagne s'élevait à une hauteur vertigineuse ; son sommet était couronné de nuages et son pied noyé de brume. Une végétation maigre s'accrochait à ses flancs, une herbe rêche qui poussait de peine et de misère entre les rochers couverts de mousse. Au loin, Frédérique percevait des tintements de clochettes et des chevrotements en provenance d'un troupeau. Le berger, lui, demeurait invisible ; il ne semblait pas y avoir âme qui vive dans les parages. Ce n'était décidément pas une mise en scène très élaborée, et encore moins un endroit fréquenté. Sans doute était-ce la raison pour laquelle le « client » avait choisi ce lieu de rendez-vous.

La raideur de la pente empêchait Frédérique d'émettre le chapelet de jurons qui lui brûlait les lèvres. Du reste, elle préférait garder son ressentiment bien au chaud pour le servir à Christane Kurtz, plus tard, si ce rendez-vous donnait le faible résultat auquel elle s'attendait.

Frédérique s'arrêta pour souffler et jeter un regard autour d'elle. Des yeux, elle chercha l'anfractuosité rocheuse par laquelle elle avait pénétré dans la mise en scène. En vain. Ça n'avait pas d'importance car, pour sortir, une clé mentale suffirait. Son regard se porta vers le pied de la montagne toujours drapé d'un voile brumeux. Existait-il seulement quelque chose en bas, ou bien le brouillard servait-il à masquer les limites du décor ?

Levant la tête, elle vit que le fameux temple ne semblait guère s'être rapproché, et réprima à nouveau un juron. De toutes les mises en scène disponibles dans le Monde, le client n'aurait-il pu choisir un terrain plat ? Et qui était l'imbécile qui avait conçu ce site, pourquoi refusait-il aux visiteurs la possibilité de prendre un raccourci ? À quoi cela servait-il de se taper cette escalade ?

D'accord, elle aurait pu se doter d'une paire d'ailes au lieu de s'échiner sur un sentier caillouteux. C'était ce vieux réflexe, la tradition familiale de ne jamais adopter d'avatar irréaliste dans le Monde, qui l'obligeait maintenant à grimper, et pas seulement la requête saugrenue d'un client ou les idées farfelues d'un concepteur de site.

Elle reprit l'ascension d'un pas plus modéré.

Tout ça, c'était la faute de Christane. Si elle n'avait pas eu cette histoire avec la fille du bureau du Répartiteur…

Christane était une amoureuse compulsive. Et sincère, hélas : chaque fois, elle jurait sur ce qu'elle avait de plus cher qu'il s'agissait du Grand Amour, le seul, l'unique, le dernier. Cela durait en général une quinzaine de jours. Et, d'habitude, Christane aimait les hommes. Pourquoi, par tous les diables, cette idiote s'était-elle lancée dans une relation amoureuse avec une *fille* ? Les gars acceptaient la rupture de meilleure grâce. Les filles, elles, ne cherchaient qu'à se venger.

Et la dernière conquête travaillait pour le bureau du Répartiteur. Autant dire qu'elle tenait Christane… pas par les couilles, évidemment, mais par un endroit qui pouvait s'avérer aussi douloureux.

Seulement deux grandes nations, sur Cristobal, possédaient une petite flotte de vaisseaux et, du même coup, se disputaient le trafic spatial encore à ses balbutiements : l'Hindustan et le Zhongguó. Deux grandes nations toujours au bord du conflit… Pour préserver le fragile équilibre entre elles, les autres gouvernements cristobaliens les avaient, avec beaucoup de diplomatie, amenées à signer une entente qui avait donné naissance à la Guilde des transporteurs spatiaux et au bureau du Répartiteur, deux organismes contrôlant la totalité des activités dans le domaine. Le bureau du Répartiteur était censé s'assurer que le trafic spatial naissant était réparti de façon égale entre vaisseaux de licence chinoise ou de licence hindustani.

Autant dire que le bureau du Répartiteur avait droit de vie ou de mort sur les membres de la Guilde…

Depuis la rupture avec cette fille, dont Christane avait pris l'initiative et survenue trois semaines plus tôt, aucun passager n'avait été affecté au *Gagneur*. Quant au fret, aucun chargement ne semblait convenir à la capacité du vaisseau ; c'était toujours trop gros ou pas assez. Résultat, le *Gagneur* était cloué au dock, privé de toute source de revenus. La *fille* ricanait. Ce jeu malsain pouvait se poursuivre longtemps, assez pour plonger le *Gagneur* dans un état d'endettement irréversible.

Et les confrères de la Guilde n'allaient évidemment pas s'en mêler. Le trafic spatial n'était pas si dense pour risquer d'être à son tour *oublié* dans son coin par le Répartiteur.

Trois semaines que cela durait, trois semaines que le *Gagneur* rongeait son frein. Et voilà que Christane avait déniché leur sauveur, un client ayant assez de poids pour obliger le Répartiteur à confier le contrat au vaisseau de son choix... Un client prêt à payer la facture de location de dock rien que pour être conduit de Lien à Agora, d'une station à l'autre, de l'orbite de Cristobal à celle d'Arkadie.

Ce n'était pas comme si le type avait demandé à être amené à la nouvelle base hindustani sur Kubera – le *Gagneur* ne s'y était rendu qu'une fois –, ou à la base que les Chinois construisaient sur Ladon au grand dam de l'Hindustan. Non. Le client voulait tout bêtement regagner l'orbite d'Arkadie.

Frédérique voulait bien croire à la chance, mais pas à ce point. L'apparition du sauveur cachait un coup fourré, c'était l'évidence. Ou Christane avait séduit le type et, lorsqu'il reprendrait ses esprits, il refuserait d'honorer le contrat, ou Christane avait été séduite et, alors, le fameux contrat se révélerait un coup fumeux – de la contrebande, par exemple.

Non, Christane Kurtz pouvait jurer tous les dieux que l'affaire était propre et légale, Frédérique en était sûre, ce client-là ne leur apporterait rien de bon. C'était la raison pour laquelle elle avait demandé à le rencontrer avant de s'engager à quoi que ce soit.

Mais elle avait laissé au type le choix du lieu.

Le site, la montagne, avait quelque chose à voir avec Arkadie. L'Arkadie ancienne, celle de la mythologie terrienne, et non la planète située à une vingtaine d'années-lumière de Cristobal. Voilà pourquoi le client, Nicola Piccino, avait choisi l'endroit. Il venait de *là-bas*. C'était l'un de ces foutus Arkadiens. Tout pour mettre Frédérique de bonne humeur.

Le *Gagneur* emmenait souvent des passagers à destination de la station Agora, mais il s'agissait de compatriotes cristobaliens, hindustani pour la plupart, représentants les grandes compagnies minières qui s'efforçaient de mettre la main sur les richesses naturelles d'Arkadie. L'exploitation minière n'avait pas vraiment repris, *là-bas*. L'extraction de minerais se faisait au compte-gouttes, comme si les Arkadiens répugnaient à se départir de leurs précieux morceaux de planète, alors qu'en réalité ils ne possédaient pas d'autre monnaie d'échange pour obtenir des biens ou de l'aide de Cristobal. Les passagers du *Gagneur* étaient des ingénieurs miniers ou des ouvriers spécialisés se rendant sur Arkadie pour remettre en état la machinerie laissée à l'abandon depuis plus de quatre-vingts ans. Il y avait aussi parfois de mielleux diplomates envoyés en mission pour tenter d'accélérer les choses…

Jamais des gens de *là-bas*.

— T'es raciste ! avait décrété Christane d'un ton accusateur. Si le gars est capable de payer le dock, s'il libère le *Gagneur*, qu'est-ce que t'en as à foutre qu'il vienne d'Arkadie ?

Christane n'avait pas tort, mais Frédérique était de nature prudente et elle n'aimait pas l'odeur de soufre qui émanait d'une offre aussi inespérée.

Elle s'arrêta de nouveau, inspirant avec précaution pour soulager ses poumons endoloris par l'effort. Elle venait de prendre pied sur l'étroit plateau où avait été bâti le temple – enfin, « placé » était plus exact, puisque cet endroit n'existait que dans la virtualité. L'édifice était plus haut, plus vaste qu'il n'avait semblé vu d'en bas et Frédérique s'en approcha avec lenteur.

Le bas-relief du fronton montrait une femme peu vêtue aux traits farouches – sans doute l'Artémis pour qui le temple avait été érigé –, une chasseresse s'il fallait se fier à l'arc et au carquois qu'elle portait au sortir d'un étang. Sur la rive se tenait un animal gracieux qui évoquait vaguement un cheval, mais doté de cornes, enfin, d'une ramure (Frédérique n'était pas certaine que ce fût le terme approprié), son cou souple incliné vers la baigneuse comme pour lui rendre hommage.

L'intérieur du temple, quant à lui, était plongé dans la pénombre sous les dalles de pierre de son toit. Frédérique s'avança jusqu'aux marches qui permettaient d'y accéder. Devant elle s'étendait une obscure forêt de colonnes propice à un guet-apens. Frédérique se racla la gorge.

— Piccino, vous êtes là ?

Elle perçut un mouvement du coin de l'œil. Nicola Piccino n'était pas entré dans le temple, lui non plus, il avait attendu la visiteuse à l'extérieur.

Il n'était pas très grand, mais plutôt mince et délié. Il portait un pantalon de toile et une chemise dont les manches retroussées montraient des bras bruns musclés. Ses cheveux coupés presque ras étaient d'un châtain rendu blond par le soleil. Dans son visage bronzé, ses yeux détonnaient par leur clarté, un bleu très pâle. Fascinant. Si c'était l'avatar qu'il avait montré à Christane, pas étonnant qu'elle ait succombé…

Dévisager ainsi manquait de politesse, mais Piccino paraissait tout autant dénué de gêne, détaillant sa vis-à-vis sans embarras. Savait-il que Frédérique se tenait dans le Monde telle qu'elle était dans la réalité ? Christane pouvait parfois se montrer bavarde… Avait-elle parlé de son associée au client ? Et lui ?

Une fréquentation modérée de la gent masculine avait enseigné à Frédérique que plus l'avatar semblait séduisant dans l'univers virtuel, moins l'homme avait de charme dans le monde réel. L'aspect physique de Nicola Piccino devait être particulièrement ordinaire dans la réalité… Et puis, s'il voulait être crédible, avec un nom comme le sien, il ne fallait pas choisir un avatar blond aux yeux bleus !

Sa voix surprit Frédérique : basse, enrouée, la voix de quelqu'un qui n'avait pas parlé depuis un moment.

— Vous vouliez me voir ?

Elle souhaitait se montrer diplomate mais devait avouer qu'elle manquait un peu de pratique.

— Eh bien, si vous êtes un marchand, vous savez que c'est le Répartiteur qui gère tout transport, fret ou passager… Pour réussir à imposer votre choix de vaisseau au bureau…

— … il faut des appuis solides sur Cristobal, oui. J'ai une recommandation qui a du poids.

— Et quel genre de marchandise mérite un pareil passe-droit ?

La question ne troubla guère Piccino. Un sourire sans joie retroussa le coin de sa bouche.

— Je ne suis pas un contrebandier, mademoiselle Laganière.

Sans mot dire, Frédérique croisa les bras sur sa poitrine d'un air plein de défi. Le sourire de Piccino s'était effacé.

— Vous avez grandi sur Cristobal, vous ne pouvez probablement pas comprendre ce que représente une simple pompe ou une génératrice, même de faible capacité, dans un endroit où il n'y a longtemps eu ni électricité ni eau courante. C'est ce genre de choses que je rapporte sur Arkadie et, croyez-moi, cela a plus de valeur que n'importe quelle marchandise de contrebande.

— Mais vous n'êtes pas un marchand.

Qui avait jamais entendu parler d'un marchand arkadien, de toute manière ? Piccino haussa les épaules.

— Je suis venu sur Cristobal demander la charité, c'est ce que vous voulez entendre ? Quelques mécènes à Shamei m'ont fourni de la machinerie agricole et un laissez-passer pour les douanes.

Shamei. Il avait donc cherché de l'aide du côté du Zhongguó, ce qui le rendait suspect aux yeux du pays voisin, l'Hindustan. Sur Cristobal, il n'y avait que deux puissances qui comptaient, et les amis des uns devenaient *ipso facto* les ennemis des autres.

— C'est tout ?

Il soupira.

— Des médicaments, des fournitures médicales. En tout, deux conteneurs.

D'un geste, il fit apparaître une fenêtre-écran dans l'air immobile.

— Le manifeste des douanes est très détaillé.

Frédérique parcourut le document d'un bref coup d'œil, tout en ayant conscience qu'un contrebandier, de toute façon, disposerait d'une fausse autorisation d'allure authentique ou d'un vrai document obtenu par des moyens illicites. Qu'espérait-elle dans sa situation? Elle avait besoin de ce contrat et le client, lui, possédait l'autorisation légale. Alors?

— C'est bon.

Il effaça la fenêtre. Son sourire triste était revenu.

— Pourquoi ces hésitations? Je croyais que vous étiez pressée de quitter Lien…

Elle se renfrogna.

— Pas pressée au point de risquer ma licence.

Elle ignorait ce que Christane avait révélé de leur situation et ne tenait pas du tout à prolonger la discussion. Elle s'apprêta à sortir de la mise en scène, mais Piccino la retint.

— Où allez-vous, comme ça?

— Eh bien, l'affaire est conclue, non?

Ce fut au tour de Piccino de croiser les bras.

— Pas exactement, non.

Elle se planta devant lui.

— Que voulez-vous dire?

— Vous m'avez obligé à montrer patte blanche. C'est à moi de poser des questions, maintenant.

Elle haussa les sourcils.

— Montrer patte blanche?

— Votre associée m'a dit que vous détestez Arkadie.

De quoi elle se mêle, Christane! Trop déroutée pour trouver la réplique appropriée, Frédérique attendit la suite, poings sur ses hanches.

— D'ailleurs, enchaîna Piccino d'un ton songeur, si j'ai bien compris ses explications, elle n'est pas vraiment votre associée, plutôt une sorte d'employée…

— Et alors, qu'est-ce que ça peut vous… qu'est-ce que le statut de Christane Kurtz change à notre entente ?

Piccino baissa les yeux pour contempler un instant ses mains à la peau lisse et propre, ses doigts qu'il avait longs et fins. Des doigts de musicien. Frédérique détourna le regard, gênée, comme si elle avait agi de façon impudique.

— Vous êtes la patronne. Et vous détestez les Arkadiens.

— Je ne comprends pas.

Piccino frotta ses mains trop parfaites sur ses cuisses.

— Je suis un Arkadien…

— Je vois bien.

— … et je me soucie de ma sécurité.

Cette fois, Frédérique en resta bouche bée. Est-ce qu'il craignait qu'elle le balance dans le vide durant la traversée parce qu'il était natif d'Arkadie ? Elle grommela.

— Je n'ai rien contre Arkadie ni contre les Arkadiens. Ce que je n'aime pas…

Elle hésitait, il l'encouragea d'un signe de tête.

— Ce que je n'aime pas, c'est que sur Arkadie il y a la *guerre*.

Voilà, il l'avait obligée à le prononcer, ce mot commençant par un « g » et qui constituait, dans la bonne société de son pays, une sorte de juron.

Elle ne savait trop à quelle réaction de sa part elle s'attendait, qu'il se moque d'elle ou soit choqué par le mot ou par la signification du mot. Il n'émit qu'une syllabe :

— Oui.

Ce type la mettait franchement mal à l'aise. Par bonheur, elle ne le verrait à peu près pas de toute la durée du voyage. La nervosité la poussa à reprendre la parole.

— Ça n'a rien de personnel, Piccino. Et puis, de toute façon, il n'est pas question d'atterrir.

Tout le trafic, marchandise et passagers, transitait par la station Agora. Frédérique n'avait jamais vu Arkadie que de loin et, à cet instant, elle se fichait bien de ce qui se passait sur le sol de la planète, pourvu que ce client potentiel ne se désiste pas.

Elle aurait voulu se taire, mais elle en était maintenant incapable.

— Quelle importance ce que je pense, je vous conduirai à bon port, je veux dire, de toute façon, c'est Kurtz la pilote… et puis, personne ne s'est jamais plaint de mon vaisseau !

Elle se tut brusquement avec l'étrange sentiment que Piccino n'avait pas entendu un mot de sa tirade. Son regard était devenu lointain et si détaché qu'elle en eut froid dans le dos. Il se reprit, pourtant, et son visage exprima un étrange chagrin quand il expliqua :

— Mon principal appui à Shamei est… disparu, et on a fini par me faire comprendre qu'il valait mieux que je rentre chez moi. C'est pourquoi je me soucie de connaître mes compagnes de voyage.

Un parano, conclut Frédérique, et pas très brillant s'il n'avait pas su jouer les Chinois contre les Hindustani pour maintenir ses appuis. En Union occidentale, où étaient nées Frédérique et son associée, on apprenait dès le berceau à naviguer entre les puissants en évitant d'être piétiné. Pour Frédérique, cela avait été facile, car sa famille avait des amis des deux côtés – sinon, jamais elle n'aurait obtenu la licence qui lui avait permis d'acheter le *Gagneur*.

— Eh bien, soupira Frédérique, vous n'aurez pas d'autres compagnes que Kurtz et moi. Si nous ne vous semblons pas trop menaçantes, pouvons-nous conclure notre arrangement ?

Pendant un moment, elle craignit qu'il ne l'envoie paître, mais le sourire en coin était réapparu. Il hocha la tête :

— Je vous rejoins au dock. Je donne tout de suite les instructions pour charger les conteneurs à votre bord.

Avec un intense soulagement, Frédérique lança aussitôt la clé de sortie.

Son berceau lui parut bizarre et glacé, comme chaque fois qu'elle revenait du Monde. Elle retira l'électrode de sa tête d'un geste précautionneux. Parfois, elle avait la nausée au sortir du réseau. Aujourd'hui, elle se sentait étourdie, mais ça ne provenait pas du débranchement ni de l'état d'apesanteur, auquel son corps s'était depuis longtemps adapté. Depuis des semaines, elle se morfondait dans le *Gagneur*, maudissant Christane et ses amours à répétition. Et soudain, en quelques heures, les événements s'étaient bousculés – Christane et son sauveur, cette rencontre surréaliste au pied d'un temple… Et tout ça en exerçant une solide pression sur le bureau du Répartiteur, ce qui n'était pas une mince victoire. Après ce contrat, peut-être vaudrait-il mieux éviter Lien pour un temps. D'Agora, elles pourraient sans doute trouver un passager à ramener directement au centre spatial de Kozuma ou à Kailasa.

Le *Gagneur* était un vaisseau de faible tonnage, ce qui expliquait qu'il transportait plus souvent des personnes que du fret. Le Grand Conflit qui avait coupé tout contact entre Cristobal, la Terre et les autres colonies avait également détruit une bonne partie de la flotte spatiale tant de l'Hindustan que du Zhongguó. Pire : la technologie qui permettait le voyage en sous-espace avait été perdue. Trente-huit ans plus tôt, l'Hindustan avait lancé un vaisseau, le *Pèlerin*, sur les traces des anciennes stations relais et, surtout, de leurs balises de navigation qui guidaient les vaisseaux dans le sous-espace. Pendant que le *Pèlerin* redécouvrait le précieux savoir, l'Hindustan et le Zhongguó avaient entrepris de remettre leurs flottes respectives en état et de construire de nouveaux vaisseaux. Au fur et à mesure que le *Pèlerin* envoyait messages et données pour que d'autres vaisseaux se lancent à sa suite, l'activité spatiale reprenait dans le système de *Beta Comae*, l'étoile de Cristobal.

Et puis, le *Pèlerin* avait annoncé la stupéfiante découverte de survivants sur la planète Arkadie... Le développement spatial s'était accéléré. Les premiers transports avaient été envoyés vers Arkadie ; l'Hindustan avait mis en chantier, en orbite d'Arkadie, une station baptisée Agora, comme celle qui existait avant le Grand Conflit. De son côté, le Zhongguó avait opté pour une base sur Ladon, satellite d'une planète du même système... Ces investissements ne prendraient tout leur sens, toutefois, qu'au moment où l'exploitation minière recommencerait vraiment sur Arkadie. Et cela tardait, tardait... à cause du stupide conflit civil qui régnait *là-bas*.

Frédérique s'ébroua et faillit s'envoler dans la faible gravité du poste de pilotage. Son chandail était trempé, mais elle ne prit pas la peine d'en changer. Après la simulation de la montagne, le poste de pilotage lui semblait exigu. Elle s'empressa de le quitter, ses semelles adhésives s'arrachant avec bruit au revêtement de la paroi.

Elle se heurta à Christane dans l'étroite coursive.

— Tu vois, je te l'avais dit ! Piccino est un gars... intéressant, non ?

Un gars intéressant ? Frédérique ne savait pas encore ce qu'il fallait penser de l'homme et, au fond, elle ne tenait pas à penser tout court.

Christane soupira de contentement.

— Ah, je savais que vous alliez vous entendre !

Frédérique avança de quelques pas, jusqu'à la trappe de la soute hermétiquement fermée. Le voyant était au rouge, ce qui indiquait que les robots dockers s'affairaient déjà à charger les conteneurs. Ça ne pouvait s'être organisé aussi rapidement, sauf si Piccino avait donné l'ordre de chargement avant même le début de leur conversation. Alors, pendant qu'il faisait subir à Frédérique un véritable interrogatoire, il avait déjà lancé la procédure ! Frédérique se força au calme. Gueuler ne servirait à rien, sinon à retarder leur départ.

— Il arrive, annonça soudain Christane.

Par le hublot du sas, en face d'elles, on voyait remuer le gros tube reliant le *Gagneur* au dock.

— Eh bien, répliqua Frédérique, tu ne rejoins pas ton poste ?

La pilote prit un air innocent.

— Je veux accueillir notre passager.

Frédérique lui jeta un regard méfiant. Son associée montrait d'habitude moins d'empressement envers les passagers, car elle évitait – il fallait lui reconnaître un certain bon sens – de tomber amoureuse de leurs relations d'affaires. Alors, pourquoi voulait-elle assister à l'arrivée de Piccino ? Frédérique imaginait leur client en petit noiraud rondouillard et nerveux. Et si c'était *une* noiraude rondouillarde et nerveuse ? Et d'abord, que s'était-il passé entre Christane et Piccino à l'origine, et comment s'étaient-ils rencontrés ? Même si Piccino s'avérait aussi laid que Frédérique l'avait imaginé, Christane était fort capable d'avoir sorti tout son arsenal de séduction dans l'espoir que ce client les tire d'embarras...

Frédérique admettait sans sourciller le charme que possédait son associée. Elle s'était souvent demandé si Christane n'était pas le fruit d'une manipulation génétique. Bien que réprouvé, l'eugénisme s'était beaucoup pratiqué durant les premières décennies de l'indépendance cristobalienne, et cela arrivait encore, même si les belles années de la reproduction *in vitro* étaient passées depuis longtemps. Le propre arrière-grand-père de Frédérique, le sénateur Laganière, s'était vanté de n'avoir jamais touché une femme de sa vie, pourtant il s'était donné un héritier. Qui s'était du reste empressé de renier les principes isolationnistes de son paternel. Grand-père Laganière, lui, était un vrai humaniste. Dans le district des Prairies où il exerçait, tout le monde l'appelait « le bon docteur ». Quant aux relations charnelles, le docteur Frédéric Laganière s'y était si bien adonné avec son épouse qu'il avait eu cinq enfants, dont quatre avaient atteint l'âge adulte.

Frédérique portait le prénom et le nom de son grand-père maternel. Un choix effectué par son père, mort alors qu'elle était enfant.

Elle chassa ces pensées pour centrer son attention sur le moment présent. Le tube d'accès se rétractait déjà, tandis que le voyant du sas passait au vert et que Piccino pénétrait dans le *Gagneur* avec la maladresse de celui qui n'est pas accoutumé aux chaussures adhésives.

Frédérique comprit aussitôt pourquoi Christane avait voulu rester à guetter sa tête à l'arrivée du passager.

Nicola Piccino non plus n'avait pas utilisé d'avatar irréaliste dans le Monde. Ses vêtements étaient identiques, si l'on exceptait la grosse veste qu'il avait enfilée pour se protéger du froid dans les coursives des docks et le sac en bandoulière qu'il portait. Malgré ce que suggérait son patronyme, il était exactement tel que Frédérique venait de le voir dans la virtualité.

À quelques petits détails près: la peau plus pâle de celui qui avait peu vu le soleil récemment; le visage un peu plus maigre; de profonds cernes sous les yeux. Et ses mains, ses belles mains de musicien… Le pouce droit portait la marque d'une brûlure profonde; le dos de la main gauche arborait une longue cicatrice qui courait jusqu'à l'avant-bras. C'était pourtant la même tignasse presque blonde, le même regard quasi transparent. Le même corps séduisant.

Frédérique, elle, savait qu'elle était un peu plus « froissée » qu'elle n'était apparue dans le Monde, à commencer par ses cheveux châtains plaqués sur son crâne par une résille, qu'elle tâta d'un geste machinal pour s'assurer qu'aucune mèche ne flottait librement.

Piccino s'avança vers elle.

— Mademoiselle Laganière…

Il s'exprimait dans la réalité avec un accent qui s'était avéré imperceptible dans le Monde. L'accent arkadien ? Agacée, Frédérique corrigea :

— À bord, on dit « commandante ».

Elle jeta un coup d'œil vers Christane, qui lui rendit son regard d'un air entendu. Eh bien, quoi ? Frédérique retint un soupir. D'accord, Piccino était séduisant. D'accord, il titillait quelque chose en elle. D'accord, ce quelque chose ressemblait à une bouffée de désir. Et maintenant, qu'est-ce que Christane attendait ?

Sans doute satisfaite de ce qu'elle lisait sur le visage de son associée, Kurtz se décida enfin à se remuer. Elle salua le nouvel arrivant d'un signe de tête et s'éclipsa vers le poste de pilotage. *Ouf*. Frédérique précéda le passager dans la coursive.

— Je vais vous montrer votre cabine. Ce n'est qu'un cubicule, mais je vous prierais d'y rester. Dès que nous serons séparés de Lien, nous perdrons la liaison avec le Monde, toutefois nous avons une bonne banque de mises en scène dans le réseau interne. Si vous vous branchez, vous ne verrez même pas le temps passer.

Alors qu'elle lui jetait un coup d'œil par-dessus son épaule, il commenta :

— Le voyage n'est évidemment pas instantané.

— Non. Pour des raisons de sécurité, nous ne pouvons risquer d'émerger du sous-espace trop près d'une planète. Nous mettrons une douzaine d'heures à rejoindre la balise d'entrée et autant, à la sortie, avant d'atteindre Agora. Cela peut paraître long dans un espace aussi confiné, c'est pourquoi je vous suggère le branchement au réseau interne.

Elle songea soudain qu'il n'était pas plus accoutumé au Monde qu'à l'apesanteur : sur Arkadie, il n'existait aucun réseau virtuel. Sans doute devina-t-il sa pensée, car il répliqua :

— Pas de problème.

Bien sûr, idiote ! Il a quand même l'expérience du voyage à l'aller…

Frédérique s'arrêta brièvement à l'endroit où s'amorçait la coursive transversale, que son passager devait percevoir comme un puits vertical. Pour un habitué, il n'y avait évidemment ni haut ni bas dans un vaisseau en apesanteur. Frédérique lui montra le chemin. Piccino la suivit sans hésiter, elle entendit ses semelles s'arracher au revêtement du couloir inférieur.

Elle s'immobilisa pour montrer une porte qui se découpait dans la paroi.

— Votre cubicule est là. (Elle désigna la coursive en dessous.) Christane et moi, nous restons dans nos berceaux au poste de pilotage. Tout en haut, c'est le carré. En général, nous ne l'utilisons pas durant le voyage.

Il opina de la tête puis, levant la main, il commanda l'ouverture de son cubicule. Frédérique attendit qu'il eût refermé derrière lui avant de redescendre vers le poste de pilotage.

Un passager d'une docilité remarquable. Et un très bel homme.

Alors, pourquoi persistait-elle à s'en méfier ?

CHAPITRE 2

Lorsque Frédérique prit place dans le berceau de navigation, le *Gagneur* se libérait des filins d'amarrage et se mouvait avec lenteur pour quitter le dock et la station. L'étroit hublot du poste de pilotage ne montrait pas grand-chose hormis un bout de structure du quai d'amarrage qui s'éloignait peu à peu vers l'arrière – ou vers le haut, selon la manière dont on interprétait la position du vaisseau. La station elle-même était un assemblage de sections disparates. À l'origine, Lien n'était rien d'autre que le chantier hindustani de construction du *Pèlerin* – chantier assemblé lui-même à partir des morceaux réutilisables d'une plus ancienne station spatiale. Les Chinois, quant à eux, avaient mis en orbite leur propre station, de plus petite taille mais conçue pour recevoir des résidants quasi permanents. Au fur et à mesure que l'on se réappropriait la technologie de navigation en sous-espace, Lien et la station chinoise s'étaient agrandies chacune de leur côté pour finir par faire jonction au moment de la création de la Guilde et du bureau du Répartiteur. Le résultat, de bric et de broc, constituait un parfait reflet de la situation politique cristobalienne.

Frédérique se brancha au réseau interne afin d'entrer en communication avec le vaisseau et sa pilote. Le

Gagneur apparut en transparence tout autour d'elle, représentation à la fois diaphane et scintillante d'une sorte de gros coléoptère aux élytres à demi déployés, et dont les organes internes semblaient vivants. Dans cette mise en scène, la pilote ne se trouvait pas dans son berceau, bien sûr, mais juchée à califourchon dans le « cou » du coléoptère qui l'étreignait entre ses « pattes » antérieures.

Pour Christane Kurtz, le pilotage et, en particulier, sa relation avec le *Gagneur* constituaient un acte d'amour – pour elle le seul amour durable, semblait-il. C'est pourquoi, dans le réseau interne, Christane apparaissait nue ; elle prétendait que cela lui permettait une meilleure symbiose avec le vaisseau. Frédérique en avait toujours conçu une certaine gêne qu'elle s'expliquait avec difficulté.

En vérité, elle était envieuse : Christane pratiquait une sexualité sans contrainte. Pour Frédérique, cela avait toujours semblé tellement compliqué… Depuis sa toute première fois à l'adolescence, avec son voisin Giovani, une folle étreinte dans le foin (les voisins étaient fermiers)… Giovani étant beaucoup plus âgé qu'elle, elle l'avait supposé expérimenté. Or, la chose n'avait été qu'un exercice de gymnastique qui ne lui avait procuré aucun plaisir. Par la suite, elle avait exploré, tenté des expériences (y compris dans la virtualité du Monde), couché à droite et à gauche (parfois avec les ex de Christane), mais jamais elle n'avait éprouvé un réel plaisir, jamais elle n'avait vécu cette explosion qui, au dire de Christane, rendait l'acte si fabuleux. Parfois, elle l'avait frôlé, parfois, ç'avait été *presque ça*.

Mais elle n'arrivait pas à comprendre ce que Christane elle-même cherchait dans cette perpétuelle quête – une sorte d'oubli de soi dans le plaisir ?

Quoi qu'il en fût, Christane portait sa beauté comme un étendard, et Frédérique, sa pudeur comme un fardeau.

Christane, d'habitude plutôt taciturne quand elle pilotait, apostropha son associée dès qu'elle perçut sa présence.

— Alors, comment tu le trouves ?

— Pas net. Je parierais que nous avons affaire à un trafiquant d'armes, et je ne suis pas sûre d'avoir envie de savoir ce que nous transportons vraiment.

Christane ricana.

— Tu es de mauvaise foi. Avoue qu'il te plaît.

— Me plaire ? Je pensais que c'était *toi* qui le trouvais à ton goût. Après tout, c'est *toi* qui l'as pris dans tes filets pour nous tirer d'ici...

Christane ouvrit la bouche pour répliquer, la referma sans mot dire. Frédérique resta songeuse et murmura, surtout pour elle-même :

— Même si j'avais envie de coucher avec lui, ça ne changerait rien à ce qu'il est... Et qu'est-ce qu'il est, au juste ? Un représentant des loyalistes ou un rebelle ?

Christane ne se donna pas la peine de répondre.

Quand le *Pèlerin*, un vaisseau hindustani, avait établi le contact avec Arkadie un peu plus d'un quart de siècle plus tôt, son équipage avait trouvé une population divisée en deux camps. Les loyalistes attendaient avec patience le retour des Terriens, qu'ils considéraient comme les propriétaires de la planète. En effet, au contraire de Cristobal, jamais dans sa courte histoire Arkadie n'avait été ouverte à la colonisation. De grandes compagnies minières y avaient obtenu des concessions et elles faisaient venir les ouvriers en nombre nécessaire pour exploiter les richesses naturelles d'Arkadie, sans permettre à personne de s'y établir. Les seuls « habitants » locaux étaient les familles des savants occupant la Réserve, un territoire protégé voué à l'étude de la faune et de la flore arkadiennes – ou, en d'autres mots, un espace limité qui constituait le tribut payé à la déesse Écologie par les compagnies exploitantes.

Quand le Grand Conflit avait ravagé le monde quelque quatre-vingts ans plus tôt, coupant tout contact entre les colonies et la Terre, cela n'avait rien changé pour Cristobal, déjà indépendante et au peuplement bien amorcé. Mais, sur Arkadie, il en était allé tout autrement. Lorsque les vaisseaux de transport avaient été détruits en pleine évacuation, les milliers d'ouvriers survivants s'étaient trouvés coincés contre leur gré sur la planète.

Il semblait qu'une partie d'entre eux avaient accepté leur sort et s'étaient transformés en Arkadiens. Leurs descendants formaient aujourd'hui le groupe nationaliste qui refusait de voir la gestion des ressources de leur planète remise aux mains de compagnies étrangères, des compagnies qui n'étaient même plus terriennes mais simplement leurs succursales cristobaliennes, et plus précisément hindustani.

Les anciennes compagnies minières terriennes avaient en effet des succursales sur Cristobal, en Hindustan, et ces succursales avaient flairé la bonne affaire dès les premiers contacts avec les loyalistes… En se présentant comme les descendantes directes des compagnies terriennes, les succursales hindustani espéraient récupérer à faible coût les anciennes concessions minières et ne payer le minerai qu'à un prix symbolique. Évidemment, sur Cristobal, les Chinois avaient aussitôt rué dans les brancards : pourquoi les Hindustani bénéficieraient-ils de tarifs préférentiels et pas eux ? Le fragile équilibre politique sur Cristobal était dès lors compromis. Les Hindustani ne pouvaient se permettre de débarquer en force sur Arkadie pour s'emparer de leur soi-disant héritage. Ils étaient obligés d'attendre que la situation se règle *là-bas* et qu'on les invite à s'installer.

Car, vingt ans plus tôt, la querelle entre Arkadiens loyalistes et Arkadiens nationalistes avait dégénéré en véritable conflit civil, qui s'éternisait depuis.

Frédérique ne pouvait concevoir que des gens d'une même communauté se disputent au point de s'entre-tuer. C'était hélas la réalité arkadienne.

Sur Cristobal, l'ensemble des pays s'étaient, pour une fois, mis d'accord et avaient prudemment reconnu le gouvernement loyaliste, c'est-à-dire l'administration du « coordonnateur industriel » – c'était le titre porté, jadis, par la personne qui gouvernait Arkadie au nom des grandes compagnies terriennes. Cristobal avait évidemment tout intérêt à soutenir ceux qui lui offraient, sur un plateau d'argent, les immenses richesses de la planète.

On murmurait bien que les Chinois, en sous-main, favorisaient les rebelles, mais ce n'étaient que des rumeurs. Quoi qu'il en fût, c'était un problème arkadien, à régler entre Arkadiens.

Loyalistes ou nationalistes au pouvoir, Frédérique s'en lavait résolument les mains.

◆

Elle resta à son poste durant toute la durée du voyage dans le sous-espace et au-delà, même si sa présence était plutôt inutile. Les balises guidaient le vaisseau et, pour le reste, Christane suffisait à la tâche. Mais les deux femmes avaient été confinées si longtemps au dock de Lien, c'était une vraie jouissance de plonger dans le programme de navigation. Même après que le vaisseau eut émergé dans l'espace normal, Frédérique prit son temps avant de se détacher du réseau. Lorsqu'elle s'y résigna, il n'y en avait plus que pour quelques heures avant de gagner Agora. La petite station, dont la construction n'était même pas terminée, apparaissait dans le réseau comme un point lumineux qui grossissait peu à peu.

Frédérique déboucha dans la coursive principale et sursauta en découvrant Piccino qui émergeait de la soute par la trappe. Tout au plaisir du voyage, elle avait presque oublié leur séduisant passager, mais la méfiance la submergea de nouveau dès qu'elle le vit. À tout le moins, il semblait éprouver moins de difficulté à se déplacer en apesanteur... Elle planta ses chaussures dans la coursive devant lui.

— Qu'est-ce que vous fabriquez ?

Il ne parut pas le moins du monde troublé.

— Je suis allé vérifier si le chargement était bien arrimé.

Son accent avait quelque chose de chantant, de... mélancolique ? Frédérique chassa le trouble que cette voix provoquait.

— Voilà beaucoup de souci pour du matériel agricole...

Il eut ce sourire triste qui ne soulevait qu'un coin de sa bouche.

— Je vous l'ai dit, c'est parce que vous n'êtes pas Arkadienne. Pour nous, la machinerie que je rapporte vaut plus que des armes, croyez-moi.

Elle tiqua, non seulement parce qu'il avait deviné ses pensées, mais parce qu'elle se souvenait de ses cours d'histoire et savait qu'il ne mentait pas.

Avant l'arrivée du *Pèlerin*, les ouvriers coincés sur Arkadie avaient vécu durant des décennies une difficile adaptation. Il existait des fermes, bien avant le Grand Conflit, et donc une certaine expertise agricole, mais la plupart des biens de consommation, incluant les vêtements, provenaient de la Terre. Ces Arkadiens-malgré-eux avaient dû réapprendre les métiers de base sans les facilités qu'ils connaissaient avant le Grand Conflit.

Au tout début, pendant qu'on procédait à l'évacuation des ouvriers, avant la destruction des vaisseaux qui devaient les ramener sur Terre, les centrales énergétiques avaient été arrêtées, la machinerie entreposée – personne ne croyait que le conflit allait durer, mais on avait pris soin de tout protéger « au cas où ». Puis un vaisseau avait explosé en orbite, puis un autre, et un autre encore, rejetant leurs débris enflammés sur la planète, semant la destruction. Même s'il se trouvait encore sur Arkadie quelques personnes possédant les compétences nécessaires pour effectuer l'entretien et les réparations, les centrales d'énergie n'avaient pu être redémarrées.

Arkadie avait survécu à la dure…

Frédérique pouvait comprendre qu'une bonne partie de ces gens aient fini par s'approprier leur monde, leur nouvelle existence, et qu'ils se soient opposés aux loyalistes.

Mais de là à se *battre* ?

Curieux, depuis six ans qu'elle effectuait du transport de matériel et de passagers vers Agora, elle ne s'était jamais demandé comment des armes avaient été apportées sur Arkadie. Les Hindustani avaient en quelque sorte pris le contrôle des relations avec les Arkadiens et n'avaient donc aucun intérêt à soutenir les rebelles. Quant aux Chinois, qui dépêchaient nombre de représentants auprès du « coordonnateur » (le *Gagneur* en avait amené plus d'un)… avaient-ils osé passer de la diplomatie officielle à l'aide secrète ?

La « machinerie agricole » chinoise que transportait le *Gagneur* était-elle aussi inoffensive que Piccino le prétendait ?

Debout face à elle dans la coursive, le passager la dévisageait. Il répéta d'un ton brusque :

— Je ne suis pas un trafiquant d'armes, commandante.

À tout le moins, il s'était souvenu de son titre. Elle en eut soudain assez de la méfiance, assez des questions. Dans quelques heures, Nicola Piccino débarquerait dans Agora avec sa marchandise, quelle qu'elle soit, et elle, elle effacerait aussitôt tout cela de son esprit. S'éloignant, elle lança :

— Venez, je vais faire du café.

Dans son dos, il répliqua, et elle perçut l'ironie dans sa voix :

— Je croyais que vous n'utilisiez pas le carré durant le voyage.

Elle haussa les épaules sans se retourner.

— On est presque arrivés.

— En effet.

Cette fois, son ton avait été empreint de gravité. Elle lui jeta un coup d'œil étonné. Il se coinça dans le siège près de la minuscule table et Frédérique remarqua le sac qui était sanglé dans la cavité dessous, son sac à lui. Il était venu ici pendant qu'elle était dans son berceau, malgré les instructions claires qu'elle lui avait données. Elle ravala une remarque acide et s'affaira plutôt devant la cafetière, ce qui requérait toute son attention. Même si ses muscles étaient stimulés par impulsions électriques quand elle était dans le berceau de navigation, ses gestes restaient toujours maladroits lorsqu'elle revenait dans la réalité.

Lorsqu'elle fut assez sûre de ses mouvements, elle demanda d'un ton anodin :

— Vous ne devez pas boire souvent de café chez vous.

— Nos pionniers ont cultivé des herbes aromatiques…

Elle prit les contenants clos qui émergeaient de la cafetière, en posa un dans le support sur la table.

— C'est drôle, j'imagine mal des gens se tirer dessus tout en buvant une tisane…

— Eh bien, peut-être les mercenaires cristobaliens qui massacrent les miens sont-ils des buveurs de café.

Frédérique s'apprêtait à aspirer une gorgée ; elle suspendit son geste, incrédule.

— Qu'est-ce que vous racontez ?

Il leva vers elle ses yeux pâles.

— Vous ignoriez que certains de vos compatriotes sont venus jouer les petits soldats chez nous ?

— Je… Ce n'est pas vrai.

Il haussa des sourcils interrogateurs.

— Et pourquoi est-ce que j'inventerais une chose pareille ?

La question était pertinente. Frédérique était bien placée pour savoir que des Cristobaliens se rendaient de façon régulière sur Arkadie, puisqu'elle en transportait. Mais des *mercenaires* ? des combattants ? des gens qui en tuaient d'autres ?

Piccino demanda :

— Vous croyez que les hommes nés sur Cristobal sont incapables de violence ?

— Je n'ai pas dit ça…

— Ceux dont je vous parle viennent de Limina, dans le nord de l'Union occidentale. Ce sont vos compatriotes. Ils forment un groupe militariste. J'ai fréquenté leur site dans le Monde pendant que j'étais sur Cristobal. Très instructif. Je suppose qu'ils se sont lassés de jouer à leurs petits jeux de guerre de façon seulement virtuelle.

— Et quand, et comment sont-ils débarqués sur Arkadie ? Vous allez me dire qu'ils ont la bénédiction de votre gouvernement ?

Les traits du visage de Piccino se tendirent légèrement.

— Ils ont été engagés il y a cinq ans par le coordonnateur de Langis soi-disant pour protéger les visiteurs cristobaliens. Leurs tâches incluent la chasse aux rebelles… et bien d'autres choses.

Frédérique n'eut pas l'occasion de demander à quelles autres choses il faisait allusion, car à cet instant, un pas crissa dans la coursive et Christane, tout sourire, pénétra dans la cuisinette.

— Nous approchons, la balise d'Agora nous guide.

Ce qui signifiait qu'elle avait enclenché le pilotage automatique. Frédérique fronça les sourcils. Pourquoi donc Christane s'était-elle donné cette peine ? D'habitude, à si peu de distance de l'arrivée, la pilote préférait rester dans son berceau, afin d'être fin prête lorsqu'il lui faudrait reprendre les commandes à l'approche de la station.

Piccino ne manifesta aucun plaisir à cette annonce.

— C'est bien.

Christane s'installa à table.

— Il reste du café ?

Frédérique la dévisagea avec stupéfaction. Qu'est-ce qui lui arrivait ? La pilote ne se montrait jamais amicale avec les passagers, c'était tout juste si elle leur adressait la parole. Avait-elle menti, poursuivait-elle une relation sentimentale avec leur client ?

Frédérique extirpa un autre contenant de la cafetière. À table, Piccino considéra la pilote avec aménité et demanda :

— Cela fait longtemps que vous êtes ensemble ?

— Quatre ans, soupira Christane en étirant son dos. Frédérique est propriétaire du vaisseau depuis plus longtemps.

Six ans, non, six ans et trois mois, pour être exacte, aurait voulu répliquer Frédérique. Elle resta muette.

Elle avait acquis la licence et, par la suite, le *Gagneur*, grâce à l'appui d'une consœur hindustani de son grand-père et, surtout, grâce à l'argent investi par son oncle Paul qui réalisait ainsi un vieux rêve. Deux héritages avaient été engloutis dans l'aventure : celui provenant de son oncle Luc, artiste réputé de la mise en scène dans le Monde, puis celui provenant du grand-père Laganière, mort peu de temps après son fils. Toute la famille avait soutenu Frédérique dans son entreprise. Christane, évidemment, ne ratait jamais une occasion de s'en moquer. « Toi et tes oncles », disait-elle.

Piccino se pencha, détacha son sac et le tira vers lui pour y prendre un objet qui faillit s'envoler. C'était un minicom, un minuscule terminal assez semblable à ceux que Frédérique et Christane portaient au poignet lorsqu'elles se trouvaient hors du *Gagneur*. Christane demanda d'un ton à peine intéressé :

— Qu'est-ce que c'est ?

Piccino assura avec délicatesse sa prise sur l'objet et répondit de façon indirecte.

— Je suis vraiment fasciné par la technologie chinoise… Ce minicom peut télécommander d'autres appareils, par exemple, des conteneurs autoporteurs… et en ce moment, il est devenu le détonateur à distance de la bombe que j'ai posée dans votre soute.

Il leva soudain les yeux vers Frédérique.

— Nous n'irons pas à Agora, *commandante*.

Frédérique eut un geste de recul si brusque qu'elle décolla, jusqu'à heurter du dos la cloison de la cuisinette, où son pied la maintint d'un mouvement machinal. Assise près de Piccino, Christane ne semblait pas surprise. À peine contrariée. Elle *savait*. Elle était préparée. Elle était venue là exprès, dans le carré, annoncer à Piccino que c'était le moment… Non, non, Frédérique délirait.

Christane remarqua d'un ton calme :

— Si vous faites sauter la soute, c'est tout le vaisseau que vous mettez en perdition.

Piccino hocha la tête.

— Je sais. C'est pourquoi je suis sûr que vous vous montrerez coopératives toutes les deux. Vous ne voudriez pas risquer votre vie, n'est-ce pas ?

Frédérique réprima le rire nerveux qui grelottait au fond de sa gorge. Elle s'était méfiée de cet homme dès le premier instant, mais, maintenant qu'il commettait à ses dépens un acte de piraterie, elle ne trouvait au fond d'elle-même qu'un sentiment d'absurdité. Elle déclara :

— Si vous nous tuez, vous mourrez aussi.

Il acquiesça avec gravité.

— Mais nous ne voulons pas mourir, n'est-ce pas, commandante ?

— Qu'attendez-vous de nous ?

— Nous allons prendre la barge. Les conteneurs s'y trouvent déjà.

Quoi ? Cette fois, Christane échangea avec Frédérique un regard troublé.

— Comment avez-vous réussi ce coup-là ?

Les robots de Lien étaient programmés pour installer la marchandise dans la soute, prête à être récupérée aux docks d'Agora, et pas dans une barge qui pouvait violer l'espace aérien d'Arkadie.

— Les conteneurs sont autoporteurs. J'ai profité du voyage pour les transférer.

Seul ? Avait-il disposé de *vraiment* assez de temps… ou bénéficié de la complicité de Christane ? Cette dernière avait-elle pu enclencher le pilotage automatique plus tôt qu'elle ne le prétendait et descendre dans la soute sans que Frédérique s'en aperçoive ? Possible. Christane évitait maintenant le regard de son associée. Frédérique finirait bien par connaître la vérité. En attendant…

Piccino s'était levé. Il passa la courroie de son sac sur son épaule et brandit le minicom.

— Allons, il est temps d'y aller.

— Qu'est-ce que vous faites du *Gagneur* ? s'indigna Frédérique.

Ce fut Christane qui répondit, la mine piteuse :

— Si elle n'obtient pas de réponse, la balise va le placer automatiquement en orbite stationnaire.

En ne recevant qu'un signal automatique, la sécurité d'Agora enverrait un appareil examiner ce vaisseau privé de son équipage… mais il serait trop tard !

À cet instant, Frédérique comprit ce qui les attendait. Ils allaient prendre la barge… et se poser sur Arkadie. Le sentiment d'absurdité avait reculé, remplacé par une marée de… peur ? Un effroi terrible. Arkadie. Où il y avait la *guerre* ?

Elle secoua la tête. Ses pieds s'ancrèrent dans le revêtement du sol et ses mains agrippèrent, derrière elle, le rebord du comptoir.

— Non, je reste ici.

Piccino tenait le minicom dans la main droite, celle qui avait été brûlée. Une main qui ne tremblait pas.

— Je ne bluffe pas, commandante Laganière. Je vous conseille d'obéir.

Christane s'était levée à son tour ; elle la tira par la manche de sa chemise.

— Frédérique, ce n'est pas une plaisanterie.

— Toi, tu l'as aidé à préparer son coup ! Tu es sa complice !

L'ahurissement de la pilote parut sincère.

— T'es cinglée ? Je tiens à ma peau, c'est tout !

Un léger « bip » retentit près d'elles. Piccino montra le minicom.

— La bombe est maintenant armée. Une pression du doigt, et tout saute. Alors ?

— Frédérique… supplia Christane.

Frédérique abandonna la lutte. Que Christane fût complice ou non, Piccino tenait le sort du vaisseau et de son équipage dans sa main mutilée.

Elle suivit Christane vers le tube d'accès de la barge. Piccino la serrait de près.

— Vous descendez la première, commandante.

Sans un mot, elle s'élança dans le tube, Piccino sur les talons. Il tenait le minicom avec précaution. Une seconde s'écoula.

— À vous, Kurtz ! appela Piccino.

Si Christane n'était pas sa complice, serait-elle assez folle pour tenter quelque chose ? Apparemment, non. Elle glissa à son tour dans la barge.

— Vous pilotez, lui ordonna Piccino.

Il désigna le fauteuil voisin.

— Asseyez-vous, commandante.

Il resterait derrière elles, sur l'un des strapontins. Habile pilote, Christane pouvait tenter une manœuvre pour le déstabiliser. Frédérique se harnacha dans son fauteuil. Bientôt, le ventre du *Gagneur* s'ouvrit et la barge s'en extirpa, comme un gros œuf – ou, plutôt, une moitié d'œuf hérissée d'excroissances – pondu par le coléoptère-vaisseau. Par la fenêtre du poste de pilotage, Frédérique découvrit l'orbe bleu et blanc d'Arkadie. La planète était en bonne partie couverte d'eau. Pas de grand continent, mais surtout des îles, de longs chapelets d'archipels sur lesquels subsistaient les traces des anciennes installations minières. La plus vaste de ces îles s'appelait Grande Terre, elle était située dans l'hémisphère Nord et jouissait d'un climat tempéré. Curieux le genre d'informations qui venaient à l'esprit dans ces circonstances…

Frédérique regarda la surface d'Arkadie monter vers elle. À quelle distance de la bombe le détonateur devenait-il inutilisable ? Elle entendit un déclic. Piccino avait rangé le minicom, mais il tenait maintenant une arme de poing, un revolver. Frédérique n'en avait jamais vu dans le monde réel.

La force de gravité l'obligea bientôt à se caler dans son fauteuil. Elle sentit son estomac lui remonter dans la gorge. La fenêtre ne montrait plus rien que du blanc, le voile vaporeux des nuages qui se déchira pourtant, et ce fut la mer, l'immensité bleue moutonnée de blanc qui approchait de manière bien trop rapide.

Est-ce qu'il y avait des appareils volants, sur Arkadie, avions, hélijets, n'importe quoi qui aurait pu les prendre en chasse ? Frédérique ne se rappelait rien. Il devait pourtant exister un astroport, pour les navettes qui transportaient les marchandises et les passagers entre la surface et Agora…

Derrière Frédérique, la voix calme de Piccino dictait les coordonnées à la pilote qui, elle, ne soufflait mot. Ils approchaient par l'ouest, disait Piccino. Frédérique ne possédait plus de point de repère, car les nuages cachaient le soleil. Mais, bientôt, une terre surgit devant eux, se précipita vers eux, une terre verte et montagneuse défigurée par une sorte de furoncle, le cratère d'une mine.

Ils longèrent le littoral de cette terre jusqu'à l'embouchure d'un fleuve. Vu de là, le sol montrait peu de traces des anciennes mines, parfois un cratère ou quelques rochers dénudés. Il s'était quand même écoulé plus de quatre-vingts ans depuis le Grand Conflit, la nature avait repris ses droits là où elle l'avait pu.

Obéissant aux indications de Piccino, Christane suivit le cours du fleuve vers le nord, puis la barge bifurqua pour longer une chaîne de montagnes peu élevées.

— Le Redan, murmura Piccino.

Frédérique pouvait à nouveau bouger. D'un geste vif, elle déboucla son harnais et se mit sur pied.

— Ça suffit, Chris, remonte ! Je ne vais pas sur Arkadie ! Remonte !

Sa voix lui sembla suraiguë. Une part d'elle-même avait conscience de ce que son comportement avait d'hystérique, mais elle n'y pouvait rien, c'était viscéral.

Elle avait saisi les épaules de la pilote et les secouait, comme si elle pouvait obliger Christane à lui obéir, avec Piccino qui braquait son arme sur elle, qui lui enfonçait le canon dans les côtes.

— Asseyez-vous, Laganière ! Je parle sérieusement !

Elle l'entendit à peine, elle n'était plus qu'un condensé de panique.

Elle ne sut pas ce qui la frappa. Sans doute la crosse de l'arme. Ce fut un éclair blanc dans sa tête, et soudain elle ne vit plus rien, ne ressentit plus rien, pas même le choc, ni la douleur, quand elle s'écroula sur le plancher de la barge.

CHAPITRE 3

Une affreuse migraine vrillait sa tempe. Que diable avait-elle bu pour se rendre aussi malade ? Ça ne lui arrivait pas souvent, seulement quand elle se retrouvait à Kozuma avec Christane. Et, non, ça ne pouvait pas être un lendemain de veille à Kozuma, parce qu'elles étaient coincées au dock de Lien depuis une éternité à cause de cette fille. Et puis, non, Christane avait déniché un client, un foutu Arkadien avec ses deux conteneurs de soi-disant matériel agricole, et qui avait posé une bombe dans la soute du *Gagneur*, et qui les avait obligées, Christane et elle, à prendre la barge pour se rendre sur…

Il se passa plusieurs choses presque simultanées. Frédérique voulut lever une main pour se tâter la tête, constata que ses poignets étaient liés l'un à l'autre et, se rappelant avec retard qu'elle se trouvait dans la barge, elle tenta de se redresser… et se sentit glisser sur une surface trop lisse. Elle chuta, un choc brutal, douloureux. Se retrouva dans l'herbe.

Un flot de données la submergea. Le poids trop lourd de son corps. Une odeur piquante, épicée. La chaleur, le contact humide de ses propres vêtements sur sa peau moite.

Un cri étouffé. C'était la voix de Christane. Frédérique plissa les paupières, car la clarté du jour lui blessait les yeux, mais elle distingua le visage angoissé de son associée, et sentit la rugosité de l'herbe drue sous son corps de plomb, et – ô, mon Dieu ! – la panique afflua de nouveau. Elle se trouvait dehors, à l'air libre, et ce ne pouvait être qu'à la surface d'Arkadie.

Elle respirait avec peine. Une oppression dans sa poitrine (l'atmosphère d'Arkadie, mon Dieu, cet air était-il trop pauvre en oxygène, elle ne savait plus). Un bâillon sur sa bouche ne facilitait pas la respiration.

Christane s'était approchée d'un pas pesant et maladroit. Ses mains saisirent Frédérique, la remirent sur ses pieds. Frédérique aurait voulu jurer, tous les gros mots de son répertoire y seraient passés sans ce foutu bâillon. Ses poignets étaient liés devant elle, toutefois ses jambes étaient libres. Elle distingua, sur sa gauche, la masse grise d'un conteneur suspendu à quelques pieds du sol par son système antigrav. Elle avait été étendue sur le dessus, et elle en avait glissé en reprenant conscience.

Avec la douleur, elle retrouva la colère. Elle étouffait d'une stupeur furieuse. Ils l'avaient ligotée, bâillonnée !

Christane l'entoura de ses bras. Frédérique rua pour se dégager, elle tenta d'asséner un coup de pied à la pilote, mais son corps lui obéissait mal, ses jambes pesaient au moins une tonne chacune. Christane resserra son étreinte en chuchotant.

— Écoute, calme-toi, je t'en prie…

Derrière, Frédérique vit Piccino qui l'observait, la mine au moins aussi navrée que celle de Christane. Mais ils ne seraient jamais aussi désolés que lorsqu'elle leur aurait jeté à la tête leurs quatre vérités !

— Frée… murmura Christane d'un ton suppliant.

Frédérique suffoquait. Piccino s'approcha pour lui parler tout bas à son tour.

— Si vous êtes incapable de vous contrôler, vous resterez bâillonnée et ligotée.

— Frée, reprit Christane avec précipitation, tu étais en pleine crise de panique, on aurait pu s'écraser... Il était obligé de t'assommer. Écoute-moi...

Frédérique s'efforça de calmer sa respiration. La panique. Oui. Elle était sur Arkadie. Ils l'avaient emmenée de force, à tout le moins Piccino, mais elle n'était pas encore prête à absoudre Christane. D'accord, Arkadie. Elle n'était pas en danger, pas pour le moment. Elle pouvait respirer. Elle se trouvait à l'air libre, un air étrange empli d'odeurs inconnues, un air chaud et humide, un air lourd qui lui écrasait les épaules. Mais, oui, elle le respirait et son souffle s'apaisait.

Et aucune *guerre* n'avait lieu dans les environs pour l'instant. Au contraire. Elle se tenait à la limite d'une forêt – c'étaient des arbres, ces silhouettes d'un curieux gris-mauve au dense feuillage bleuté. Elle était debout sur le bas-côté d'une route en terre battue dont émanait une senteur vaguement ferreuse. Ses pieds foulaient une herbe haute, verte et rugueuse – c'était l'herbe qui dégageait le parfum épicé. Des insectes bourdonnaient autour d'elle – ils bougeaient trop vite pour qu'elle les distingue parfaitement, mais aucun n'était dangereux pour les humains, du moins lui semblait-il. Elle entendait crier des oiseaux, elle se souvenait que Grande Terre était riche en oiseaux de toutes sortes. Un siècle plus tôt, on appelait Arkadie « la volière », elle se rappelait son cours d'histoire.

Les mains de Christane la soutenaient, rassurantes.

Elle se tenait debout sur Arkadie.

Elle inspira avec lenteur. Expira. Leva les yeux. La lumière n'était plus un poignard dans ses yeux, même si la migraine persistait, lancinante. Elle dévisagea Piccino et Christane, l'un après l'autre. Ils échangèrent un regard.

— Je crois qu'on peut la détacher, risqua la pilote.

Piccino céda. Christane se débattit un moment avec les nœuds, puis la corde tomba, libérant ses poignets. Avant même de retirer son bâillon (et elle s'étonna de sa propre vivacité, malgré le poids qui lui écrasait les épaules), Frédérique leva la main et gifla son associée à la volée. Piccino se précipita aussitôt sur elle, lui saisit les avant-bras avec une poigne de fer, serrant à lui faire mal.

— Si vous émettez le moindre cri…

La voix était menaçante, glacée, une voix qu'elle ne lui avait pas encore entendue. Elle dégagea un bras, abaissa son bâillon, dit d'un ton égal :

— Je suis parfaitement calme.

C'était vrai.

Christane se tenait la joue. Sous ses doigts, une marque rouge apparaissait. Elle dévisagea Frédérique avec un étonnement douloureux.

— Tout se passera bien si vous m'obéissez, reprit Piccino.

Il parvenait à maintenir un ton bas et pourtant autoritaire. Frédérique acquiesça. Il soupira.

— Suivez-moi.

Guidant le conteneur, il se dirigea sous le couvert des arbres. Frédérique regarda autour d'elle. Où se trouvaient la barge et le second conteneur ? Elle était restée inconsciente un bon moment. Piccino avait frappé fort. Bien sûr, elle avait été en état de panique. Pas très rationnelle. Ça irait, maintenant. Elle l'espérait.

Elle se rendit compte soudain qu'elle portait son minicom au poignet. Elle ne gardait aucun souvenir de l'avoir pris avant de quitter le *Gagneur*. C'était Christane, alors, qui le lui avait glissé au bras pendant qu'elle était inconsciente ? pour qu'elle puisse appeler à l'aide si l'occasion se présentait ?

Mais un communicateur cristobalien fonctionnerait-il sur cette planète ? Il n'existait pas de réseau arkadien.

Les Cristobaliens qui vivaient ici avaient-ils créé leur propre réseau de communication ?

Elle avançait de son pas accablé derrière Piccino. Au moindre mouvement, elle ruisselait de sueur. Lui ne semblait pas incommodé. Il ne les entraîna pas très profondément dans la forêt, mais s'arrêta lorsque les arbres formèrent un rempart, un obstacle difficile à franchir par le conteneur. À l'époque du développement minier, la forêt avait été rasée, mais, depuis le temps, les arbres avaient repoussé, sans doute avec plus de vigueur.

Frédérique frissonna. Elle ne s'était jamais trouvée en pleine nature, même chez elle, sur Cristobal ; alors dans cette forêt étrangère, sous cet air pesant, chargé de senteurs et d'insectes bourdonnants… Il n'y avait pourtant rien à craindre sur Arkadie. Pas de gros prédateurs, que des petits mammifères, des rongeurs et des oiseaux. Beaucoup d'oiseaux.

Leur passage sous les arbres avait provoqué une envolée piaillante. Piccino s'immobilisa, il demeura un long moment aux aguets. Puis, satisfait par ce qu'il entendait, ou par ce qu'il n'entendait pas, il poussa le conteneur au milieu d'un bosquet, le posa entre les branches. Frédérique comprit : il dissimulait la marchandise – sans doute avait-il agi de même avec le premier conteneur –, qu'il comptait probablement récupérer plus tard. Peut-être leur permettrait-il de reprendre la barge et de retourner au *Gagneur*, maintenant.

Dire qu'elle avait été prête à le croire quand il lui avait affirmé qu'il ne transportait que du matériel agricole et des médicaments ! Sotte et naïve elle avait été.

La douleur subsistait toujours dans son crâne et ses poumons se gonflaient avec difficulté. Si elle se concentrait sur la souffrance physique, et sur la colère sourde qu'elle réprimait, elle pouvait garder le contrôle d'elle-même.

Comme Piccino les menait à nouveau au bord de la route, Frédérique chuchota :

— Où allons-nous ?

Piccino la considéra un moment avant de répondre.

— À Bourg-Paradis, si nous pouvons l'atteindre librement.

Le dernier passager emmené vers Agora par le *Gagneur* avait été un ingénieur de la compagnie Howell-Devi, un Hindustani aux manières onctueuses nommé Mangeshkar. Il n'avait jamais mis les pieds sur Arkadie auparavant, mais il s'était documenté et se plaisait à étaler ses nouvelles connaissances, même si ni Christane ni Frédérique n'avaient très envie de l'écouter. Il avait expliqué à son auditoire captif que bien que le coordonnateur habitât Ville de Langis, une agglomération construite une trentaine d'années auparavant près de certaines installations minières que l'on espérait remettre incessamment en fonction, le véritable pouvoir sur Arkadie résidait à Bourg-Paradis, au cœur de l'ancienne Réserve. Un terrain neutre, en quelque sorte, où aucun affrontement n'avait eu lieu depuis le début du conflit. Là siégeait l'espèce de conseil des sages que les Arkadiens appelaient l'Assemblée. Les rebelles, quant à eux, s'étaient retranchés dans la forêt. Mangeshkar, pour sa part, se rendait à Riviera, au centre de Grande Terre et, surtout, loin des lieux habités par la majorité de la population arkadienne. L'ingénieur rêvait pourtant de visiter un de ces jours l'Assemblée à Bourg-Paradis.

Mangeshkar avait-il réalisé son rêve ? Frédérique imagina un moment qu'elle tombait sur l'ingénieur en débarquant à Bourg-Paradis… Avec un peu de chance, elle parviendrait à lui parler et à lui expliquer la situation, à l'appeler au secours.

Ils marchèrent en silence, d'un pas lent et pénible. Malgré le couvert nuageux, on sentait la présence du soleil, non pas droit au zénith mais à l'oblique, juste au-dessus du sommet des arbres. Était-ce le matin ou l'après-midi ? Peu importait. Frédérique était trop épuisée pour avoir faim. Mais elle avait soif, une soif ardente qui desséchait sa bouche et accentuait la migraine qui lui vrillait le crâne.

Ils avancèrent pendant des heures sans s'arrêter. Il semblait à Frédérique que si elle devait s'asseoir, elle serait incapable de se relever.

Puis, la route commença à grimper, encastrée entre des rochers. La pente n'était pas si accentuée, mais c'était déjà trop pour des personnes ayant vécu si longtemps en apesanteur. Même Piccino ralentit le rythme. Lorsqu'il stoppa, Frédérique et Christane l'imitèrent. Frédérique se rendit compte que les oiseaux s'étaient tus.

L'attaque survint de manière brusque, inattendue et efficace.

Plus tard, Frédérique songerait qu'il était curieux qu'elle ait défini cet événement en terme d'*attaque*. Après tout, il s'agissait de leur libération, à elle et à Christane, non ?

La route était vide et puis, tout à coup, des hommes armés jusqu'aux dents et vêtus d'uniformes kaki surgirent sans bruit, ils sautèrent des rochers, tombèrent sur leurs pieds, encerclèrent le trio de marcheurs.

Des soldats.

Frédérique vit Piccino qui tentait de s'élancer vers les rochers – elle, elle n'avait pas même la force de remuer les doigts –, mais il put à peine esquisser le geste, déjà des hommes le plaquaient au sol, tandis que Frédérique et Christane restaient sans bouger, figées tant par la fatigue que par la peur.

Un officier – ses manches étaient ornées de galons – s'avança jusqu'à Piccino, que les soldats maintenaient immobile, le visage écrasé dans la poussière de la route. Aucun mot n'avait encore été prononcé. L'officier s'approcha de l'Arkadien, s'arrêta au-dessus de lui pour l'observer. Il sourit. Et, avec force, envoya sa botte dans les côtes du prisonnier.

L'instant d'avant, Frédérique haïssait Piccino, elle rêvait des sévices à lui infliger pour avoir menacé le *Gagneur*, pour le kidnapping dont elle avait été victime, pour le coup reçu sur la tête. Pourtant, quand elle vit le corps de l'Arkadien se soulever sous la force de l'impact, quand elle entendit le cri de douleur qu'il poussa, elle serra les poings et ne put retenir une protestation.

Qui fut ignorée. Sur un signe de l'officier, des hommes fouillèrent l'Arkadien. Ils lui arrachèrent son sac, son manteau, sa veste (qui ressemblait à celle des soldats, Frédérique s'en rendait compte). Ils rabattirent sa chemise sur ses bras, lui dénudant le dos, un dos que Frédérique découvrit zébré d'anciennes blessures, des marques bien nettes qui le traversaient de part en part, presque horizontales. On aurait dit la marque de coups de fouet. Les soldats retournèrent ses poches, éparpillèrent le contenu du sac dans la poussière, puis se redressèrent. L'un des hommes, un sous-officier – un seul galon ornait sa manche –, tendit à son supérieur le revolver et le minicom qui avait servi de détonateur. L'officier se pencha sur son prisonnier.

— C'est tout, Lepinsky ?

Quelque chose dans la voix de l'homme fit tressaillir Frédérique, mais elle était trop obnubilée par les paroles qu'il prononçait pour se préoccuper d'autre chose.

— Pas la moindre petite dose d'amplix ? Tu m'étonnes.

Lepinsky ? De l'amplix ?

L'amplix, Frédérique connaissait, non par expérience personnelle mais par ouï-dire. Cette drogue existait depuis toujours en Hindustan et s'était répandue en Union occidentale seulement un quart de siècle auparavant, quand était passée la mode de vivre dans la virtualité. En y recourant, les gens cherchaient à retrouver l'intensité des sensations vécues dans le Monde. N'appelait-on pas l'amplix la drogue du plaisir ? On disait l'addiction immédiate, et c'était ce qui avait amené son interdiction en Union occidentale.

Alors Piccino, que l'officier nommait Lepinsky (et Frédérique devait admettre que ce patronyme convenait mieux à son physique que l'autre), alors Piccino-Lepinsky n'était rien d'autre qu'un banal trafiquant de drogue ? Un moment, Frédérique s'en trouva déçue. À la limite, elle pouvait comprendre le trafic d'armes, puisque les Arkadiens vivaient un conflit interminable. Mais de la drogue… Et Piccino avait pu lui affirmer presque sans mentir qu'il transportait des médicaments…

Sur la route, l'officier s'adressait toujours à son prisonnier :

— Qu'est-ce que t'as fait durant ces deux ans, Lepinsky ? Ne me dis pas que tu en as profité pour aller en désintox, je ne le croirai pas !

Les soldats qui maintenaient Piccino éclatèrent de rire. Leur prisonnier tenta une ruade, violemment réprimée par les hommes qui le plaquèrent à nouveau au sol. L'officier se pencha plus bas. Il tenta de saisir Piccino par les cheveux, échoua, car la prise était insuffisante.

— Tu vas me raconter ton voyage, mon vieux Nicolaï, et tu vas me dire où tu as flanqué ta marchandise.

Il feignit d'écouter. C'était moquerie, car Piccino n'avait pas émis le moindre son depuis son cri, tout à l'heure.

— Quoi, tu penses que tes petits copains vont la récupérer avant nous ? Mais tes petits copains ne veulent plus de toi, Nicolaï. On t'attendait, mon vieux, tu entends ça ? On *t'attendait*.

Piccino ne réagit pas, il semblait tétanisé.

— Oh, t'inquiète pas, continua l'officier, on ne va pas la prendre, ta marchandise. On va attendre bien gentiment, juste au cas où, en fin de compte, il resterait assez d'idiots pour venir la récupérer.

L'homme se désintéressa soudain de son prisonnier. Il apostropha le sous-officier qui lui avait apporté les effets de Piccino.

— Bugeault, appelle l'hélijet.

Frédérique avait écouté les échanges avec une telle fascination qu'elle tressaillit lorsque l'officier s'avança vers elle. Elle recouvra cependant son aplomb pour déclarer :

— Nous sommes Cristobaliennes, cet homme nous a forcées à l'amener ici avec notre barge…

Les soldats étaient nombreux, une vingtaine, estima Frédérique. Plusieurs d'entre eux entouraient Piccino, mais d'autres se tenaient derrière elle et Christane, et leur attitude n'était pas du tout amicale. Frédérique n'avait aucune idée de la discipline et du comportement de l'armée arkadienne. Ces hommes ne leur feraient certainement aucun mal…

Elle aurait aussi bien pu s'exprimer en chinois. L'officier ordonna à ses hommes :

— Fouillez-les.

Frédérique émit un nouveau cri de protestation, tout aussi vain que le précédent. Des mains habiles parcoururent ses vêtements et son corps, et leur contact n'avait rien de sensuel. Elles ne trouvèrent rien d'autre sur elle que son mini terminal, elle n'avait pas eu le temps d'emporter quoi que ce soit. *Idem* pour Christane. Les hommes remirent les bracelets à l'officier, qui les examina.

Frédérique inspira un bon coup, puis, encouragée par un regard de Christane, elle se présenta et présenta son associée.

— Je vous l'ai dit, nous sommes Cristobaliennes. Cet homme nous a forcées à prendre notre barge, elle est quelque part par là…

Elle désigna la route derrière eux.

L'officier ne l'écoutait pas. Il les dévisagea l'une après l'autre, puis il demanda :

— Qui pilotait la barge ?

Encore une fois, Frédérique et Christane échangèrent un regard. Sans doute valait-il mieux collaborer... Christane répondit.

— Moi.

L'officier la toisa et, pendant un moment, Frédérique craignit que l'homme ne la frappe. Il grogna d'un ton appréciateur :

— Félicitations, avec ton rase-mottes, tu nous as semés. Sinon, on aurait été sur vous bien avant.

Christane secoua la tête d'un mouvement empreint de nervosité.

— Je n'avais pas le choix, vous avez vu, il était armé...

L'officier agita la main, comme pour chasser une mouche. Frédérique s'interposa avec hauteur.

— Conduisez-nous à votre supérieur. Nous sommes des citoyennes de l'Union occidentale et nous...

L'officier s'approcha d'elle presque à la toucher.

— Je pense que vous ne comprenez pas bien la situation, mes petites dames. Vous n'êtes pas sur Cristobal, ici. Et je n'ai pas de supérieur. Si vous êtes bien gentilles, peut-être qu'on vous conduira auprès du coordonnateur. En attendant, évitez de monter sur vos grands chevaux, sinon, je pourrais décider d'oublier votre existence, et votre séjour sur cette merveilleuse planète pourrait se prolonger indéfiniment.

Frédérique s'était raidie. Quand l'officier les avait traitées de « petites dames », elle s'était réconfortée : elles ne seraient pas brutalisées, sûrement. Mais maintenant... « Si vous êtes gentilles... »

Ces hommes... étaient bien des soldats arkadiens, non ? Au contraire de Piccino, ils n'avaient pas le moindre accent...

L'officier jeta soudain d'un ton sec :

— Carl Méline. Vous m'appelez « lieutenant ».

Ses paroles n'appelaient aucune réplique, et il se détourna pour conférer avec le dénommé Bugeault qui était revenu vers lui.

Frédérique et Christane ne soufflèrent mot. De toute manière, l'hélijet réclamé tout à l'heure par le « lieutenant » approchait. Sa descente déclencha une tempête de poussière qui aurait couvert tous les cris qu'elles auraient poussés. *Lieutenant*. Frédérique s'entendait déclarer à Piccino : *À bord, on dit « commandante »*.

Carl Méline gueulait des ordres à ses hommes qui gardaient Piccino. Ils avaient lié les mains de leur prisonnier en apparence docile mais, quand ils le remirent sur pied pour l'entraîner vers l'hélijet, Piccino rua soudain et faillit s'échapper. Les hommes le rattrapèrent et le rouèrent de coups jusqu'à ce qu'il cesse tout mouvement.

Un soldat poussa les femmes vers l'hélijet, à la suite des hommes qui portaient le corps inerte de Piccino, qu'ils jetèrent à l'arrière comme un paquet. Par signes, dans le vacarme des réacteurs, les femmes furent invitées à s'asseoir et à boucler leur harnais. Elles obtempérèrent. Le temps d'un échange de regard, Frédérique lut le reflet de son propre désarroi dans les yeux de son associée.

Ce n'était pourtant pas la panique ressentie plus tôt. La situation semblait si irréelle… Et puis, l'effet combiné de la pression atmosphérique, de la gravité, de la pénible marche dans cet environnement étranger, sans compter le coup reçu, tout cela laissait Frédérique engourdie, comme enfermée sous une cloche de verre.

L'hélijet s'éleva en provoquant des tourbillons de vent et de poussière qui incommodèrent les hommes au sol. Le *lieutenant* laissait derrière lui des soldats chargés de repérer et de surveiller les deux conteneurs, puis de capturer les éventuels alliés de Piccino-Lepinsky.

L'hélijet survola une petite rivière au cours rapide, puis la basse chaîne montagneuse que Piccino avait nommée Redan à l'arrivée. Au loin, Frédérique crut apercevoir une vaste étendue de rochers nus – encore des traces de l'exploitation minière – mais la vision fut brève, du coin de l'œil. À l'ouest du Redan, ils passèrent un large cours d'eau. Enfin, Frédérique découvrit un collier de basses collines en forme de U inversé, entre les bras duquel s'étendait une agglomération, ou plutôt un assortiment hétéroclite de constructions en pierre brute, de cabanes en bois et de vieilles unités en matériau de synthèse qui devaient dater d'avant le Grand Conflit.

Sur l'une des collines dominant le village s'élevait une sorte de camp fortifié établi autour d'une maison à l'aspect ancien. Une haute palissade ceinturait les lieux. Des chalets en bois occupaient la majeure partie de l'espace disponible dans l'enclos. L'ensemble avait un aspect rustique.

L'hélijet se posa sur un plateau en contrebas, derrière la maison, hors de vue des habitants du village. Dès que l'appareil eut touché le sol, deux hommes s'emparèrent de Piccino et le transportèrent vers la maison. Méline intima aux Cristobaliennes de le suivre mais, avant de s'éloigner de l'appareil, il cria aux hommes qui approchaient :

— Faites le plein, il repart tout de suite en appui au détachement de surveillance.

Les hommes s'affairèrent autour de l'appareil.

Méline conduisit les Cristobaliennes à l'un des chalets. Ouvrant la porte, il s'effaça pour les laisser passer.

— N'essayez pas de sortir. Mes hommes vous apporteront à manger. Tenez-vous tranquilles et tout ira bien.

« Tenez-vous tranquilles », ordonnait Méline. « Montrez-vous coopératives », avait dit Piccino.

Pour qui ces hommes les prenaient-elles donc ? Frédérique aurait voulu en rire.

Méline était déjà sorti sans attendre de réplique de la part de ces « petites dames ». La porte fut refermée – et verrouillée – derrière lui. Christane se précipita sur le panneau pour en éprouver la solidité, elle secoua la poignée.

— Arrête ! lui intima Frédérique, agacée. Tu sais bien que ça ne sert à rien.

Christane se détourna, les bras ballants. Frédérique jeta d'abord un regard par la fenêtre munie de barreaux, d'où elle avait vue sur la grande maison, puis elle examina l'intérieur de leur prison. Deux lits de camp, placés de part et d'autre de l'étroite pièce. Pas de sièges ni de table. Par contre, dans le mur opposé à la sortie, une porte entrouverte laissait apercevoir une minuscule salle de bain – douche et toilettes, mais c'était déjà beaucoup compte tenu du lieu et de la manière dont les femmes étaient parvenues jusque-là.

— Quel confort ! s'exclama Frédérique en se laissant choir sur l'un des lits.

Christane s'assit près d'elle.

— Tu crois qu'il y a un système de surveillance sophistiqué ? qu'ils nous écoutent ?

— Je n'ai pas l'impression que l'armée arkadienne a des moyens technologiques très avancés...

Christane pouffa de dérision.

— L'armée arkadienne ? Tu veux rire ? Tu as entendu ce type comme moi, ce Méline, et je ne parle pas de son accent de Limina. « Je n'ai pas de supérieur », qu'il a dit. Ces gars-là sont des mercenaires, Frédérique, ils ne sont pas plus Arkadiens que toi et moi.

Des mercenaires. Elle n'avait pas voulu croire Piccino. « Certains de vos compatriotes sont venus jouer les petits soldats chez nous. » C'était dans le carré du *Gagneur* et il semblait à Frédérique que ces paroles avaient été prononcées des siècles auparavant. Si ce Méline et ses hommes étaient Cristobaliens, alors, il y avait encore moins de raison de les craindre, non ? Elle prit une profonde inspiration.

— Mercenaires ou pas, ils dépendent des autorités arkadiennes. Ils ne peuvent pas nous garder ici contre notre gré.

Elle finirait peut-être par se convaincre elle-même. Des compatriotes. Non. Des mercenaires. Des hommes attirés sur Arkadie par le conflit, par la violence potentielle qu'ils pouvaient y exprimer en toute impunité. Elle n'arrivait pas à le croire et encore moins à comprendre.

Près d'elle, Christane soupira.

— Je suis désolée.

Frédérique lui adressa un regard d'avertissement. Quels que fussent les moyens technologiques des hommes de Méline, il valait mieux surveiller leurs paroles. Christane ajouta :

— C'est moi qui ai trouvé ce client, ce Piccino. Si j'avais su qu'il nous prendrait en otages, qu'il nous emmènerait ici... Nous ne sommes que des transporteuses, nous, nous n'avons rien à voir avec leur conflit.

Frédérique comprit que Christane parlait pour d'éventuels auditeurs, car son regard démentait ses paroles.

Alors, Frédérique avait deviné juste lorsqu'elle avait soupçonné une complicité avec Piccino ? D'une manière ou d'une autre, Christane avait été avertie de ce que leur passager tramait, et elle avait approuvé ou, à tout le moins, elle n'avait pas cherché à l'empêcher ni à prévenir son associée. Comment l'autre l'avait-il convaincue ? Frédérique n'arrivait pas à croire que ce fût encore, cette fois, une futile histoire de sexe.

Christane saisit sa main et la pressa doucement, quêtant du regard sinon le pardon, à tout le moins une trêve.

Frédérique se redressa.

— Je vais prendre une douche. J'ai tellement soif, je pense que je vais boire directement sous le jet.

Peut-être étaient-elles effectivement sous écoute, car elles reçurent de la visite au moment où Christane sortait à son tour de la salle de bain, enroulée elle aussi dans un mince drap de bain. Le visiteur était Méline, accompagné d'un soldat qui portait un plateau de repas.

— Vous n'avez besoin de rien pour la nuit? s'informa le lieutenant.

Il se montrait curieusement aimable. Frédérique l'étudia, intriguée, d'un regard en biais. Méline se tenait si droit, il arborait un air si hautain qu'il en paraissait plus grand qu'il ne l'était. En vérité, s'il ne s'était donné cet air supérieur, il aurait été séduisant, dans le genre musclé, avec des traits taillés au couteau. Pas le genre de Frédérique, en tout cas, qui le remercia avec froideur sans qu'il se départe de son air avenant.

— Dites-moi, ce nom, Laganière... c'est un patronyme assez rare. J'ai été en relation avec un Laganière dans le Monde.

Il ne comptait quand même pas leur faire la conversation alors qu'elle et Christane étaient ses prisonnières, et à moitié nues? Frédérique haussa les épaules.

— Peut-être mon oncle Luc, le metteur en scène, mais il était connu sous le nom de Lagan. Ou mon oncle Paul, qui est responsable de la sécurité du réseau.

Méline parut ravi.

— Vous êtes la nièce de Lagan! Vous savez, c'est lui qui a conçu le site de notre groupe.

Frédérique ne put que hocher la tête, sidérée. Adolescente, elle avait visité quelques-unes des œuvres de son oncle Luc en catimini, car sa mère en aurait été choquée, et les avait jugées répugnantes par l'omniprésence de la violence sexuelle.

— Un grand artiste, votre oncle, pontifia Méline. Sa mort a été une perte terrible pour nous et pour le monde de l'Art.

Pas pour moi, puisqu'elle m'a permis d'acheter le Gagneur*!* Quelle tête ferait Méline si elle déclarait un truc pareil ? Cette seule pensée lui permit de recouvrer une certaine assurance. Méline, un fan de l'oncle Luc... Pouvait-elle en tirer avantage ?

Elle plaqua un sourire sur ses lèvres.

— Ma mère sera ravie d'apprendre que j'ai rencontré un ami de son frère... si je la revois un jour.

— Ça ne saurait tarder, rétorqua Méline, toujours aussi aimable. Nous vous emmenons demain à Ville de Langis, chez le coordonnateur. Je vous suggère de vous mettre au lit de bonne heure, car nous partons tôt.

Sur ce, il contempla avec satisfaction l'étonnement soulagé qui se peignait sur les traits des deux femmes.

Quand Méline et son homme se retirèrent, Christane darda sur son associée un regard moqueur.

— Toi et tes oncles...

Cette fois, la vieille plaisanterie leur arracha un bien piètre sourire.

Elles mangèrent peu, malgré leur soulagement à la perspective de voir cette excursion arkadienne se terminer incessamment. Les émotions de la journée leur nouaient l'estomac. Elles se couchèrent, le corps lourd, sans échanger une parole.

Dehors, la nuit tombait en un crépuscule écarlate, comme dans une mise en scène de l'oncle Luc.

◆

Soudain en alerte, Frédérique ouvrit les yeux sur la nuit profonde. Quelque chose l'avait tirée du sommeil dans lequel elle s'était finalement enfoncée.

Elle respirait toujours avec une certaine gêne, mais c'était peut-être dû simplement à toutes ces senteurs inédites – le doux parfum qui émanait des murs en bois du chalet, l'odeur sucrée qui s'élevait du plateau de nourriture – et à la pesanteur qui lui donnait une conscience aiguë de son corps, le contact rugueux des draps, la moiteur de sa peau pourtant fraîche au toucher…

L'obscurité régnait dans la chambre, combattue par une faible lueur en provenance de l'extérieur. Près de la fenêtre, ombre plus dense dans la noirceur de la pièce, Frédérique perçut soudain une silhouette immobile. Une menace? Mais la silhouette respirait avec bruit, Frédérique percevait son souffle oppressé. Un coup d'œil à sa droite lui montra la blancheur des draps qu'on avait écartés. Christane ne dormait pas, ou plus.

Au moment où elle allait se lever à son tour, Frédérique se figea. Une plainte déchira l'air. Un cri de souffrance. Auquel des rires, des voix moqueuses répondirent. Frédérique sentit un long frisson remonter le long de sa colonne vertébrale, un frisson qui n'avait rien à voir avec la fraîcheur de l'air nocturne. Elle gagna la fenêtre à tâtons. Christane ne dit mot, mais elle la tira contre le mur, à l'écart. Même si leur chambre était plongée dans le noir, la pilote craignait d'être aperçue par d'éventuels observateurs.

Pourtant, il n'y avait personne, dehors, du moins personne n'était visible. Les bruits de voix et le cri provenaient d'une fenêtre ouverte dans la grande maison. Des lampes brillaient à l'intérieur, projetant des ombres sur les murs. Si personne ne se tenait directement devant l'ouverture, on distinguait un mouvement de temps à autre. Des hommes se déplaçaient dans la maison, des hommes riaient et lançaient des plaisanteries. Et, une fois de plus, une voix rauque poussa une plainte.

Qu'est-ce qui se passe? Frédérique aurait voulu poser la question, se rassurer au son de sa propre voix, mais sa bouche était de nouveau sèche, si sèche que la langue lui collait au palais. Elle se sentait vaguement stupide, là, collée contre son associée, l'oreille tendue pour guetter des cris de souffrance, tout en se refusant à y croire. *Ils ne le torturent pas. Ils ne peuvent faire une chose pareille. Ça laisse des traces.* Même eux – « Je n'ai pas de supérieur », avait déclaré Méline –, même eux ne pouvaient sûrement se permettre...

L'étreinte de Christane se resserra autour de l'épaule de Frédérique. La pilote chuchota:

— Ce n'est pas la première fois... t'as vu son dos, ses mains?

Frédérique ne répondit pas, mais elle inspira brusquement. Elle s'était demandé comment Piccino avait pu convaincre Christane de l'aider dans son acte de piraterie, elle avait désormais sa réponse. Les mains de Piccino, ses belles mains abîmées...

Pourtant, une partie d'elle-même refusait encore de croire que des hommes puissent impunément en torturer d'autres. Est-ce qu'aucun visiteur cristobalien, représentant des compagnies hindustani ou diplomate chinois, ne s'était rendu compte de ce qui se passait ici? Les intérêts financiers en jeu étaient-ils à ce point importants?

Si les mercenaires se montraient discrets... L'amplix, la drogue du plaisir, stimulait les terminaisons nerveuses, elle augmentait les sensations... et pouvait ainsi devenir la drogue de la souffrance. Avec une telle amplification, il n'était pas nécessaire de causer une grave blessure pour provoquer beaucoup de douleur. Une petite coupure suffisait amplement.

Un nouveau cri s'éleva, et Frédérique se boucha les oreilles.

Chapitre 4

Elle ne se rendormit pas. Quant à Christane, sans doute n'avait-elle pas fermé l'œil de toute cette longue nuit. Frédérique ne s'en informa pas. Elles n'avaient pas échangé un mot depuis le chuchotement de Christane. Simplement, quand le silence et l'obscurité étaient revenus dans la maison en face, elles avaient regagné leur lit respectif.

Frédérique sentait sa propre lâcheté lui peser sur l'estomac. N'aurait-elle pas dû s'accrocher aux barreaux de la fenêtre, ou bien tambouriner contre la porte du chalet, appeler, tempêter pour attirer l'attention des mercenaires, les obliger à cesser ce qu'ils faisaient derrière les murs de la grande maison ? D'accord, Christane n'avait pas réagi elle non plus. Peut-être la retenue qu'elles avaient montrée leur permettrait-elle de reprendre leur barge, de retourner au *Gagneur* et de retrouver leur vie d'avant.

Quand elle se leva avec le jour pour s'habiller avant que Méline ne les envoie chercher, Frédérique s'était presque persuadée qu'elles avaient agi avec sagesse. Les affaires arkadiennes ne les concernaient pas, mais, si elles tenaient à aider Piccino ou Lepinsky, leur neutralité les servirait mieux et elles pourraient toujours toucher un mot aux autorités à propos du comportement douteux des mercenaires, une fois en sécurité à bord de leur vaisseau. Pourtant, qu'y avait-il à dire ? Elles n'avaient rien vu. Que savaient-elles vraiment, en fin de compte ? Était-ce même Piccino qui avait poussé ces cris de souffrance ? Étaient-ce seulement des cris de souffrance qu'elles avaient entendus ?

Il restait du pain et des fruits de la veille. Elle grignota et força Christane à manger aussi. La pilote semblait d'humeur morose, sans doute était-elle parvenue aux mêmes conclusions.

Les hommes s'agitaient dans le camp depuis une bonne heure lorsque Christane, postée à la fenêtre, signala que Méline sortait de la grande maison et se dirigeait vers leur prison. Le lieutenant était escorté de mercenaires armés. L'un d'eux ouvrit la porte. Depuis le seuil, Méline fit signe à ses « petites dames » de le suivre. Il les dévisagea l'une après l'autre et parut amusé par leurs traits tirés.

— Vous n'avez pas bien dormi, les lits n'étaient pas confortables ?

Frédérique et Christane tressaillirent de façon simultanée, mais ni l'une ni l'autre ne répondit. Le lieutenant attendait sûrement une réplique offusquée, car devant le silence des femmes, il se renfrogna.

— Je parie que vous vous inquiétez pour ce salopard, mais vous ne savez pas qui il est, vous ne connaissez même pas son vrai nom.

Frédérique se retint avec peine de rétorquer : Piccino ou Lepinsky, quelle importance cela avait-il ? Christane grommela.

— Nous avons accepté celui qu'il nous a donné, nous lui avons fait confiance. Si nous avons eu tort…

Méline la coupa :

— Tort ? Ce type nous a causé plus d'ennuis que vous ne pouvez l'imaginer, il nous a fait perdre une fortune, c'est un escroc, un drogué, un voleur, un menteur. Rappelez-vous-en quand vous aurez envie de vous apitoyer sur son sort.

Un escroc, un voleur, un menteur ? Un drogué, oui, peut-être, puisqu'il avait été question d'amplix...

Il a peur de ce que nous dirons au coordonnateur, comprit Frédérique. Eh bien, c'était un soulagement : cela signifiait qu'elle et Christane rencontreraient bientôt une personne d'autorité qui leur rendrait sans doute leur liberté, et leur barge.

Comme Christane ne rétorquait rien, Frédérique se rendit compte que le regard de sa compagne était dirigé vers la maison. Des hommes en sortaient. Ils traînaient plus qu'ils ne conduisaient Lepinsky vers l'arrière du bâtiment. Les vêtements et le visage de l'Arkadien étaient sales, couverts de poussière. Une tache de sang maculait sa chemise à la hauteur de la poitrine. Frédérique vit son associée esquisser un pas vers l'avant ; elle s'empressa près d'elle et lui entoura la taille de son bras, puis s'adressa à Méline d'un ton uni.

— Le seul sort qui nous préoccupe, lieutenant, c'est le nôtre. Les affaires arkadiennes ne nous regardent pas et plus vite nous regagnerons notre vaisseau, mieux nous nous porterons.

Christane baissa la tête sans mot dire. Le lieutenant accueillit cette apparente soumission d'un air satisfait.

— Alors, allons-y.

Toutefois, un mercenaire interpella l'officier et Méline se tourna vers les hommes qui l'avaient accompagné.

— Emmenez les femmes aux camions, je vous rejoins.

Il s'éloigna d'un pas martial. Ses hommes poussèrent leurs prisonnières avec fermeté mais sans brusquerie.

— Par ici.

Sur la pente en contrebas, là où la veille l'hélijet les avait déposées, deux camions se trouvaient stationnés, des engins tout-terrain hauts sur roues à propulsion électrique. L'hélijet n'était pas revenu de la nuit, ce qui signifiait qu'aucun autre rebelle n'avait été capturé. Parce qu'ils avaient échappé à la surveillance des mercenaires, ou parce qu'aucun d'entre eux n'avait tenté de récupérer les conteneurs ?

Les cabines des camions étaient presque inaccessibles pour les femmes, surtout pour des spationautes aussi fraîchement débarquées. Des échelles de métal pouvaient être dépliées de part et d'autre pour faciliter l'accès à la cabine, mais les hommes préféraient visiblement s'en passer. L'un des mercenaires qui se trouvait déjà à bord tendit une main pour hisser les passagères près de lui. Dans la cabine nue, deux bancs couraient le long de la paroi. Piccino était allongé par terre, au milieu. Frédérique ne pouvait voir son visage, mais il était vivant, et peut-être même conscient, car tout son corps semblait agité de soubresauts. Parfois, il se tortillait, ses membres se tendaient, comme s'il bandait les muscles – peut-être pour tenter de se débarrasser de ses liens ? Puis la tension se relâchait brusquement, et les tremblements reprenaient.

Les passagères s'installèrent au bout de l'un des bancs, près de la cabine du conducteur. Les mercenaires ne se souciaient guère d'éviter le corps de Piccino et le heurtaient du pied au passage, d'un mouvement presque distrait, déclenchant de nouvelles crises de soubresauts. Pour eux, il n'était qu'un bagage encombrant. Frédérique imagina ce que donnerait la diffusion de la scène dans le Monde. Ses compatriotes seraient-ils choqués par cette violence ou bien diraient-ils, comme elle, « les affaires arkadiennes ne nous regardent pas » ?

Bientôt, Méline les rejoignit. Il grimpa sans aide près de ses hommes, tapa du poing contre le toit du véhicule, qui se mit aussitôt à rouler, puis il s'assit en face des femmes. Frédérique vit que le second camion s'ébranlait derrière le premier.

En cahotant plus ou moins à l'unisson, les camions descendirent la colline. Frédérique tourna la tête. La cabine où elle se trouvait était séparée du chauffeur par une fenêtre sans vitre, fermée d'un simple grillage. Deux hommes se tenaient dans cet espace. Ils parlaient entre eux, mais les bruits ambiants couvraient la plus grande partie de leur échange – non pas le son du moteur électrique, plutôt silencieux, mais l'espèce de vacarme produit par le choc des roues dans les ornières et le grincement aigu de la suspension. Impossible également de mener une conversation dans la cabine arrière. Du reste, Frédérique avait d'autres préoccupations à cet instant : ne pas être éjectée du banc par les brusques cahots et avaler le moins possible de mouches ou de la fine poussière ocre que les engins soulevaient sur leur passage et qui s'insinuait par toutes les ouvertures.

De temps à autre, elle jetait un coup d'œil vers l'avant ou l'arrière, pour voir à peu près la même chose, c'est-à-dire, derrière, le camion qui les suivait brinquebalant et, devant, un chemin qu'on pouvait à peine qualifier de route. Des deux côtés, le nuage de poussière masquait à moitié le mur végétal constitué par la dense forêt arkadienne. À un certain moment, le camion passa sur une surface plane qui trembla sous son poids. Un pont. Le véhicule enjambait le large cours d'eau survolé la veille, par un pont de bois sans parapet. Frédérique eut une brève vision du flot paresseux, très vert, à la surface duquel le soleil jetait des éclats aveuglants, puis ce fut de nouveau la route inégale.

L'âcreté de la poussière rendait la respiration difficile et laissait dans la bouche un affreux goût de fer. Frédérique se mit à tousser, imitée par Christane. Les mercenaires, eux, avaient levé un foulard devant le bas de leur visage pour se protéger. Au bout d'un moment, Méline tendit un mouchoir à Frédérique. Il asséna un coup de coude à l'un de ses hommes pour l'inciter à en offrir un à Christane.

Si Frédérique n'avait pas eu tant de peine à respirer entre les quintes de toux, elle aurait risqué une remarque ironique. *Quels hommes galants, ces mercenaires!*

Quand retentit le premier choc sourd, elle crut d'abord que le camion était passé dans une ornière particulièrement profonde, mais Méline s'élança pour hurler à travers le grillage qui le séparait du conducteur:

— Fonce!

Le camion accéléra, et son bond vers l'avant manqua projeter Méline au sol, près du prisonnier. Le lieutenant retomba assis sur le banc, dont il faillit être éjecté, comme les deux femmes, lorsque le camion s'arrêta brusquement. Des cris, des explosions. Le nuage de poussière remplacé par de la fumée. Frédérique toussa de plus belle. Un nouveau choc brutal ébranla le véhicule à l'avant, du liquide jaillit à travers le grillage de la fenêtre, éclaboussant les passagers. Avec stupeur, Frédérique se rendit compte que c'était du sang, des gouttes écarlates qui souillaient ses genoux et le dos de sa main.

Méline beugla de fureur. Il sauta hors du camion en criant:

— Saretti, tu gardes le prisonnier!

Le mercenaire interpellé obéit et se tint aux aguets, le corps penché vers l'avant, les mains crispées sur le fusil, prêt à tirer. Frédérique se serra contre Christane. Il y eut encore des chocs contre la paroi du camion et un crépitement sec que Frédérique, avec retard, identifia comme des coups de fusil-mitrailleur. Un nuage de fumée enveloppait maintenant le véhicule, mais Frédérique ne distinguait aucune flamme. Ses yeux larmoyaient dans cette atmosphère épaisse, étouffante.

Le mercenaire resté à bord se pencha plus avant pour jeter un coup d'œil au dehors. Un impact violent souleva son corps et le rejeta vers l'arrière. La tête éclatée, l'homme tomba sur Piccino. Frédérique poussa Christane contre la paroi. Elle avait une terrible conscience de la précarité de leur situation au milieu de l'affrontement.

Soudain, trois silhouettes agiles grimpèrent à l'arrière du camion, tandis qu'on s'agitait dans la cabine avant. Les nouveaux venus portaient des foulards, eux aussi, pour cacher leur bouche et leur nez. Leurs vêtements étaient d'un bleu-vert foncé, et même ce que l'on pouvait voir de leur peau était teint couleur feuillage. Les deux premiers se saisirent du mercenaire tué et le jetèrent en bas du véhicule. Le troisième semblait bossu, sans doute son arme déformait-elle le poncho qui l'enveloppait. Avec vivacité, il s'agenouilla sur le plancher et, délicatement, bougea le corps de Piccino. Le visage du prisonnier apparut. Ses yeux ouverts exprimaient une étrange absence. Il tremblait toujours de façon convulsive et, lorsqu'il vit le rebelle penché sur lui, il se lança dans une tirade au débit incroyablement rapide, saccadé, dans une langue que Frédérique ne connaissait pas.

Le rebelle agenouillé près de lui répondit à voix basse, d'un ton apaisant, mais les mots n'eurent aucun effet. Au contraire, Piccino s'agita plus encore, et il parut sur le point d'étouffer.

Les deux autres rebelles s'étaient d'abord tenus immobiles, silencieux. Puis, l'un d'eux s'assit, rencogné sur le banc. Le troisième, celui à la silhouette la plus élancée, était resté debout. Il frappa le toit, comme Méline l'avait fait plus tôt. Le camion s'ébranla, tandis qu'au dehors s'élevaient toujours des coups de feu, des cris, des explosions. Malgré les violents cahots, le rebelle restait debout, les mains levées appuyées au toit pour maintenir son équilibre. Au-dessus du foulard qui lui protégeait le visage, ses yeux, très foncés, presque noirs, contemplèrent les Cristobaliennes assises devant lui. Puis, son regard s'abaissa. Frédérique suivit le mouvement.

Le rebelle agenouillé sur le plancher avait retiré son poncho ainsi que le sac qu'il portait sur son dos. Il parlait toujours doucement à Piccino, qui s'agitait encore de façon convulsive.

Frédérique eut soudain l'impression de contempler la scène de très loin, comme dans un télescope dont l'objectif aurait été fixé sur le sac à dos du rebelle. Ce sac à dos usé, au cuir rapiécé, provoquait un écho vertigineux, une sensation de déjà-vu. Frédérique sentit une bouffée de chaleur monter dans son corps avec l'affreuse impression qu'elle allait s'évanouir.

Elle s'efforça de respirer lentement. L'air pénétra un peu plus aisément dans ses poumons.

Tous les regards étaient tournés vers Piccino et le rebelle penché sur lui. *La* rebelle, plutôt. Les mains délicates, si menues qu'on aurait dit celles d'un enfant, étaient des mains de femme. Le foulard et la teinture verte ne montraient pas grand-chose du visage, mais la finesse de l'oreille qui apparaissait sous le bord de la casquette, la minceur des membres…

Pendant que Frédérique reprenait contenance, la femme avait sorti du sac à dos usé deux injecteurs hypodermiques. Avec des gestes sûrs, elle saisit le poignet de Piccino, releva la manche de sa veste et fit une première injection. C'était peut-être une illusion, mais il sembla à Frédérique qu'au bout d'un moment Piccino respirait lui aussi avec plus de facilité. Frédérique essuya la sueur qui mouillait son propre front.

La femme fit une seconde injection. Elle rangea les injecteurs mais ne lâcha pas le poignet de son patient. Elle cherchait le pouls, comprit Frédérique.

Le rebelle aux yeux noirs, cependant, s'était finalement assis près de son compagnon. Tous deux surveillaient la femme d'un même regard avide. Celui qui s'était assis en premier semblait plus nerveux. L'autre, qui était peut-être le chef, paraissait plus âgé.

Enfin, les paupières de Piccino battirent, il les ferma avec un gémissement. La femme laissa doucement le poignet qu'elle avait tenu et recouvrit le blessé de son poncho. Elle adressa un signe de tête à ses compagnons. Il sembla à Frédérique que la tension quittait les deux hommes.

Le véhicule avait abandonné la route poussiéreuse pour l'ombre de la forêt où il se frayait un chemin. Des branches raclaient la carrosserie et le camion cahotait de manière encore plus brutale. Le rebelle aux yeux noirs se pencha vers la fenêtre qui séparait la cabine avant de l'arrière, mais il resta silencieux.

Frédérique aurait voulu être capable de crier, d'exiger des explications : qui étaient ces gens, où emmenait-on le camion, qu'est-ce qui se passait, qu'allait-on faire d'elles ? Mais elle se sentait encore faible après le malaise de tout à l'heure, et comme vidée de sa substance. Elle n'était qu'un bagage sans volonté. Christane et elle avaient été les otages de Piccino, puis les prisonnières de Méline, et maintenant... qu'est-ce qui les attendait ?

La progression laborieuse à travers la forêt sembla durer un temps infini, puis le véhicule stoppa, le moteur fut coupé. Dans la cabine arrière, personne ne bougea. À l'avant, le communicateur émettait des bruits parasites à travers lesquels perçait parfois le son d'une voix que Frédérique jugea affolée. Enfin, l'un des hommes à l'avant fit un geste et la radio se tut. Le rebelle aux yeux noirs glissa sur le banc pour s'approcher de l'ouverture arrière. Il abaissa son foulard. Un visage maigre apparut. De profondes rides marquaient le contour de sa bouche et de son front. L'homme tendit l'oreille un moment.

Les deux autres rebelles attendaient, attentifs aux réactions de leur compagnon. Enfin, l'homme âgé lança un signe impératif à l'attention du rebelle assis. Sans un mot, celui-ci enjamba le rebord de la cabine et sauta dans l'herbe. Le rebelle âgé et la femme se penchèrent sur Piccino maintenant inconscient, qu'ils emmitouflèrent dans le poncho. Ils soulevèrent son corps avec bien plus de délicatesse qu'ils n'en avaient montré pour le mercenaire tué et le portèrent jusqu'à l'ouverture. Ils le tendirent au rebelle qui se tenait à l'extérieur. Les hommes à l'avant n'avaient pas bougé.

La femme sauta à son tour hors de la cabine. Le rebelle âgé se tourna alors vers les Cristobaliennes.

Depuis que les rebelles s'étaient emparés du camion, Frédérique avait été incapable de réagir. Mais pourquoi Christane s'était-elle tenue coite, elle ? Sans doute, confondant inertie et calme, la pilote avait-elle choisi de calquer son attitude sur celle de la « commandante ». Elle ne pouvait savoir combien Frédérique se sentait désemparée, inapte à prendre quelque décision que ce soit. Avec Méline, son seul souci avait été de prouver sa bonne volonté afin qu'on lui rende la barge, pour qu'elle et Christane puissent retrouver l'abri du *Gagneur*. Maintenant…

Christane ne bougeait toujours pas. Sûrement, elle attendait que Frédérique réagisse, qu'elle proteste, qu'elle réclame des explications. Suivre les rebelles, n'était-ce pas s'éloigner de ceux qui pouvaient leur rendre leur vaisseau ? Mais les Cristobaliennes avaient-elles le choix ?

Frédérique se leva sans un mot. Avec maladresse, elle passa par-dessus le bord du camion, faillit perdre l'équilibre et s'étaler dans l'herbe. Christane la rejoignit, bientôt suivie du dernier rebelle qui se déplaçait avec une agilité surprenante pour son âge. Sitôt que l'homme eut touché le sol, le camion s'ébranla.

Christane jeta à son associée un regard interrogateur. Quoi, pas de protestation indignée ?

Elles se trouvaient sur un sentier étroit, à peine visible entre les arbres serrés, un sentier que le camion continua de suivre en cahotant, tandis qu'elles restaient derrière.

Toujours en silence, le rebelle âgé montra une direction sous les arbres. Portant Piccino sur le poncho transformé en civière, la femme et l'autre rebelle se mirent en route. Frédérique et Christane leur emboîtèrent le pas, l'homme âgé fermant la marche.

La chaleur était moins intense sous les ramures où régnait une douce pénombre. C'étaient les mêmes arbres au tronc gris-mauve que dans la forêt où Piccino avait dissimulé les conteneurs, mais le sous-bois était ici plus touffu, plus encombré de branches mortes et de petites pousses d'un bleu-vert sombre. Les troncs moins larges s'élevaient plus haut, beaucoup de leurs branches inférieures étaient mortes, desséchées, et elles griffaient les marcheurs, s'accrochant à leurs vêtements. On aurait dit un énorme félin furieux qui cherchait par tous les moyens à se débarrasser des intrus. Et secondé en cela par des mouches noires minuscules, harassantes, qui s'insinuaient dans les yeux et la bouche. Mais Frédérique n'avait aucune envie de s'en plaindre. Aucune envie d'émettre le moindre son. Aucune envie de rien.

Elle avançait d'un pas machinal, les yeux fixés au dos de la femme qui la précédait. Ou au sac sur le dos de la femme… Non, elle avait dû imaginer tout ça, cette impression de déjà-vu.

C'était la faute à Piccino, au coup qu'il lui avait asséné sur la tête. Depuis cet instant, sa vie avait basculé dans un mauvais rêve rempli de mouches.

Une branche lui égratigna le bras, la ramenant à la réalité. Le sol montait. La pente, qui avait été presque imperceptible au début, s'accentuait maintenant, exigeant un plus grand effort. Frédérique suait à grosses gouttes. Elle vit que les rebelles avaient noué leur foulard autour de leur front, en bandeau, et les imita. Elle revit soudain le sentier à pic, la montagne dont les pieds et le sommet se perdaient dans la brume, le petit temple où elle avait rencontré Nicola Piccino la première fois. L'Arkadie mythologique.

Beaucoup plus de mouches et de chaleur dans l'Arkadie réelle.

Frédérique faillit éclater de rire. Ou en sanglots, elle ne savait pas. Il lui semblait qu'elle allait suffoquer. Elle aurait voulu se jeter au sol, se rouler en boule, oublier le lieu, oublier tout.

Elle continua à avancer.

Bientôt, elle constata que, si les arbres se dressaient toujours aussi haut, l'espace entre les troncs s'élargissait et l'on apercevait de grands pans de ciel. Des rochers ocre couverts de mousse brune affleuraient, parfois étreints par les racines, parfois masqués par des buissons.

Les porteurs s'étaient arrêtés, le regard tourné vers leur compagnon plus âgé à l'arrière. Les imitant, Frédérique constata que Christane semblait aussi trempée de sueur, aussi épuisée qu'elle. Le rebelle plus âgé s'avança vers ses compagnons et ils se concertèrent à mi-voix, dans une langue qui sembla vaguement familière aux oreilles de Frédérique… qui n'y comprit pourtant goutte.

— Dix minutes de pause, annonça ensuite le rebelle âgé.

La femme et son compagnon déposèrent doucement leur fardeau au pied d'un arbre. Comme ils avaient transformé leur foulard en bandeau, Frédérique put détailler leurs traits à loisir. La femme n'était guère plus vieille qu'elle. Son visage était joli, harmonieux, malgré la sueur qui détrempait le maquillage vert foncé. Elle s'épongea avec son mouchoir avant de le renouer sur son front. Son compagnon lui tendit une gourde. C'était un jeune homme au visage rond, à l'expression honnête, les yeux vifs cernés de fatigue.

La femme but une longue gorgée à la gourde, puis elle se pencha sur Piccino pour l'examiner à nouveau, l'air soucieux.

Frédérique et Christane s'étaient laissées choir sur le sol, côte à côte, à proximité des autres. Le rebelle âgé leur offrit sa gourde. Frédérique accepta l'eau avec reconnaissance. L'homme l'observa tandis qu'elle buvait. Quand elle passa la gourde à Christane, il murmura :

— Bientôt, vous pourrez nettoyer cela.

Étonnée, Frédérique baissa les yeux sur ses mains. Elle avait oublié les taches de sang, le sang du mercenaire tué qui l'avait éclaboussée. Elle arracha de l'herbe pour frotter sa peau, mais le rebelle âgé l'arrêta d'un geste.

— Plus tard.

Au bout d'un moment, il ajouta, toujours à voix basse :

— Je m'appelle Raju Korasi.

Comme Frédérique, perdue dans la contemplation des taches, restait silencieuse, Christane se chargea des présentations. Ensuite, elle désigna Piccino.

— C'est nous qui l'avons amené à bord de notre vaisseau. J'avais… accepté de l'aider.

Raju Korasi accueillit l'information d'un signe de tête. Ses traits exprimaient une réserve polie, rien qui pût donner aux Cristobaliennes un indice sur le sort qui les attendait. Au bout d'un moment, Christane demanda :

— Qu'allez-vous faire de nous ?

Korasi répondit d'un ton que Frédérique jugea sentencieux :

— Ce n'est pas ici que nous allons le décider.

Son regard se portait du côté de Piccino. Le sort des Cristobaliennes était-il lié à celui du blessé ? Frédérique pouvait comprendre la prudence que montrait le vieux rebelle. Après tout, il ne savait rien de ces femmes, sinon que Piccino les avait entraînées avec lui sur Arkadie. Christane ouvrit la bouche pour insister, mais elle retint sa réplique, car, sur un signe de Korasi, l'autre rebelle s'était levé. Tandis que le jeune homme s'éloignait entre les arbres, Christane demanda:

— Peut-on au moins savoir où vous nous emmenez?

— Dans un endroit sûr.

Christane contempla son associée en soupirant. Frédérique aurait voulu lui parler, lui dire au moins de laisser couler les choses – ça ne servait à rien d'insister auprès de Raju Korasi, l'homme n'avait pas tort, les choses ne se décideraient pas en pleine forêt –, mais elle se sentait incapable d'ouvrir la bouche. Christane n'était pas habituée à la voir silencieuse, surtout dans une situation pareille.

Près d'elles, la jeune rebelle ajustait de nouveau le poncho autour de Piccino pour l'emmitoufler. Christane se tourna vers cette autre interlocutrice.

— Est-ce qu'il... va mieux?

La jeune femme répondit d'un ton dur.

— Il devrait survivre.

— Nora... émit Korasi d'un doux ton de reproche.

La jeune femme jeta avec force:

— *Son' Cristobaline.*

Cette fois, Frédérique était certaine que la langue dans laquelle s'exprimait la jeune femme prénommée Nora était l'italien – sa relation avec son voisin Giovani lui avait au moins enseigné ça. De toute façon, le sens des mots était évident: *Elles sont Cristobaliennes.*

Et Frédérique comprenait le sens du propos bien au-delà de la simple signification des mots: ces étrangères provenaient de la même planète que les hommes qui avaient mis Nicola Piccino dans cet état. Cristobal. Qui se fichait bien de ce que ses ressortissants pouvaient fabriquer sur Arkadie...

Frédérique aurait voulu répliquer que ce n'était pas leur faute à elles, ici et maintenant, que les Cristobaliens étaient en général des gens bien, pas du tout comme ce Méline et ses hommes, mais, pour être tout à fait juste, il fallait admettre que Cristobal était coupable de son ignorance, coupable de ne pas se soucier du sort des Arkadiens.

À ce moment, le troisième rebelle revint auprès d'eux en déclarant :

— *La vojo è klara.*

Ça, ce n'était pas de l'italien, ou alors c'était de l'italien mêlé à autre chose.

Raju Korasi se remit aussitôt sur pied. Christane et Frédérique l'imitèrent avec un temps de retard. L'Arkadien les dévisagea un instant sans rien dire, puis il annonça :

— Nous allons avancer en terrain découvert. Il faudra être prudent…

C'était un appel à leur collaboration, Christane et Frédérique ne s'y trompèrent pas. Elles acquiescèrent en silence. Nora et son compagnon reprirent leur fardeau, le groupe se remit en mouvement.

Après quelques centaines de mètres, la forêt s'éclaircit, elle devint de plus en plus clairsemée. Le félin avait perdu ses griffes, et même ses pattes, il n'était plus qu'une fourrure bleu-vert élimée, effilochée sur les dents de la colline. Car les rochers ocre dressaient des pointes de plus en plus acérées entre des bouquets d'arbres de plus en plus rares. Bientôt, il ne resta que des buissons. Le soleil tapait dur sur le crâne des marcheurs qui peinaient entre les rochers.

Raju Korasi avait pris la tête et menait ses compagnons de bosquets en buissons, marquant une pause chaque fois avant de reprendre l'ascension. Parfois, il ordonnait : « Baissez-vous, ne bougez plus », et le groupe observait une parfaite immobilité, jusqu'au prochain murmure : « C'est bon, on continue. »

Que feraient-ils lorsqu'ils atteindraient le sommet, où des observateurs pourraient les voir à des kilomètres à la ronde ?

Mais ils n'atteignirent pas le sommet.

En pénétrant dans un bosquet dense à la suite de Korasi, Frédérique découvrit ce que les arbrisseaux avaient dissimulé : une ouverture étroite, sombre comme une coupure au flanc de la colline rocheuse. Sur un signe de Korasi, Frédérique et Christane s'arrêtèrent pour laisser passer Nora et l'autre rebelle qui se faufilèrent avec précaution dans l'entrée de la grotte. Sans souffler mot, Korasi poussa doucement Christane dans l'entrée, puis Frédérique. Il fallait s'y glisser de côté tant l'ouverture était étroite.

— Attendez un instant, chuchota Korasi dans son dos.

Ils ne s'étaient pas encore suffisamment éloignés de l'entrée pour que l'obscurité les enveloppe, mais le contraste entre l'extérieur et l'intérieur était tout de même frappant. Frédérique tendit une main, toucha le tissu de la veste de Christane. La pilote bougea à son tour, lui prenant la main.

Un déclic léger, une lueur apparut. Nora et l'autre rebelle avaient posé Piccino sur le sol et la jeune femme levait maintenant une petite lanterne électrique. Un autre déclic derrière, une nouvelle lumière, un peu plus puissante : Korasi venait à son tour d'allumer une lampe torche, dont le faisceau balaya la grotte étroite au plafond bas. La caverne devait s'étendre plus avant. Il semblait à Frédérique qu'elle percevait une ombre profonde à la limite du pinceau de clarté de la lampe.

Korasi s'avança derrière Frédérique en murmurant :

— Mademoiselle Kurtz, prenez la lumière.

Nora tendit la lanterne à la pilote non sans répugnance. Leurs doigts s'effleurèrent et il sembla à Frédérique que l'Arkadienne esquissait un mouvement de recul. Christane leva la lampe et Frédérique distingua son air offensé. Nora se détourna aussitôt.

— Passez devant avec la lumière, ordonna Korasi. Il suffit de suivre le couloir.

Lorsque Christane s'avança, obéissant au vieux rebelle, Frédérique vit qu'elle ne s'était pas trompée, qu'une nouvelle ouverture s'offrait à eux, tout aussi étroite que la précédente.

Christane s'y engouffra et seule une faible lueur subsista par l'étroit passage. Nora et son compagnon l'occultèrent lorsqu'ils s'y glissèrent à leur tour, portant Piccino. Frédérique sentit une main se poser sur son épaule.

— Allez, souffla Raju Korasi. N'ayez pas peur.

Elle obéit et se laissa avaler par la pierre.

Chapitre 5

Dans la faible lumière des lampes, les parois de la grotte – du couloir ? – prenaient une teinte orangée. La roche semblait poreuse sous les doigts et peut être un peu mouillée. Il en émanait d'ailleurs une odeur d'humidité, mêlée à la senteur ferreuse que Frédérique associait désormais à la pierre. L'eau de ruissellement des pluies avait creusé la roche friable, à moins que le couloir n'ait été, à l'origine, le lit d'une rivière souterraine. Les rebelles, au fil des ans, avaient agrandi ce chemin sous la colline, comme en témoignaient parfois la marque d'un coup de pioche que révélait soudain le faisceau de la torche ou la trop parfaite uniformité du rocher qu'on sentait sous la main. Et ce sentier sous-terrain descendait vers l'endroit sûr annoncé par Raju Korasi.

Parfois, la pente s'accentuait soudain, il fallait franchir une véritable dénivellation. Parfois, le chemin restait trompeusement plan durant quelques pas, jusqu'à ce qu'un trou dans le sol rappelle aux marcheurs d'être prudents. Ils avançaient sans mot dire, mais non en silence, car le bruit de leurs souffles oppressés était amplifié par la pierre.

Peu à peu, toutefois, un son plus lointain couvrit leurs halètements, une sorte de grondement sourd qui résonna de plus en plus fort dans le passage obscur, tandis que l'humidité ambiante augmentait. Après une dénivellation plus importante que les autres, Frédérique en découvrit l'explication: une rivière souterraine coulait bel et bien en flots impétueux sous la colline. La berge consistait en une étroite bande de pierre glissante et moussue. De fines gouttelettes mouillèrent le visage de Frédérique lorsqu'elle approcha, à la suite de ses compagnons, de ce périlleux rebord. L'humidité était si intense qu'il semblait à Frédérique qu'elle respirait de l'eau.

Soudain, Nora poussa un cri aigu. Le corps de Piccino tressautait avec violence, au risque de basculer dans la rivière en entraînant avec lui ses porteurs. Christane, qui allait devant, s'arrêta aussitôt, mais Nora ordonna d'un ton pressant:

— *Antauxen!* Avancez, ne vous arrêtez pas!

Christane pressa le pas, mais Frédérique avait eu le temps d'apercevoir son expression effrayée. Heureusement, la berge s'élargissait un peu plus loin, formant même une sorte de renfoncement. Les porteurs l'atteignirent juste à temps, le corps de Piccino, de nouveau agité de soubresauts, leur échappa. Nora se jeta aussitôt à genoux près de lui. Christane tenait toujours la lampe, mais la lumière tremblait dans ses mains.

Frédérique faillit crier à son tour quand une main se posa sur son épaule: c'était Korasi, derrière elle, qui la poussait vers les autres. À la clarté conjuguée des deux lampes, le visage de Piccino leur apparut grimaçant, les yeux révulsés. Son corps semblait piqué de mille petites décharges électriques.

— Sylvio, *aiuto!* lança Nora.

Son compagnon s'agenouilla près d'elle et s'efforça de maintenir le bras de Piccino tandis que Nora lui faisait une nouvelle injection. Au bout d'un moment, le corps de Piccino retrouva son inertie. Nora resta accroupie, les épaules affaissées.

— On ne peut pas rester ici.

Korasi avait élevé la voix pour couvrir le grondement de la rivière. Nora se remit sur pied avec peine, fatigue ou désespoir.

Frédérique ne savait trop ce qu'elle ressentait elle-même, mais ses vêtements trempés pesaient une tonne. Ses mains étaient mouillées comme si elle les avait passées sous le robinet. Ses mains... Frédérique les frotta contre ses vêtements humides. À tout le moins, l'atmosphère saturée d'eau aurait libéré sa peau des taches de sang. Pour les vêtements, c'était une autre histoire. De toute manière, Frédérique aurait volontiers plongé tout entière dans une lessiveuse. Elle réprima un rire nerveux.

Ils continuèrent en titubant. Cette fois, Korasi était passé devant. Sa torche éclaira bientôt une ouverture située un peu plus haut que la berge. Christane déposa sa lampe et se hissa la première, puis elle aida le vieux rebelle à grimper. Ils prirent le corps de Piccino et s'éloignèrent dans l'obscurité. En s'accrochant aux aspérités de la pierre, Frédérique parvint tant bien que mal à monter à son tour.

Il y avait là un renfoncement qui formait un creux assez vaste pour mettre les voyageurs épuisés à l'abri de la bruine qui s'élevait de la rivière. Un nouveau couloir s'amorçait de l'autre côté d'un étroit passage, mais il était hors de question de s'y engager avant d'avoir ménagé une pause.

Ils s'affaissèrent dans cette grotte, tassés les uns sur les autres, s'efforçant de laisser le peu de place disponible à Piccino. Frédérique contempla le visage de ses compagnons. La lumière des lampes accentuait leur teint blafard. Frédérique elle-même se sentait engourdie, dépouillée de toute émotion par la fatigue. Plus de panique. Plus de colère. Un grand vide glacé qui lui donnait le vertige.

Au bout d'un moment, avec un soupir, Sylvio se redressa sur les genoux et prononça quelques paroles.

Son débit était trop rapide, Frédérique ne distingua qu'un mot : *helpo*. Korasi dévisagea le jeune homme avec ironie.

— Ah oui ? Et qui vas-tu ramener ? Asha et Kiran ? Mandu ? Natalia ?

Pour Frédérique, ces noms ne signifiaient rien, mais l'énumération rendit Sylvio penaud, tandis qu'elle dessinait sur les lèvres de Nora un rictus qui ressemblait à un sourire. Frédérique ne put s'empêcher de demander :

— Est-ce qu'il n'y a aucun… secours médical ?

Elle se rendit compte aussitôt de l'absurdité de sa question, mais il était trop tard. L'Arkadienne réagit avec vivacité.

— Du « secours médical » ? Vous vous croyez où ? Je suis le seul médecin à des kilomètres à la ronde. En fait, il n'y a pas de médecin, je ne suis même pas médecin, où avez-vous vu la faculté de médecine d'Arkadie ?

— Éléanore Henke…

La réprimande de Korasi manquait de conviction. Peut-être savait-il qu'il ne servait à rien de tenter de l'apaiser. La jeune rebelle continua sans reprendre son souffle :

— Nous ne sommes pas dans votre petit univers douillet où des robots se précipitent pour soigner la moindre égratignure ! Ici, on meurt d'une grippe, d'une infection, d'une mauvaise fracture…

Korasi observait sa jeune compagne avec calme. Nora Henke se tut soudain, avec un haussement d'épaules.

— Je suis désolée, émit Frédérique.

Elle se sentait penaude comme une gamine qu'on a grondée un peu fort. Près d'elle, Christane se tortilla pour se redresser.

— Il me semblait avoir entendu dire que des médecins cristobaliens étaient venus au début du conflit pour soigner les blessés.

Christane disait vrai, du moins Frédérique croyait se rappeler des remarques de son grand-père à ce sujet. Elle venait d'une famille de médecins – son grand-père Laganière et son oncle Pierre l'étaient –, et ils en avaient sûrement discuté quand elle était…

Quand elle était petite, le sac à dos lui paraissait très gros.

Elle réprima une soudaine envie de sauter sur pied, de bouger, de s'éloigner de cette Nora vindicative et de son sac qui agitait un souvenir dans sa mémoire. Voyons, Frédérique ne connaissait personne qui fût venu sur Arkadie. Tout ça était tellement absurde…

Elle se rendit compte que Nora avait suivi la direction de son regard. L'Arkadienne posait une main possessive sur le sac.

— Le genre de médecins que nous avons reçus de chez vous, vous les avez rencontrés, et vous avez vu quelle médecine ils ont servie à Ouri.

Ouri. Frédérique se remémora soudain les paroles de Méline : « Vous ne savez pas qui il est, vous ne connaissez même pas son vrai nom. » Alors, il n'était ni Piccino ni Lepinsky ? Oh, et puis, quelle importance ? Elle était si lasse… Mais Christane, maintenant qu'elle avait engagé la conversation avec la jeune rebelle, paraissait décidée à poursuivre.

— Je comprends que vous en vouliez à tous les Cristobaliens… Mais Frédérique et moi, nous ne sommes pas ici de notre plein gré.

Dans ton cas, ce n'est pas tout à fait exact… Frédérique reprenait contenance, fascinée de voir Christane, tout épuisée qu'elle fût, déployer son charme comme si elle se trouvait dans un bar de Kozuma et non au fond d'une grotte obscure de la planète Arkadie.

— On nous a forcées à risquer notre avenir et notre vie… Est-ce que vous ne pouvez pas accepter une trêve ?

Nora pinça les lèvres en une expression sévère, sous le regard vaguement amusé de ses compagnons.

— Il faut… il faut continuer.

Sylvio émit un soupir résigné. Christane cligna des yeux, mais elle ne relança pas la conversation. Au bout d'un moment, Korasi se leva.

— Allons-y.

Personne ne protesta. Ils passèrent par l'ouverture étroite, s'enfonçant à nouveau dans un boyau exigu, et avancèrent en silence, leurs pas prudents produisant à peine un frottement sur la pierre. Frédérique avait l'impression de se déplacer dans un rêve, comme suspendue hors du temps entre la lueur fantomatique des lampes, devant et derrière. Parfois, le couloir s'élargissait, parfois, le sol présentait des pièges, une soudaine arête de rocher, une dépression brutale. Les jambes de Frédérique étaient lourdes, ses chaussures conçues pour la coursive adhésive du *Gagneur* lui brûlaient la plante des pieds.

Et puis, le couloir sembla s'arrêter. Christane leva la lampe avec un regard interrogateur vers ses compagnons. Dans la faible clarté, Frédérique distingua, vision incongrue, une porte en métal semblable à celles qu'on trouvait dans certains vaisseaux. Nulle serrure, nul verrou n'étaient visibles. L'obstacle paraissait à la fois impressionnant et dérisoire. Combien de temps, en effet, pourrait-il arrêter des mercenaires décidés, lancés à leur poursuite ?

Sylvio et Nora avaient posé leur fardeau. Korasi passa devant, il rejoignit Christane à qui il confia sa torche. La pilote leva les deux lampes, mais Korasi n'avait pas besoin de voir, et même, il avait fermé les yeux ; ses mains parcouraient la porte à tâtons. Frédérique se tenait trop loin pour distinguer ses gestes, mais elle perçut le déclic qui précéda l'ouverture du battant.

La porte s'ouvrait sur l'intérieur d'un autre couloir et Frédérique réprima un gémissement de déception. Alors, ils n'étaient pas encore arrivés à destination ?

Korasi maintint le battant pendant que les autres franchissaient le seuil. Christane passa la première et, soudain, Frédérique vit, sur l'épaule de Christane, se dessiner un mince faisceau lumineux, rouge. Elle n'eut pas le temps de crier: une alarme stridente s'était déclenchée au loin. Christane s'était immobilisée et, sur son visage, Frédérique lut à nouveau de la peur. Les autres ne parurent toutefois nullement troublés et Korasi, qui refermait avec soin la porte, leur intima:

— Continuez !

Christane obtempéra. Au plafond de la grotte, une lumière se mit à scintiller, émanant de plaques qui éclairèrent faiblement les lieux, un véritable couloir façonné par la main humaine. Le plafond bas était soutenu par des étais et un plancher presque uniforme facilitait le mouvement des pieds fatigués.

— Éteignez les lampes, mademoiselle Kurtz, demanda Korasi.

Christane s'exécuta. Les plaques lumineuses n'éclairaient guère plus que les deux lampes portatives. Frédérique observa le réseau de fils qui courait au-dessus de leur tête. Énergie solaire, sans doute, car elle n'imaginait pas que des gens vivant dissimulés au fond de grottes auraient installé des éoliennes au sommet des collines… Mais où se trouvaient les cellules photoélectriques ?

Korasi cria soudain, faisant sursauter les Cristobaliennes:

— Asha !

Une voix répondit plus loin:

— *Pitaa* ?

Deux ombres foncèrent sur le groupe dans un piétinement affolé. Korasi fut pris d'assaut et repoussa les assaillants non sans peine, avec une série de paroles saccadées dans une autre langue que Frédérique crut reconnaître. De l'hindi ? Raju Korasi était-il Hindustani ? Quoi qu'il en fût, sur son exhortation, les ombres changèrent de cible et, cette fois, ce fut Sylvio qui protesta, dans l'espèce d'italien qu'il avait déjà employé pour s'adresser à ses compagnons. Frédérique était fascinée. Sur Cristobal, toutes les communications se déroulaient dans le Monde où chacun pouvait s'exprimer dans la langue de son choix, le réseau virtuel se chargeant de traduire, créant l'illusion que tous les usagers parlaient un même langage. Aussi, à peu près personne ne se donnait la peine d'étudier une langue étrangère, sauf quelques irréductibles, tel l'oncle Pierre qui avait appris le chinois parce que Guan Yiren, son meilleur ami, résidait au Zhongguó. Ici, sur Arkadie, où il n'existait ni Monde ni le moindre réseau de communication, les gens semblaient multilingues – à moins qu'ils parlent une langue commune intégrant des mots de diverses origines ?

Les protestations de Sylvio avaient fait effet. Les filles, car c'étaient deux jeunes filles que Frédérique découvrait sous les plaques lumineuses, s'étaient calmées. Leurs grands yeux sombres passaient du fardeau de Nora et Sylvio (mine catastrophée) à ces deux étrangères (mine un peu effrayée) qui avaient pénétré dans leur domaine. Elles posèrent encore des questions (le ton était interrogatif), et Korasi finit par jeter d'un ton sec un ordre qui remit tout le groupe en mouvement.

Les jeunes filles ouvrirent le chemin. Devant elles, le couloir s'élargit, il se transforma en une salle tout en longueur éclairée par d'autres plaques lumineuses accrochées en haut des parois. De grandes tentures aux couleurs vives servaient de cloisons pour former des pièces plus petites. Ces alcôves tendues de tissu évoquaient irrésistiblement des tentes, elles créaient une telle impression de confort intérieur que Frédérique, en y plongeant le regard, eut l'impression de violer l'intimité des habitants de cette caverne... À l'approche des voyageurs, deux femmes d'âge mûr avaient surgi de derrière une tenture, et l'une d'elles se précipita vers Korasi. Elle s'arrêta soudain près de lui et se contenta de poser les deux mains sur le bras du vieil homme. Korasi eut un bref sourire avant de lui effleurer la joue avec des mots rassurants. L'autre femme poussa une exclamation, une main sur la bouche, et les jeunes filles se remirent à piailler. Korasi ramena le calme d'un mot bref, puis il enchaîna :

— Asha, accompagne Sylvio et Nora à la chambre. Kiran, occupe-toi de nos invitées. Pas un mot à Natalia !

Les mouvements des femmes s'ordonnèrent aussitôt. La plus grande des deux jeunes filles escorta les porteurs plus loin. Frédérique se rendit compte que la salle en longueur se poursuivait en couloir. Jusqu'où ? Combien de salles obscures existaient en enfilade sous la colline ?

Pendant que Nora et Sylvio s'enfonçaient dans ce couloir avec leur fardeau, Korasi fit les présentations, d'un ton d'aménité un peu forcé :

— Mon épouse Mandula, sa sœur Raziya Banarji, ma fille Kiran. (Il eut un geste en direction du couloir où les autres avaient disparu.) Sa sœur aînée, Asha… Elles ne parlent pas votre langue, mais elles la comprennent.

— *Une* petit, quand *même*, Raju… corrigea Mandula avec un doux ton de reproche.

Pour montrer son approbation, sa sœur déclara aux étrangères :

— Vous… *tie chi*… maison vous.

Avec un haussement de sourcils étonné, Korasi entraîna son épouse dans le couloir du fond. Kiran, toute menue et l'air mutin, désigna aux « invitées » une alcôve dont le sol disparaissait sous un tapis. Le mur du fond avait été taillé pour former une longue banquette de pierre aux arêtes adoucies par une épaisse couverture. Le seul autre ameublement de la pièce était une table basse entourée de gros coussins et une petite chaufferette d'appoint, éteinte pour le moment. Kiran effleura du doigt une lampe qui pendait au bout d'une chaîne et qui s'alluma. D'un geste, la jeune fille encouragea les étrangères à s'asseoir, puis elle se retira avec la vivacité de la jeunesse.

Christane tâta la couverture de la banquette avant de s'y asseoir avec précaution. Frédérique choisit un coussin près de la table. On sentait la dureté de la pierre sous la rembourrure, mais il s'agissait du premier véritable siège sur lequel poser ses fesses depuis le camp des mercenaires et Frédérique ne put retenir un soupir de soulagement. Du haut de sa banquette, Christane demanda :

— Ça va ?

Frédérique réprima un sourire ironique. Elle avait été enlevée, assommée, retenue prisonnière par des mercenaires, puis enlevée de nouveau par des rebelles, elle avait marché toute la journée… Du reste, quelle heure pouvait-il être ? Elle se sentait assoiffée, affamée, crevée. Mais vivante. Alors, elle se contenta de hausser les épaules.

Kiran revint bientôt pour déposer sur la table un plat de fruits, tandis que sa tante Raziya apportait une cruche et des gobelets. Korasi avait présenté sa famille, mais il n'avait pas laissé aux « invitées » le temps de rendre la pareille. Frédérique jugea plus poli de donner à l'une de leurs hôtesses quelques explications.

— Christane Kurtz et Frédérique Laganière, présenta-t-elle. Nous sommes des transporteurs de la Guilde cristobalienne et… nous avons… ramené… heu… Ouri… mais nous avons été surpris par les mercenaires…

Raziya Banarji eut un mouvement du menton qui indiquait qu'elle comprenait. Elle servit les Cristobaliennes puis, pendant que les invitées s'abreuvaient – de l'eau, qui semblait le plus délicieux nectar après la marche épuisante –, elle déclara avec difficulté :

— Nous... *felicinoj*...

Elle ne tenta pas d'en dire plus, car Korasi apparaissait dans le couloir, suivi de Sylvio. Kiran bombarda aussitôt son père de questions, tandis que Sylvio se glissait dans l'alcôve pour s'asseoir sur la banquette de pierre aux côtés de Christane. Korasi repoussa doucement sa fille et déclara, au profit tant de Kiran que des étrangères :

— Ça va aller. Nora va rester avec lui. Tu veux bien lui apporter à boire et à manger, Kiran ? Nous sommes tous affamés.

La jeune fille rétorqua dans sa langue quelque chose qui suscita chez Korasi un froncement de sourcils, mais Kiran s'était déjà éclipsée. Raziya la regarda s'éloigner avec indulgence ; elle tapota le bras de son beau-frère et l'exhorta, très probablement, à se restaurer.

Pendant que Raziya disparaissait dans une autre tente, Korasi hésita sur le seuil de l'alcôve. Sylvio s'était attaqué à l'une des espèces de pomme grenade, dont il déchirait la pelure à belles dents. Le fruit était juteux, Sylvio s'essuya le menton de sa manche. Frédérique prit la cruche et leur versa à boire.

— Nora va soigner... Picci... Ouri ?

Là où elle était assise, elle avait vue sur le couloir et put constater que la jeune Kiran, sortant du lieu que Frédérique supposa être la cuisine, emportait un plateau à pas rapides vers la pièce du fond. Korasi s'installa de l'autre côté de la table.

— Elle va veiller sur lui du mieux qu'elle peut.

Bien sûr. Frédérique se remémora les paroles amères de Nora : « Il n'y a pas de médecin. » Dire que Piccino, alias Lepinsky, alias Ouri, avait rapporté un conteneur rempli de fournitures médicales... si le manifeste des douanes n'était pas un faux. Cette dernière pensée ramena sa propre situation à l'avant-plan de ses préoccupations. Mille questions effleuraient son esprit, sur l'endroit où ils se trouvaient, sur ses habitants, la langue qu'ils parlaient – mais dans le flot des interrogations surnageait la seule qui importait vraiment :

— Qu'allez-vous faire de nous ?

Korasi détourna les yeux, embarrassé.

— C'est difficile de répondre de façon précise… j'ignore ce que Ouri avait en tête à votre propos et il n'est pas en état de prononcer… des paroles cohérentes.

Il ne veut rien nous dire sans avoir parlé à Piccino. Frédérique croisa le regard de Christane qui esquissa une moue. La pilote se pencha soudain en avant sur la banquette.

— Écoutez, je comprends que vous hésitiez, vous ne nous connaissez pas. Si vous voulez, je vous raconte notre partie de l'histoire, et vous déciderez ensuite de ce que vous pouvez nous dire…

Korasi l'encouragea d'un signe de tête et Christane reprit :

— Nous étions amarrées à la station Lien quand Ouri m'a contactée. Enfin, il ne m'a pas dit qu'il s'appelait Ouri, il s'est présenté sous le nom de Nicola Piccino.

Frédérique avait tressailli.

— Il t'a *contactée* ?

— Il cherchait quelqu'un du *Gagneur*, je crois qu'il était au courant de notre situation…

Christane ne daigna pas expliquer au profit de leurs hôtes ce qu'était la « situation » en question, mais elle demanda :

— Je suppose que vous ignorez ce qu'est le Monde, le réseau virtuel de communication ?

Tandis que Sylvio écarquillait des yeux étonnés, Korasi eut un sourire bref.

— J'en ai entendu parler.

— Ouri m'a dénichée dans un lieu virtuel que je fréquente et il m'a convaincue de l'aider.

Ce disant, elle évitait de regarder du côté de Frédérique, mais celle-ci ne ressentait plus de colère à présent, rien que des inquiétudes quant à leur sort. Là-bas, dans le couloir, Kiran et sa mère revenaient vers la grande salle. La jeune fille arborait une moue boudeuse, alors que sa mère semblait soucieuse. Frédérique reporta son attention sur le récit de Christane ; elle allait enfin savoir ce qui avait poussé son associée à lui jouer ce sale tour.

— Il m'a décrit la situation ici, la présence des mercenaires et l'usage qu'ils font de l'amplix…

— Quand ils attrapent l'un d'entre nous, gronda soudain la voix de Sylvio, ils s'amusent à tester des doses d'amplix, pour voir jusqu'où ils peuvent aller. Ils ont tué mon frère Andrea, ils ont rendu des personnes dépendantes…

Frédérique intervint :

— C'est ça qui a mis Piccino dans cet état, n'est-ce pas ? Ce ne sont pas les blessures qu'ils lui ont infligées, ou pas seulement elles, mais c'est l'effet de l'amplix ?

Korasi l'admit d'un hochement de tête.

— Ouri m'en a parlé, reprit Christane, il m'a dit qu'une des raisons de sa présence sur Cristobal avait été une cure de désintoxication et qu'il devait maintenant rapporter un produit pour aider les autres personnes rendues malades par les mercenaires.

C'était aussi ce que Carl Méline avait suggéré lors de la capture du rebelle, Frédérique s'en souvenait. Elle n'avait pas eu tort de soupçonner Piccino de trafic de drogue… même s'il s'agissait d'un trafic bénéfique.

— L'amplibéta, précisa Korasi, c'est le produit utilisé pour sevrer les personnes dépendantes. S'en procurer était… le but principal de son voyage.

Sylvio fixait Korasi d'un regard étrange que l'autre ignora.

— Si vous pouvez récupérer les conteneurs que nous transportions, vous aurez l'amplibéta, souligna Christane.

Elle s'adressa à Frédérique.

— Quand j'ai rencontré Ouri, il a été honnête avec moi, il m'a dit qu'il devait éviter Agora, il craignait que les Hindustani ne confisquent sa marchandise, parce qu'il se l'était procurée au Zhongguó. Je lui ai expliqué que tu ne serais jamais d'accord pour contourner les règles de la Guilde, et c'est pourquoi il a proposé de feindre un acte de piraterie, pour nous blanchir. Son plan était de descendre en vitesse, de débarquer les conteneurs et de nous libérer aussitôt.

Frédérique faillit s'étrangler de stupeur.

— Mais pourquoi ne pas s'en être tenu à ce plan ?

— Tu as paniqué, il a dû t'assommer. Quand nous avons atterri, tu étais inconsciente. Ouri avait besoin de mon aide pour mettre les conteneurs à l'abri, et je n'ai pas voulu que nous t'abandonnions dans cet état, seule dans la barge.

Dis maintenant que c'est ma faute ! Frédérique dévisagea son associée avec incrédulité. Christane baissa les paupières d'un air contrit.

— Ce n'était pas une bonne idée, car les mercenaires nous attendaient.

Elle leva son visage empreint de gravité vers Korasi.

— Ouri a été trahi.

Chapitre 6

Si Christane croyait lâcher une bombe, elle fut déçue, car Korasi demeura impassible. Sylvio renifla avec dédain.

— On s'en doutait.

Korasi enchaîna :

— Ouri lui-même s'y attendait. Il savait que... disons... que certaines personnes préféraient... qu'il ne revienne pas.

Frédérique ne put retenir une réplique :

— Eh bien, il est revenu, maintenant, et il nous a entraînées, Christane et moi, avec lui. Qu'allez-vous faire de nous ?

Korasi passa une main lasse sur son visage. Frédérique songea soudain que cet homme, qui n'était plus de la toute première jeunesse, venait de vivre une journée au moins aussi éprouvante que la sienne pour tirer Piccino-Lepinsky-Ouri – quel que fût son nom véritable – des mains brutales des mercenaires cristobaliens. Mais elle était trop lasse elle-même pour se sentir désolée bien longtemps.

— Je vois deux solutions possibles, répondit Korasi, selon la patience dont vous pouvez faire preuve et les risques que vous êtes prêtes à courir.

— C'est-à-dire ? l'encouragea Christane.

Sylvio s'était attaqué de nouveau à son fruit et, à le voir déchiqueter la chair pulpeuse, Frédérique sentit la faim lui tordre l'estomac. Elle tendit une main vers le plateau et choisit l'une de ces espèces de pommes. Le goût en était à la fois onctueux et amer, et provoquait une sensation très étrange dans la bouche. Korasi s'empara lui aussi d'un fruit, mais il se contenta de le manipuler, la mine pensive.

— La première solution, c'est que nous retournions à Bourg-Paradis, où vous pourrez demander l'aide de l'Assemblée…

Il fit une nouvelle pause.

— Je suppose que vous ne savez rien de la façon dont les choses fonctionnent ici ?

Sur un signe de tête négatif des deux femmes, il expliqua :

— Avant la guerre – je veux dire la grande guerre, celle que vous appelez le Grand Conflit –, l'autorité était incarnée par le coordonnateur industriel, représentant les grandes compagnies minières et nommé par consensus avec le bureau terrien de développement colonial. Quand le contact a été coupé avec la Terre, le coordonnateur en place était Gabriel de Langis, l'arrière-arrière-grand-père de l'actuel coordonnateur, Alexandre de Langis.

Frédérique avait tiqué au mot *guerre*, mais, étrangement, il semblait approprié dans la bouche de Raju Korasi. Les paroles de l'Arkadien la renvoyaient à son enfance, quand son grand-père et ses oncles discutaient de politique et d'Arkadie. Frédérique se rappelait les avoir entendus évoquer la « dynastie » de Langis. À l'époque, cela lui avait paru fantaisiste, et si lointain, comme une mise en scène dans le Monde…

— Au fil des ans, poursuivait Korasi, le coordonnateur a perdu un peu de son autorité. Il s'est formé à Bourg-Paradis un conseil des sages que nous appelons l'Assemblée.

Il s'interrompit et reprit avec un soupir:

— Il vaut mieux vous expliquer aussi la topographie. À l'origine, quand la guerre a éclaté entre la Terre et les colonistes, il y avait plusieurs cités dortoirs pour les travailleurs terriens, dispersées un peu partout sur Grande Terre, ici dans la région et sur les rives de la mer intérieure, également dans l'archipel de Sarnabelle. Ici, dans le coin, on en trouvait deux, les plus importantes de toute Arkadie, Howell et Nelson. C'est à Howell, où il y avait l'astroport à l'époque, que les ouvriers furent regroupés au moment de l'évacuation, ce qui fait que le reste de Grande Terre était à peu près vide au moment de la guerre. En tout cas, à part ces cités ouvrières, il n'existait qu'un véritable lieu habité de façon permanente, et le plus ancien de toute la planète: Bourg-Paradis.

— La Réserve, compléta Frédérique pour montrer qu'elle n'était pas totalement ignorante, l'endroit où habitaient les chercheurs qui étudiaient l'écosystème arkadien.

— Exact. Quand la grande guerre a éclaté, Howell et Nelson ont été plus ou moins détruits. D'abord, parce que les colonistes y ont commis leurs principaux attentats, et ensuite parce que, lorsque les vaisseaux de transport ont explosé, c'est sur Howell et son astroport que sont retombés les débris enflammés. C'est pourquoi Bourg-Paradis est apparu, pour les survivants, comme un véritable refuge. De toute manière, les réserves alimentaires des établissements miniers étaient limitées, alors qu'autour de Bourg-Paradis, on cultivait depuis longtemps des céréales et on élevait du bétail… Les survivants s'y sont donc établis. Les anciens mineurs se sont reconvertis dans l'agriculture, les ingénieurs sont devenus tisserands… Enfin, vous voyez le portrait. Ça explique que l'autorité du coordonnateur ait diminué pendant que l'influence de l'Assemblée augmentait. C'est aussi la raison pour laquelle Guillaume de Langis, le père de l'actuel coordonnateur, quand il a remplacé son propre père, a commencé la construction de Ville de Langis dans une région autrefois minière. Il craignait que la machinerie minière soit abîmée si des gens qui en connaissaient mal le fonctionnement tentaient de l'utiliser. Et il voulait surtout raffermir son autorité… mais ça n'a pas vraiment marché.

Au fond, la situation d'Arkadie avait été semblable à celle de Cristobal, qui dans le Grand Conflit avait perdu le savoir nécessaire pour voyager en sous-espace : des vaisseaux spatiaux subsistaient en orbite de Cristobal, mais, avant le *Pèlerin*, ils ne servaient pas à grand-chose. Elle demanda :

— Il n'y avait donc plus personne qui savait faire fonctionner les machines ?

— Le problème était plus large que ça : il n'y a jamais eu d'industrie de la transformation, sur Arkadie, car les matières premières étaient envoyées sur Terre. Alors, il ne suffisait pas, pour retrouver notre vie d'avant, de remettre en marche les centrales d'énergie et de reprendre l'extraction. Il aurait fallu construire toute une infrastructure industrielle, et les survivants n'étaient pas vraiment assez nombreux pour ça. Encore aujourd'hui, on estime que nous sommes peut-être soixante mille en tout et pour tout sur l'ensemble de la planète. Ce n'est pas beaucoup… et c'est pourquoi nos fabriques sont restées de niveau artisanal.

Il montra la lampe suspendue au plafond.

— Nous avons entretenu et nous utilisons ce que nous avons pu récupérer d'avant la guerre, mais nous ne sommes pas capables de fabriquer du matériel très sophistiqué, et nous produisons de l'électricité en faible quantité.

— Énergie solaire ? demande Frédérique.

Korasi secoua la tête.

— Ici, non, il y a une turbine dans la rivière souterraine.

Frédérique pinça les lèvres. Elle aurait dû y penser...

— Mais l'exploitation minière a repris un peu quand même, intervint Christane. Nous avons transporté sur le *Gagneur* des techniciens et des ingénieurs miniers, et les plus gros cargos rapportent du minerai sur Cristobal, nous le savons.

— Il y a des mines exploitées dans l'archipel de Sarnabelle et, sur Grande Terre, dans la région de Riviera, admit Korasi.

— D'ailleurs, enchaîna Sylvio, vous allez apprécier l'ironie de la situation : Riviera est peuplée surtout par les descendants des colonistes. Leurs aïeux ont causé la guerre parce qu'ils voulaient vivre librement sur Arkadie, et eux, ils sont devenus les alliés des de Langis...

— Mais on s'éloigne de ce que j'essayais de vous expliquer, le coupa Korasi. Je parlais du pouvoir du coordonnateur, qui déclinait...

— Jusqu'à l'arrivée du *Pèlerin*, corrigea Christane.

— C'est ça. Quand les vôtres ont débarqué, la situation a radicalement changé. Les loyalistes « tièdes » se sont réchauffés, et la plupart se sont rassemblés à Ville de Langis. Ils ont aussitôt voulu reprendre l'exploitation minière au profit des grandes compagnies cristobaliennes, comme dans le bon vieux temps. (Un coup d'œil du côté de Sylvio.) C'est là qu'entre autres les descendants des colonistes se sont joints aux loyalistes. Enfin, le *Pèlerin* est reparti, mais les représentants des compagnies de chez vous, comme la Howell-Devi, n'ont pas tardé à débarquer. Il y a eu des manifestations d'opposition, puis cela a dégénéré, comme vous le savez, mais officiellement Bourg-Paradis et l'Assemblée sont restées neutres. Tout ça pour vous faire comprendre que l'autre solution à votre situation serait de tenter de vous rendre à Ville de Langis pour rencontrer le coordonnateur...

Il laissa la suite en suspens. Christane compléta :

— Et comment on accède au coordonnateur ? Ce n'est pas vous qui allez nous présenter gentiment, hein ? Alors, on demande l'aide de Carl Méline et de ses mercenaires ?

Frédérique réprima un rire de dérision : les conduire au coordonnateur, c'était le projet de Méline que les rebelles avaient interrompu en attaquant le camion... Quelle folie, ce... cette *guerre* !

Sylvio grommela :

— De toute façon, rien ne garantit que le coordonnateur accepterait de vous écouter. Alexandre de Langis est un malade qui veut vendre notre planète à des étrangers !

Korasi lui adressa un regard de reproche. Sylvio haussa les épaules. Le jeune homme n'avait pas tort : se présenter devant le coordonnateur en compagnie de Méline n'aurait pas le même impact que d'y être conduites par les rebelles...

— C'est tout ce que vous avez à nous proposer ? s'enquit Frédérique avec calme.

Korasi parut vexé.

— Je vous l'ai dit, je ne bougerai pas sans connaître les projets d'Ouri.

— Et... s'il meurt ?

— Il va s'en tirer. Et Alexandre de Langis n'est pas fou, contrairement à ce que pensent certains des nôtres. (Sylvio grogna sa désapprobation.) Mais il est entêté, il ne veut pas reculer. C'est Guillaume, son père, qui a engagé les mercenaires, voyez-vous, et il n'a pas osé les renvoyer quand il a hérité du poste il y a quatre ans. Sans eux, la situation serait beaucoup plus simple.

Ça oui : vous pourriez vous tuer entre vous !

— Quel est le rôle d'Ouri dans tout ça ? demanda Christane.

Frédérique se tourna vers son associée avec étonnement, imitée par les deux Arkadiens.

— Son rôle, dans ce conflit, précisa la pilote. Vous avez dit que certaines personnes ne souhaitaient pas son retour… Est-il… avait-il une autre raison de se rendre sur Cristobal ?

Le regard de Korasi se voila.

— Je ne comprends pas… Sa préoccupation était l'amplix.

Frédérique comprenait, elle, où Christane voulait en venir. Korasi et ses compagnons avaient déployé beaucoup d'efforts et pris d'énormes risques pour tirer des griffes des mercenaires un concitoyen qui rapportait simplement des médicaments et de la machinerie agricole. D'ailleurs, si on allait par là, les mercenaires aussi avaient dépensé beaucoup d'énergie pour capturer un simple garçon de course.

— Eh bien, reprit Christane, je suppose que la lutte contre l'amplix s'intègre dans un mouvement plus global contre les mercenaires, contre les loyalistes…

Sylvio voulut répondre, mais Korasi ne lui en laissa pas le temps.

— Nous ne sommes pas des « rebelles », mademoiselle Kurtz, si c'est ce que vous voulez entendre. Je ne dis pas qu'il n'existe pas de factions opposées au coordonnateur et à ses loyalistes, mais *nous*, nous ne faisons partie d'aucun groupe organisé.

Ce n'était pas l'avis de Sylvio, Frédérique en était assurée, mais le jeune homme se garda d'intervenir. Frédérique protesta :

— Et l'attaque contre les mercenaires, et les hommes qui se sont enfuis avec le camion volé ?

— Nous avons obtenu l'aide des rebelles pour libérer Ouri. Leur aide en échange du matériel dont ils pouvaient s'emparer.

Les rebelles avaient accepté de mener une opération aussi risquée simplement pour s'emparer d'un camion et de quelques armes ?

Frédérique n'eut cependant pas le loisir d'insister, car Raziya et sa nièce Kiran apparurent avec de lourds plateaux. La table basse fut bientôt couverte de plats dont les odeurs mirent l'eau à la bouche des voyageurs, riz parfumé, ragoût épicé et pain naan. Kiran et sa tante restèrent un moment à contempler les convives avec un intérêt poli. Frédérique était si affamée que la vue de cette nourriture devenait une véritable torture, mais elle n'osait commencer à manger sous le regard de ces spectatrices. Peut-être la coutume voulait-elle que les invités fassent une sorte d'action de grâce ? Frédérique inclina la tête et remercia les hôtesses pour la nourriture – elle n'arrivait pas à se souvenir du mot hindi pour « merci ». Cela sembla satisfaire Raziya, qui s'éloigna enfin, non sans enjoindre à sa nièce d'accomplir quelque autre tâche. Korasi traduisit :

— Après le repas, Kiran vous montrera votre chambre.

Les Cristobaliennes acquiescèrent et, pendant un moment, seuls des bruits de mastication remplirent la pièce. Kiran était restée à portée de voix, Frédérique la voyait piétiner dans le couloir. Elle avala sa bouchée de pain et demanda :

— Dites-moi, quelle langue parlez-vous donc ? J'ai cru un moment que c'était de l'italien ou de l'hindi, mais on dirait parfois autre chose… ou les deux mélangés ?

Sylvio eut une grimace. Korasi s'essuya la bouche du revers de la main.

— Il se parle beaucoup de langues différentes sur Arkadie et, parfois, ça donne effectivement un drôle de mélange. Mais disons qu'on a une langue commune qui date de l'époque où Bourg-Paradis a été noyée sous le flot des réfugiés. Il y avait des gens de tant de provenances différentes et aucun groupe n'était assez nombreux pour dominer. Alors, deux chercheurs qui habitaient déjà Bourg-Paradis au moment de la grande guerre ont proposé une sorte de code universel qui existait sur Terre et qu'ils étaient évidemment les seuls à connaître… Et ils ont réussi à l'imposer. Tout le monde baragouine un peu cette langue commune, mais on y mêle souvent des mots de notre propre langue. Car vous aviez aussi raison, mademoiselle Laganière : dans ma famille, nous parlons hindi entre nous, alors que Sylvio et Nora parlent italien.

À nouveau, les bruits de mastication dominèrent, mais Frédérique était tout autant dévorée de curiosité qu'affamée.

— Vous avez toujours vécu ici avec votre famille ? Je veux dire, dans ces grottes ?

— Mes filles sont nées ici. Pour elles, c'est depuis toujours.

Il n'avait pas vraiment répondu… Mais le calcul était facile, au vu de l'âge probable de l'aînée, Asha. Moins de vingt ans, très certainement… Les Korasi s'étaient sans doute réfugiés dans les grottes après le début du conflit entre loyalistes et nationalistes arkadiens. Cette vie à l'écart de tout était peut-être ce qui permettait à Raju Korasi de prétendre qu'il n'était pas un rebelle…

Christane intervint à son tour :

— Et les mercenaires ne vous ont jamais poursuivis jusqu'ici ?

Sylvio répliqua :

— On a toujours réussi à les semer avant d'arriver dans le Haut-Redan. Ils ne nous ont jamais suivis jusque dans les collines. Les rebelles se cachent plutôt en forêt, et c'est là que les mercenaires les cherchent.

— Mais ils sont mieux armés que vous, insista Christane, ils ont un équipement de pointe…

Sylvio secoua la tête.

— Ils n'ont pas d'armes lourdes, heureusement pour nous, rien que des fusils mitrailleurs.

Ah, le jeune homme avait dit « nous » en parlant des rebelles !

— Pas de détecteurs de métaux ou de chaleur pour repérer votre présence ?

Korasi répondit :

— Les mercenaires n'ont pas un équipement très sophistiqué, vous savez. Le coordonnateur a des moyens limités. Pour le moment, même la Howell-Devi, qui le finance, n'ose pas trop investir.

C'est pour ça que le conflit dure depuis si longtemps... songea Frédérique non sans effroi. Aucun camp n'était assez fort pour vaincre l'autre de manière nette et définitive. Mais n'était-ce pas la même chose sur Cristobal, où l'égalité des forces en présence – et un restant de gros bon sens – maintenait le fragile équilibre entre l'Hindustan et le Zhongguó ?

Christane enchérit :

— Et des satellites de surveillance ? Agora doit sûrement disposer de satellites.

Korasi eut une mimique qui exprimait son ignorance.

— Comment pourrions-nous le savoir ?

Christane insista :

— Vous ne pensez pas que, cette fois, après que vous avez attaqué leur convoi, les mercenaires vont se lancer vraiment à votre recherche ?

Frédérique approuva d'un hochement de tête. *Et voilà pour vous, monsieur « nous-ne-sommes-pas-des-rebelles » !*

Korasi répliqua d'un ton agacé :

— C'est pour ça que les rebelles sont partis dans une autre direction avec le camion et que nous avons pris toutes les précautions avant de pénétrer dans les grottes. Je suppose que même un satellite ne peut voir sous le roc ! Vous n'avez rien à craindre, vous êtes en sûreté ici.

Sans laisser à Christane le temps de poursuivre l'échange, Korasi appela sa fille. Toutefois, Kiran avait quitté son poste dans le couloir, et ce fut Mandula, sa mère, qui répondit à l'appel. L'Arkadien se leva de table avec une brève courbette vers ses invitées.

— Maintenant, je vous demande de m'excuser. Je dois retourner voir Nora, et il y a des jours que je suis loin de ma famille. Si vous le permettez, nous continuerons cette discussion une autre fois. Mandula va vous conduire...

Impossible d'insister sans être très impolies. Frédérique et Christane s'inclinèrent. Elles se levèrent à leur tour pour suivre l'épouse de Korasi dans le couloir tandis que Sylvio, l'air maussade, restait seul à s'empiffrer.

Mandula mena les Cristobaliennes par une ouverture étroite dans un couloir secondaire qui descendait en pente douce vers ce qu'elle nomma « salle d'eau ». (Elle prononçait le mot avec délectation : sans doute venait-elle tout juste de l'apprendre.) Les plaques lumineuses placées en haut des murs s'allumaient lorsqu'on passait à proximité pour s'éteindre quelques instants plus tard. Leur intensité semblait plus faible que tout à l'heure : éclairage de nuit ?

Dans la salle d'eau, il y avait une sorte de margelle où, en se penchant, on entendait le bruit de la rivière souterraine. On pouvait y puiser l'eau de façon manuelle (sans doute en cas de panne de courant), mais une pompe et un petit chauffe-eau alimentaient une douche rudimentaire ainsi qu'un évier. Mandula désigna le robinet :

— *Trinki*... boire... pas de danger.

Frédérique avait été si assoiffée tout au long de cette journée qu'elle n'avait pas un instant songé que l'eau arkadienne pût ne pas être potable.

Par gestes, Mandula invita les Cristobaliennes à échanger, après la douche, leurs vêtements encore trempés contre des tuniques et des sandales d'emprunt. Elle leur montra que le couloir continuait, un peu plus loin, vers les latrines.

Christane remercia leur hôtesse pour toutes ces attentions.

Frédérique quitta ses vêtements souillés de sang en se demandant ce que penseraient de ces taches les femmes de la famille lorsqu'elles feraient la lessive... Mais sans doute, pour leur part, Mandula et Raziya en avaient-elles vu d'autres. Même les « petites », Asha et Kiran... Elles n'avaient rien connu d'autre que ce conflit interminable. Peut-être avaient-elles déjà, dans leurs jeunes années, vu la mort plus souvent que bien des gens âgés coulant des jours paisibles sur Cristobal. Ici, la mort semblait toujours si proche...

Cet après-midi, Frédérique avait vu la tête d'un mercenaire éclater sous l'impact d'un projectile. Saretti. Il s'appelait Saretti, elle s'en souvenait. Il venait de Cristobal, d'Union occidentale, comme elle. Et ses compagnons dans la cabine du conducteur, eux aussi avaient été abattus...

Ces hommes étaient des êtres humains, même s'ils avaient choisi de vivre dans la violence. Combien de morts comptait-on depuis le début du conflit – et combien en faudrait-il encore avant qu'Arkadie ne retrouve la paix ?

Frédérique plongea sous la douche, comme si l'eau pouvait laver les pensées tout autant que la sueur et la saleté du jour.

Quand elles eurent terminé leur toilette, Mandula ramena ses invitées vers la grande salle maintenant déserte. Frédérique s'arrêta un instant, étonnée de sentir sur sa joue un léger courant d'air. Il existait sans doute des puits d'aération, invisibles dans l'obscurité (car les plaques lumineuses avaient encore baissé d'intensité pour n'être plus que des veilleuses). Elle verrait cela demain. Pour l'instant, avec Christane elle suivit l'épouse de Korasi vers une petite alcôve près du renfoncement où elles avaient mangé. Des couvertures étalées sur de grands coussins leur serviraient de couche.

— *Bonan nokton*, murmura Mandula de sa voix douce.

Sur quoi elle se retira, refermant la tenture derrière elle.

Frédérique resta immobile un moment. L'absence de bruit avait quelque chose d'oppressant. Si au moins il était possible de fuir dans le Monde, de trouver un lieu rempli de musique et de rires, un endroit où vider ses poumons en un grand cri…

Oh, et puis, elle était si fatiguée.

Christane devait ressentir la même résignation, car elle traversa le bref espace qui la séparait de la couche du fond et s'y étendit en soupirant. Frédérique découvrit une veilleuse sur le tabouret à la tête de ce qui serait son lit. Un doigt pointé vers la petite lampe, elle adressa à Christane une mimique interrogative, à laquelle la pilote répondit par un geste d'indifférence. Frédérique hésita, puis elle effleura la lampe, comme elle avait vu les filles de Korasi le faire, et la veilleuse s'éteignit.

Sous les couvertures, elle bougea un peu en quête de la position la plus confortable. Elle perçut une toux étouffée, beaucoup plus loin. Quelle dérision ! C'était pire que chez les mercenaires : au campement de Méline, elle prenait garde à ses paroles, parce qu'elle craignait l'existence d'un système d'écoute sophistiqué. Ici, elle osait à peine respirer, à cause de la promiscuité. Elle ne savait plus si elle avait chaud ou froid. Elle repoussa les couvertures, mais l'air de la nuit la fit frissonner.

Exaspérée, elle roula du côté de Christane. La pilote dormait-elle déjà ?

— Chris ?

Son chuchotement lui parut un cri. Un froissement de tissu, puis le murmure de Christane :

— Qu'est-ce qu'il y a ?

Tant de choses ! Tant de questions, tant de sujets d'inquiétude…

— Pourquoi tu as insisté comme ça, tout à l'heure, à propos du risque que les mercenaires nous poursuivent ?

— Tu as bien vu que Korasi nous cache des choses. Je suis sûre qu'Ouri joue un rôle plus important que Korasi ne veut bien l'avouer. Cette histoire de « on n'est pas des rebelles », c'est franchement bizarre.

Frédérique ne put réprimer un rire bref, auquel Christane rétorqua par un « chut ! » impérieux. *Bizarre ?* C'était elle, Frédérique, qui avait trouvé bizarre qu'un client accepte de les tirer de leur pétrin ! Elle qui avait soupçonné le coup fourré, pas Christane ! La pilote, elle, les avait plongées dans ce merdier ! Elle avait accepté de participer à un acte de piraterie, accepté de mettre leur vaisseau en danger, accepté de venir sur cette planète en… en *guerre* ! Et maintenant, elle avait l'audace de déclarer que tout ça était « bizarre » ?

À nouveau, Frédérique regretta de ne pouvoir entrer dans le Monde, cette fois pour y traîner Christane derrière elle – par les cheveux ! – afin de l'engueuler un bon coup. Ça n'aurait pas changé grand-chose, mais ça aurait eu le mérite de la soulager.

Pendant un moment, elle imagina la dispute, elle laissa le flot de frustrations l'envahir, la submerger, puis s'apaiser peu à peu. Ah, retourner au *Gagneur*…

Elle se redressa sur sa couche.

— Chris, est-ce que tu serais capable de localiser la barge, de retrouver l'endroit où on a atterri ?

La pilote poussa un profond soupir, mais elle souffla :

— Non.

Évidemment. Mais ça n'avait pas d'importance, la balise de repérage leur indiquerait l'emplacement de l'appareil…

Les minicoms !

Les mercenaires leur avaient pris les bracelets. Sans eux, pas de signal de repérage. Et même si Piccino-Lepinsky-Ouri daignait les ramener gentiment au site d'atterrissage, sans un minicom, aucun moyen d'accéder aux commandes de l'appareil et, donc, de lui ordonner d'ouvrir le sas – à moins que Christane ait été assez sotte pour laisser la barge déverrouillée, ce dont Frédérique doutait. Christane avait fait beaucoup de choses stupides depuis quelques semaines, mais les procédures de sécurité étaient une seconde nature chez elle.

Donc, pas de mini-terminal, pas de barge… pas de *Gagneur*.

CHAPITRE 7

Depuis un moment, la respiration lente et régulière de Christane indiquait que la pilote s'était endormie... à moins qu'elle feignît le sommeil afin d'échapper à la discussion, ou aux reproches. Frédérique, pour sa part, luttait contre l'oppression qui croissait dans sa poitrine, un sentiment d'angoisse auquel se mêlait une intense frustration, et elle remâchait, dans son insomnie, tous les événements désagréables de la journée.

Elle en voulait à Christane d'avoir insinué que sa crise de panique avait provoqué la situation présente. Elle refusait cette responsabilité, c'était injuste. Il n'y aurait jamais eu de crise de panique si Christane et Piccino ne l'avaient pas entraînée dans cette folie qui mettait en péril leur avenir et leur vie. C'était elle, Frédérique Laganière, propriétaire du *Gagneur*, qui risquait de perdre sa licence et, du même souffle, son vaisseau.

Elle en voulait aux Arkadiens de l'avoir amenée ici, alors que chaque seconde passée dans cette cachette l'enfonçait un peu plus dans l'illégalité.

Elle en voulait à tous ceux qui dormaient tandis qu'elle se rongeait les sangs.

Elle en voulait à Piccino d'être blessé, inconscient, mourant peut-être.

Elle s'en voulait pour toutes ces vaines pensées.

Était-ce donc si égoïste que d'aspirer à une existence tranquille et routinière à bord du *Gagneur*, loin des armes et des effusions de sang ?

Pourquoi était-elle incapable de crier, d'exiger que l'angoisse prenne fin, qu'on lui rende sa vie et sa quiétude d'avant ?

Elle tressaillit. Des voix s'élevaient quelque part de l'autre côté des tentures. Il y eut un éclat vite réprimé. Les paroles étaient indistinctes. Maintenant, on chuchotait. Frédérique avait beau écarquiller les yeux, elle ne distinguait pas de lumière. Sans doute, passé une certaine heure, les plaques lumineuses étaient-elles carrément éteintes de façon à ne pas réagir au mouvement, pour éviter qu'un insomniaque ne réveille tout le monde en sortant de son alcôve. Mais les habitants des grottes ne voyaient quand même pas dans le noir ! Comment se débrouillaient-ils, par exemple si quelqu'un avait une pressante envie de se rendre aux latrines ?

Elle repoussa ses couvertures et se redressa. Nora avait-elle quitté le chevet de son patient ? Et si Piccino allait plus mal ?

À tâtons, Frédérique chercha ses sandales d'emprunt autour de la couche, ne les trouva pas. Elle toucha la veilleuse, qui se ralluma. La lumière sembla si éclatante que Frédérique s'empressa de l'éteindre à nouveau. Bon, elle pouvait se passer des sandales, qui de toute façon n'étaient guère confortables.

Le sol de pierre était frais sous ses pieds nus, ce n'était pas désagréable. Dans la grande pièce, Frédérique s'arrêta, le temps pour ses yeux d'établir des repères. Elle distingua ainsi une faible lueur au bas des murs, qui émanait d'une mince bande phosphorescente. En se guidant sur cette ligne lumineuse, Frédérique avança, les mains tendues, jusqu'à toucher le mur. La salle d'eau était par là. Aux aguets, Frédérique perçut un froissement de tissu, puis plus rien. Peut-être un dormeur qui s'était retourné dans son lit… Qu'importe. Ce qui l'intéressait, ce qui l'attirait tandis qu'elle avait pleinement conscience de l'absurdité de son geste, se trouvait au bout du couloir, là-bas.

Au bas du mur, la bande phosphorescente balisait le chemin dans cette direction. Frédérique s'y engagea, sentit que le couloir s'étrécissait. Il marqua un coude et Frédérique resta surprise lorsque sa main toucha l'angle du mur. Passé le coude, elle aperçut une tache de clarté et ralentit, le temps d'en identifier la provenance. Il s'agissait d'une lampe voilée par une tenture. Un rideau masquait l'entrée d'une pièce. La chambre de Piccino.

Frédérique s'approcha… et heurta soudain un obstacle vivant qui étouffa un cri. Quelqu'un d'autre s'était tenu dans le couloir, tout près du rideau, une personne menue qui s'était confondue avec le mur dans l'obscurité.

Dans la chambre, quelqu'un s'avança jusqu'au rideau pour l'écarter d'une main résolue. Nora apparut, sa silhouette découpée à contre-jour par la lampe qui brillait dans la pièce. Derrière l'Arkadienne, Frédérique aperçut le lit, tout au fond, un amas de couvertures sous lesquelles devait reposer Piccino.

— *Halt! Kion vi farachas?* demanda Nora d'un ton mécontent.

Frédérique reconnut, près d'elle, la fille cadette de Korasi, Kiran, qui se dressa de tout son mètre cinquante et qui répondit d'un ton empreint de dignité. Les yeux de Frédérique s'étant habitués à la clarté de la lampe, elle put distinguer les traits de l'Arkadienne. Nora dévisagea la jeune fille sans indulgence, puis son regard se porta vers Frédérique.

— Et vous, lança-t-elle sans aménité, vous aussi vous venez pour m'aider?

— Je n'arrivais pas à dormir, bredouilla Frédérique.

Elle se morigéna aussitôt. Elle ne devait aucune explication à l'Arkadienne. Elle n'était plus une enfant !

— Laisse-la entrer, murmura la voix rauque de Piccino.

L'ordre n'était pas venu du fond de la pièce, où se trouvait le lit, mais de la droite. Surprise, Frédérique chercha Piccino des yeux et l'aperçut, debout mais tout recroquevillé sur lui-même comme un vieillard perclus de rhumatismes. Ses traits tirés exprimaient la souffrance. Il se tenait d'une main au mur de pierre, l'autre bras replié contre son ventre.

Près de Frédérique, Kiran voulut se faufiler à l'intérieur de la pièce, mais Nora l'arrêta.

— Puisque tu voulais m'aider, si tu allais chercher de l'eau ?

Elle montra, près de la porte, une cruche vide que Kiran ramassa avec une moue résignée. Nora attendit que la jeune fille se soit éloignée avant de céder le passage, de mauvais gré, à la Cristobalienne.

Dans la pièce régnait une aigre puanteur, mélange de sueur et de merde, une odeur de maladie qui rappela confusément à Frédérique la chambre de son grand-père mourant. La chambre de Frédéric Laganière était dépouillée mais claire, car le grand-père aimait laisser les rideaux ouverts, même quand il dormait. Ici, tout était sombre et sentait le renfermé. À gauche, une commode en bois sur laquelle s'étalait le contenu du sac de Nora. Au centre, la lampe posée sur une table nue flanquée de deux tabourets. À droite, une banquette étroite taillée à même la pierre sur laquelle étaient empilées des serviettes humides près d'une bassine. Piccino se tenait là, vêtu seulement d'un pantalon. La peau de son torse, luisante de sueur, était marquée de traces sombres – des traces de coups. Son visage était d'un blanc laiteux, ses yeux creusés de cernes profonds.

Pourquoi n'était-il pas étendu dans son lit ?

Comme Frédérique l'observait, il se mit en marche et, péniblement, avança en s'appuyant à la banquette de pierre. Nora passa devant Frédérique pour rejoindre son patient et le soutenir.

— Tu crois que c'est le moment de recevoir des visiteuses ? demanda l'Arkadienne d'un ton brusque.

Piccino ne répondit pas. À l'entrée de la pièce, Frédérique hésitait, déconcertée tant par la scène sous ses yeux que par sa propre présence. Qu'est-ce qu'elle était venue faire là ? Elle n'allait tout de même pas harceler Piccino jusque dans sa chambre de malade !

Harceler ? Était-ce si inconvenant qu'elle veuille savoir ce qui l'attendait ? Ce qui était arrivé à Piccino était terrible, ce qui se passait sur Arkadie était terrible, mais en quoi est-ce que cela la concernait, elle, et que pouvait-elle y changer ? Piccino l'admettait lui-même, puisqu'il l'avait invitée à entrer.

Le regard qu'il posait sur elle avait quelque chose de quasi hypnotique. Frédérique fit un pas, puis un autre, pour se rapprocher du blessé et le soutenir de l'autre côté. Le bras de Piccino était froid sous sa main, elle sentait les muscles crispés.

— Je suis désolé pour tout, émit-il.

Le premier réflexe de Frédérique aurait été de répliquer poliment « Ce n'est pas grave », ce qui aurait été un grossier mensonge. Il valait mieux se taire. Nora renifla avec mépris. Frédérique lui demanda : « Est-ce que… ça va aller ? », ce qui était une réplique au moins aussi idiote.

— Il est en manque, alors il ne tient pas en place, indiqua Nora. Je lui injecte de très faibles doses à intervalles de plus en plus grands.

Frédérique songea à l'amplibéta que Piccino, au dire de Christane, avait rapporté parmi les médicaments.

— Est-ce que vos amis vont récupérer les conteneurs ?

Sa question s'adressait à Nora, mais ce fut Piccino qui répondit :

— Je n'en sais rien. Méline a mon minicom, il peut facilement les localiser et les surveiller. Même si je n'ai pas donné le code d'accès du terminal, j'imagine qu'un de ses gars finira par le percer.

Sa voix était toujours aussi rauque, ses lèvres sèches.

— Tu ne devrais pas parler, lui reprocha Nora.

Il eut un léger haussement d'épaules.

— Pourquoi ? Je ne me sentirais pas mieux en me taisant.

— Tu veux que j'aille te chercher Asha, que je laisse entrer Kiran ? Elles meurent d'envie de te distraire par leur présence, elles aussi.

Frédérique était venue jusqu'ici pour échapper à l'angoisse qui l'étreignait, mais elle retrouvait dans cette pièce la même atmosphère oppressante.

— Nora... soupira Piccino.

L'Arkadienne passa des doigts las sur son front. Elle n'avait pas eu la chance de profiter de la salle d'eau, elle, et n'avait démaquillé que son visage et ses mains. Son cou était encore barbouillé de vert, maculé par la teinture que la sueur avait délayée. Elle paraissait épuisée et n'avait plus rien de la jeune rebelle agressive qui, plus tôt dans la journée, reprochait aux Cristobaliennes leur « petit univers douillet où des robots se précipitent pour soigner la moindre égratignure ». Nora n'avait pourtant pas tort. Quand elle était malade, enfant, Frédérique avait souvent trouvé Frankie, le médicaide de son grand-père, installé à son chevet. Frankie n'était jamais fatigué et il restait toujours attentif. Il veillait inlassablement sur sa patiente et la soignait avec des gestes doux. Quand grand-père avait pris sa retraite, Frédérique avait ressenti un chagrin profond de voir Frankie partir pour le recyclage. Elle s'était tellement attachée à lui, il était devenu un membre de la famille...

Mon dieu, quand avait-elle songé à Frankie pour la dernière fois ?

Nora vacilla et faillit, dans son mouvement, provoquer la chute de son patient, que Frédérique retint d'une poigne solide.

— Pourquoi n'allez-vous pas vous reposer un peu ?

L'Arkadienne désigna la commode.

— Parce qu'il va avoir besoin d'une autre injection.

Frédérique aperçut, sur le meuble, le coffret ouvert contenant l'injecteur et quelques minuscules ampoules. Un instrument médical – Frédérique s'en rendit compte sans surprise – de fabrication chinoise.

— Je viens d'une famille de médecins, je sais me servir d'un injecteur. Vous n'avez qu'à le programmer.

Nora tourna la tête vers son patient, comme si elle supputait ses chances de survivre à la nuit une fois abandonné aux soins d'une étrangère. Piccino s'était dégagé des bras de ses deux compagnes, il s'appuyait contre la banquette, silencieux, mais son regard exprimait un certain défi. À cet instant, Kiran entra, peinant sous le poids de la cruche pleine. Frédérique esquissa un mouvement vers elle pour la soulager de son fardeau. Comme Nora avait eu la même idée, elles se retrouvèrent toutes trois face à face. Avec un soupir exaspéré, Nora prit la cruche des mains de la jeune fille, la flanqua avec brusquerie dans les bras de Frédérique et poussa Kiran vers la sortie.

— Ouri n'a pas besoin d'une horde d'admiratrices autour de lui, alors, toi, tu retournes te coucher.

Vexée, Kiran resta sur le seuil, tandis que Nora, revenue vers la commode, programmait l'injecteur, avant d'adresser à Frédérique un hochement de tête rempli de sécheresse.

— Je ne serai pas loin, vous n'aurez qu'à appeler si vous avez besoin d'aide. Sinon… à vous le soin.

Pendant un moment, elle parut sur le point d'ajouter autre chose, puis elle entraîna Kiran hors de la chambre, laissant Frédérique plantée là, les bras serrés autour de la cruche qui lui semblait de plus en plus lourde.

C'est toi, la cruche. Frédérique jeta un coup d'œil du côté de Piccino – ou plutôt d'Ouri, si du moins c'était là autre chose qu'un surnom –, comme s'il pouvait la tirer d'embarras. Il s'était recroquevillé un peu plus sur lui-même et tremblait, sans doute de froid.

Elle se précipita vers lui, passa un bras autour de sa taille, effrayée de sentir tout son corps tressauter sous les frissons.

— Vous ne voulez pas vous étendre… ?

Il secoua la tête, un mouvement qui se transforma en sursaut convulsif.

— Il faut que je bouge.

Appuyé sur elle, il se remit à marcher, à tourner en rond dans la pièce. Frédérique le soutenait de son mieux, craignant de s'étaler avec lui s'il perdait l'équilibre. Elle se sentait gauche et stupide. Le souvenir de Frankie l'avait poussée à offrir son aide, mais Frankie était une machine sophistiquée, dotée de toutes les connaissances humaines en médecine, qui savait toujours quel geste accomplir, qui montrait une immuable délicatesse – et qui était d'une force tranquille, inépuisable.

Piccino semblait à la fois faible et débordant d'énergie. À un moment, il se détacha de Frédérique et entreprit un tour rapide de la pièce en agitant les bras. Il se lança dans une longue tirade dans une langue que Frédérique supposa être du russe – en tout cas, une langue qu'elle ne comprenait pas. À qui s'adressait ce discours fébrile ? Pas à elle, car, lorsqu'elle se porta à sa hauteur pour le soutenir en cas de besoin, elle trouva qu'il avait les yeux vides, comme s'il n'était pas vraiment là.

Il vira soudain de bord, et Frédérique le suivit tant bien que mal. Sur le haut de son dos, la peau rougie était striée d'estafilades, de lignes plus sombres. Tout un côté de son torse était bleui, presque noir. Même les jambes portaient des ecchymoses. Et ses mains, ses belles mains, avaient les jointures écorchées. Et il avait cette autre marque bien nette, à l'arrière du bras. Il avait été battu, ou s'était débattu, mais le plus effrayant n'était pas ces blessures apparentes, c'était cette absence dans son regard, cette fébrilité qui le tenait en mouvement malgré son état de faiblesse.

Et puis, tout aussi brusquement, il s'arrêta, encore une fois replié sur lui-même et agité de frissons. Frédérique se précipita vers lui. Il leva la tête vers elle. Son regard était « revenu ». Il bredouilla en claquant des dents :

— Je voudrais que vous soyez… à bord… de votre vaisseau…

Frédérique réprima un soupir. Elle aussi, elle aurait bien voulu se trouver à bord du *Gagneur* plutôt qu'ici, dans cette chambre sombre, au plus profond d'un réseau de grottes humides, auprès d'un homme qu'on avait torturé. Mais elle murmura « Chut, chut », attrapa une couverture sur le lit et l'en enveloppa. Il se remit en mouvement, s'arrêta encore, vira de bord et marcha en titubant, collé contre elle. Frédérique perçut avec soulagement le léger « bip » émis par l'injecteur que Nora avait programmé. Elle fit l'injection. Piccino s'affaissa sur lui-même et elle l'escorta jusqu'au lit, où il s'affala. Elle l'aida à s'étendre de façon plus confortable, puis elle le recouvrit, le borda. Il ferma les yeux – peut-être perdit-il conscience –, mais cela ne dura pas. Quelques instants plus tard, il marmonnait des mots qui semblaient sans suite, même si Frédérique n'en saisissait pas le sens. Il crispait les mains sur les draps et tentait de repousser les couvertures.

Bientôt, elle dut le laisser se lever. Elle l'escorta dans la pièce tandis qu'il agitait les bras pour chasser des mouches imaginaires. Elle se demanda comment elle parviendrait à l'arrêter s'il cherchait à quitter la chambre, mais il se contenta de son bref circuit, le tour d'une pièce qui paraissait à Frédérique de plus en plus petite.

Enfin, il se calma un peu. Frédérique le conduisit jusqu'au lit où, cette fois encore, il tomba plus qu'il ne s'étendit. Elle le couvrit, empilant sur lui les couvertures, car il grelottait et claquait des dents.

— J'ai froid...

Frédérique hésita, puis elle s'étendit et se serra contre lui pour le réchauffer. Elle percevait la crispation de ses muscles ; son corps semblait à la fois plein de nœuds et tendu comme une corde.

Elle guetta son souffle, d'abord irrégulier, puis qui s'apaisa, si bien qu'elle finit elle aussi par s'assoupir.

Elle s'éveilla comme il tentait de la repousser.

— J'ai chaud.

Frédérique se redressa et s'écarta de lui.

— Vous voulez que j'aille chercher Nora ?

Il entrouvrit les lèvres avec peine. Elles étaient toujours aussi sèches, et même craquelées. Il dit quelque chose dans sa langue. Ses yeux ne la voyaient pas, ou voyaient quelqu'un d'autre. Frédérique le laissa reprendre son périple dans la chambre. Elle trouva un gobelet de métal, le remplit à la cruche et tenta de faire boire son patient. À la première tentative, il envoya le gobelet valser à travers la pièce, mais Frédérique le ramassa, le remplit de nouveau et, cette fois, il but, avant de se remettre en mouvement.

Après la seconde injection, il accepta de revenir s'étendre. Il respirait avec un peu plus de calme. Frédérique s'étendit encore contre lui – c'était le seul moyen de s'assurer qu'elle se rendrait compte s'il se levait de nouveau – et sombra dans le sommeil.

Quand elle en émergea, il se débattait dans ses couvertures avec des mouvements affolés. Il étouffait. Frédérique se précipita vers la commode, où elle avait déposé l'injecteur. Non, elle n'avait pas manqué l'alarme, il n'était pas encore temps pour la prochaine injection. Elle revint vers le lit, s'assit près de son patient et lui parla doucement, jusqu'à ce qu'il recouvre un peu de calme. Il sombra de nouveau dans un sommeil troublé. Lorsqu'elle fit l'injection suivante, il sembla à Frédérique qu'il respirait à un rythme plus normal et qu'il était moins confus.

◆

Plus tard, elle eut conscience que Nora se tenait près du lit. L'Arkadienne tâta le pouls d'Ouri, elle posa une main sur son front et s'en fut sans un mot, sans protester contre le fait que son aide médicale, au lieu de veiller, s'était endormie étendue tout contre leur patient.

Plus tard encore – et elle se leva avec précipitation –, ce fut Korasi qui entra dans la chambre. Il parut mécontent de découvrir Frédérique là où aurait dû se trouver Nora, mais il n'éleva pas la voix.

— Où est Nora ?

— Je l'ai envoyée se reposer.

— Ouri est sous sa responsabilité, elle aurait dû...

— Je vais bien.

C'était la voix d'Ouri, rauque et faible. Korasi s'approcha pour l'examiner, la mine sévère. Ouri cligna des paupières et corrigea :

— Mieux, disons. Il faut que nous parlions, Raju.

Korasi n'était manifestement pas d'accord. Il grommela.

— Cela attendra le retour d'Elhanan. D'ici là, on verra si tu vas vraiment mieux.

— Te parler aura un effet vivifiant sur moi.

— Cela n'a rien de drôle.

Korasi prit une profonde inspiration en se tournant vers Frédérique.

— Je crois qu'il vaut mieux que vous rejoigniez votre amie, *commandante*.

Elle tressaillit au rappel de son statut. Si Korasi avait voulu raviver l'angoisse de la veille, il n'aurait pas mieux choisi ses mots.

Elle s'inclina, bien sûr, elle n'avait rien à faire dans cette chambre et Ouri n'était pas en état de répondre aux mille questions qu'elle aurait souhaité lui poser. Elle sortit donc, non sans avoir lancé un dernier regard vers les deux hommes. Le plus âgé semblait plus anxieux que fâché. Quant au plus jeune, il avait fermé les yeux, et son visage paraissait exsangue.

Chapitre 8

— Où t'étais passée ? As-tu une idée à quel point je me suis inquiétée quand je me suis réveillée et que j'ai vu ta couchette vide ? Je t'ai cherchée partout.

Frédérique accueillit l'indignation de la pilote avec placidité. Christane n'était sûrement pas allée « partout », mais sans doute sa recherche avait-elle tiré Korasi du sommeil, ce qui expliquait qu'il ait surgi dans la chambre d'Ouri avec cet air mécontent.

— Tu as cru que je m'étais évadée sans toi ?

— Où étais-tu ?

Le jour s'était levé dans la grotte, grâce à trois étroites ouvertures placées très haut dans la paroi et qui n'étaient pas sans évoquer un coup de griffes, des griffes de soleil. Bien sûr, on était loin de la pleine clarté, mais le peu de lumière qui pénétrait par ces interstices était d'un grand réconfort après l'obscurité profonde. Frédérique la contemplait avec plaisir.

Elle vit aussi le grand volet de bois qui pouvait être accroché là-haut par des pentures de métal. La lumière du jour mettait en évidence la propreté et le dénuement des lieux. Certes, les tentures qui créaient les divisions entre les pièces apportaient un peu de chaleur et, surtout, de la couleur au décor, mais chaque pas sur le plancher dur, chaque geste pour s'asseoir rappelaient que la pierre se cachait sous le tissu.

Frédérique n'arrivait pas à comprendre ce qui avait poussé la famille Korasi à se terrer dans ces grottes, un soi-disant refuge qui semblait assez facile à découvrir. La vie quotidienne a un impact sur l'environnement: il faut bien se nourrir, ce qui signifie sinon une fumée de cuisson, à tout le moins des odeurs et des déchets, sans compter qu'il faut s'approvisionner quelque part… À force d'entrer et de sortir de sous la colline, les arrivants laissaient certainement des traces de leur passage. Avec le temps, leurs pas avaient créé des sentiers ou, à tout le moins, des endroits où l'herbe était aplatie. Pourquoi vivre ainsi loin de tout et courir le risque d'être coincé dans ces grottes par une attaque des mercenaires?

Plantée devant elle dans la grande salle, Christane attendait toujours une réponse à sa question. Derrière la pilote, Frédérique aperçut Kiran qui les observait depuis le seuil d'une autre pièce. Elle soupira.

— J'ai donné un coup de main à Nora, je suis restée au chevet d'Ouri.

Christane écarquilla les yeux, incrédule.

— Toute la nuit?

Frédérique haussa les épaules.

— Tout le temps que tu as dormi. Ça n'a pas été une très longue nuit…

Là-bas, Kiran arborait une moue boudeuse. Sans doute en voulait-elle à l'étrangère d'avoir eu accès à la chambre dont on lui avait refusé l'entrée. Christane dut se rendre compte que son interlocutrice regardait plus loin, car elle jeta un coup d'œil par-dessus son épaule et, constatant qu'elles étaient observées, elle se rapprocha de Frédérique.

— Tu as… appris quelque chose?

Frédérique n'eut pas le temps de répondre. L'alarme d'entrée de la grotte provoqua une soudaine agitation. Sylvio et Mandula surgirent chacun de leur côté et se précipitèrent vers l'entrée. Kiran les avait toutefois précédés. Les Cristobaliennes, restées immobiles à leur extrémité de la grande pièce, virent le trio revenir bientôt, encadrant un petit vieillard maigre vêtu de vert et d'ocre. À sa fille aînée qui survenait à son tour, Mandula posa une question à laquelle Asha ne put répondre. Frédérique crut reconnaître le mot *pitaa*, « papa ».

— Vous cherchez Raju ? s'informa-t-elle en s'avançant. Je viens de le laisser avec Ouri.

Si le visiteur fut étonné de découvrir deux étrangères dans le refuge, il n'en montra rien et prit, sur-le-champ et sans bruit, la direction de la chambre du fond.

Ce devait être le nommé Elhanan dont Korasi attendait le retour. Frédérique le regarda disparaître d'un pas alerte dans l'ombre du couloir. Elle ne savait trop ce qu'elle avait pensé quand Korasi avait évoqué l'arrivée de cet homme qu'elle supposait être un rebelle, mais elle n'avait sûrement pas imaginé un rebelle aussi vieux. Et il avait probablement voyagé de nuit pour arriver à une heure si matinale…

Mandula interpella Sylvio de sa voix douce, et le jeune homme s'en fut à la suite du nouvel arrivant.

— *Manghi ?* demanda l'épouse de Korasi à ses invitées, en mimant le geste de porter des aliments à sa bouche.

Frédérique voulut proposer son aide pour préparer le repas ; cependant, Christane lui saisit le coude et la poussa vers l'alcôve où, la veille, elles avaient pris un repas en compagnie de leurs hôtes.

— Alors, chuchota la pilote, qu'est-ce que tu as appris ?

— Mais rien ! Crois-tu qu'Ouri était en état de bavarder ?

Kiran les avait suivies de quelques pas ; Frédérique la vit hésiter et lui adressa un regard empli de compassion.

— Je suis désolée pour hier, Kiran…

La jeune fille rougit et tourna aussitôt les talons. Comme Christane haussait des sourcils interrogateurs, Frédérique lui narra, en peu de mots, les événements de la nuit.

— Tu vois, tout ce que je sais, c'est qu'Ouri regrette de nous avoir mises dans cette situation. Je suppose qu'il s'arrangera, dès que possible, pour nous envoyer à Bourg-Paradis. Pourquoi souris-tu ?

Christane semblait en effet amusée.

— Parce que maintenant tu l'appelles Ouri.

◆

— Vous devez bien sortir de temps en temps, non? Sortir, aller dehors…

Frédérique observait ses commensales depuis un moment quand elle émit cette remarque. Les filles de Korasi, comme leurs aînées, avaient la mine trop saine pour qu'on les imagine confinées en tout temps dans ces grottes.

Les femmes du refuge étaient attablées dans la petite salle à manger – toutes sauf Nora, qui n'était pas reparue depuis la veille – et elles mangeaient dans un silence méditatif dû à l'obstacle que constituait la barrière des langues. Frédérique désigna le plat posé devant elle, qui contenait des espèces de beignets aux légumes.

— Les légumes poussent quelque part et il faut de la farine pour le pain…

Les femmes comprenaient visiblement le sens de sa remarque. Raziya, la sœur de Mandula, pointa un doigt en direction du couloir.

— Dehors, *ekstere*, oui, *ghardeno*.

— *Ankaux iri* Bourg-Paradis, compléta Mandula avec son inaltérable politesse.

Elle jeta un coup d'œil du côté de ses filles puis désigna ses invitées.

— *Iros ekstere*, vous, oui ?

Sa main traça un cercle imaginaire qui englobait ses filles et les invitées.

— *Iros ghardeno* ?

On leur offrait d'aller à l'extérieur de la grotte ?

— Si c'est possible... fit Christane en consultant son associée du regard.

— Bien sûr que oui ! trancha Frédérique.

Elle n'allait pas rester enfermée s'il existait la moindre possibilité de découvrir l'extérieur.

Le silence revint et chacune se concentra sur le contenu de son assiette. De toute manière, Frédérique n'avait aucune envie de poser d'autres questions ; elle tendait l'oreille vers le couloir, car il lui semblait percevoir des éclats de voix.

Elle ne se trompait pas. Les hommes se disputaient. Les autres femmes s'en rendirent compte, et Mandula s'agita soudain. Elle se leva, rassembla les couverts sur le plateau en les empilant bruyamment, tout en répétant : « Dehors, oui, *iru ghardeno* », tandis que sa sœur Raziya se lançait dans une longue tirade en hindi. Ces tentatives pour couvrir le bruit de voix étaient puériles et vaines : de toute façon, Frédérique ne comprenait pas un mot de ce que les hommes disaient. Et puis, la discussion ne dura pas. Sylvio apparut bientôt sur le seuil de la pièce, accompagné du vieil homme, qui s'inclina pour saluer les femmes.

— *Bonvenon*, Elhanan, déclara Mandula en se mettant sur pied. *Manghas kun ni ?*

De son regard vif, le vieil homme parcourut le cercle des femmes, puis il s'inclina de nouveau.

— *Dankon, Mandu, preferas dormi*.

L'épouse de Korasi s'empressa de conduire son invité à une petite alcôve, tandis que Sylvio s'adressait à Raziya d'un ton poli. Il avait à peine ouvert la bouche que les filles de Korasi protestèrent. Leur tante leur intima le silence, puis elle quitta la table pour se diriger vers la cuisine.

Sylvio resta sur le seuil de la salle à manger, à se dandiner d'un pied sur l'autre.

— Qu'est-ce qui se passe ? demanda Christane.

— J'ai demandé à Raziya des provisions pour la route.

— Vous partez… constata Frédérique.

Christane bondit sur pied.

— Est-ce que je peux venir avec vous ?

Frédérique leva vers la pilote un regard ébahi.

— Chris, qu'est-ce que…

— Si je reste ici à me tourner les pouces, je vais devenir folle.

Sylvio avait reculé d'un pas.

— Je ne peux pas vous emmener.

— Et pourquoi pas ? insista Christane. Je ne vous gênerai pas dans vos déplacements, je n'ai aucune envie de retomber aux mains des mercenaires de Méline. Depuis que j'ai vu ce dont ils sont capables, je meurs d'envie de vous aider…

Frédérique n'en croyait pas ses oreilles. Christane n'avait pourtant reçu aucun coup sur la tête, elle ! Qu'elle fût incapable de rester en place, Frédérique pouvait le concevoir – elle ressentait la même chose et, en plus, Christane n'avait jamais été très patiente –, mais de là à proposer son aide aux rebelles ?

Dans la grande pièce, Sylvio vit surgir Korasi avec un soulagement visible.

— Raju…

Christane le devança :

— Je veux partir avec lui !

Korasi dévisagea Christane avec étonnement, puis son regard passa à Frédérique, qui lui adressa une mimique exprimant son impuissance, avant de revenir à la pilote.

— Pour quoi faire ?

— Je n'en peux plus de rester inactive à me demander ce qui nous pend au nez. Il faut que je bouge !

Korasi hocha la tête.

— Oh, vous bougerez… bientôt. Nous irons à Bourg-Paradis dès qu'Ouri sera en état de voyager. Mais Sylvio doit s'y rendre d'abord en éclaireur.

◆

D'un geste irrité, Christane chassa les mouches qui bourdonnaient autour d'elle et soupira :

— Je sais que je l'ai bien cherché, mais là, je prendrais un peu d'ombre.

Kiran haussa les sourcils d'un air interrogateur. Christane agita une main en éventail.

— Chaud, expliqua-t-elle.

D'un signe de tête, Kiran montra qu'elle était bien d'accord. Près d'elles, Frédérique s'épongea le front et, comme ses compagnes, elle s'assit sur les talons pour se reposer.

Elles étaient sorties, en fin de compte, les étrangères accompagnant les filles de Korasi après avoir promis d'être prudentes. Il fallait entretenir le potager de la tante Raziya, s'assurer qu'aucun indésirable n'y avait mis le pied ou la patte, et rapporter de quoi préparer le repas du soir. Korasi ne s'en était pas caché, cette permission de sortie était à la fois une marque de confiance et un moyen de calmer l'impatience de Christane. Une marque de confiance, car les Cristobaliennes auraient pu en profiter pour s'enfuir… mais dans quelle direction, et pour quelle destination, elles qui ne connaissaient rien de la région où elles se trouvaient ? Le désir de Christane de collaborer avec les rebelles ne changeait rien à la situation de Frédérique : sans minicom, elle n'avait pas accès à la barge, et donc ne pouvait regagner son vaisseau. Il n'y avait pas d'autre solution que la patience, le retour vers Bourg-Paradis avec les rebelles et, là, une rencontre avec l'Assemblée en espérant convaincre ces honorables personnes de faire pression sur le coordonnateur afin qu'il oblige Méline à rendre les bracelets.

L'espoir d'un espoir, en quelque sorte.

Quant au désir de Christane d'aider les rebelles... Frédérique ne savait ce qu'il fallait en penser, ou même s'il fallait seulement y croire. La pilote était-elle sincère, ou n'était-ce que l'expression de son impatience ? Du reste, dans chacune de ses malheureuses histoires d'amour, Christane avait été sincère, et ça n'avait jamais empêché la rupture. Ce soudain élan vers les Arkadiens était une nouvelle toquade, une variation sur le thème de la passion, à laquelle elle renoncerait dès lors que la barge leur serait rendue.

Debout près de la pilote, Asha contemplait le petit carré de haricots bien net, et la récolte amassée dans un sac. Elle prononça quelques mots en hindi destinés à sa sœur, puis ajouta au profit des étrangères :

— Rivière...

— Un bain ? demanda Christane en mimant le geste de nager.

Asha acquiesça. D'un mouvement de la main, elle intima aux étrangères d'attendre, et à sa sœur de prendre les devants.

Avec agilité, Kiran se faufila dans les buissons et disparut. De vaillantes petites guerrières, songea Frédérique en dissimulant un sourire. Mais ces enfants ne connaissaient rien d'autre qu'une vie de dissimulation. Il n'y avait pas de quoi sourire, non.

D'ailleurs, Christane contemplait Asha non sans une certaine gravité. La jeune fille restait immobile, à l'écoute. Au bout d'un moment, s'éleva, plus bas dans la pente, un sifflement qui sembla la satisfaire. Elle passa le sac de haricots en bandoulière.

— *Antauxen*.

En silence, l'une derrière l'autre et en s'efforçant de ne pas rompre les branches des buissons, comme leurs jeunes guides leur avaient montré, Frédérique et

Christane suivirent Asha vers le délicieux chant de la rivière qui, dans un creux ombragé, jaillissait du flanc de la colline pour descendre en bondissant entre des rochers moussus vers quelque plus large cours d'eau.

Kiran attendait ses compagnes dans l'eau à mi-cuisse, au bord d'une petite anse peu profonde. Elle avait retroussé sa jupe et aspergeait son visage rougi par le soleil. Elle encouragea à grands gestes les autres à la rejoindre.

Frédérique retira ses sandales et releva le bas de sa tunique avant d'entrer dans l'eau, mais, de toute façon, elle avait si chaud qu'elle se fichait bien de mouiller sa robe. Elle était dans l'eau à peine à mi-mollet quand elle vit Asha, près d'elle, se redresser soudain, aux aguets. Elle eut un geste impérieux de la main à l'adresse de sa sœur et de Christane qui s'éclaboussaient mutuellement en riant. Elles se turent brusquement, l'air inquiet.

Par-dessus le bruit de l'eau courante, Frédérique entendit un sifflement aigu. Asha se détendit aussitôt. Peu après, Nora apparut, écartant les branches pour s'approcher des baigneuses. La nouvelle venue se tint au bord l'eau, poings sur les hanches. Asha l'interrogea, mais c'est à Frédérique que Nora s'adressa.

— Ouri veut vous voir.

◆

Il les reçut avec un pâle sourire, assis dans son lit, ou plutôt soutenu par des oreillers, avec Korasi installé sur la banquette de pierre et qui s'efforçait de dissimuler son mécontentement.

— Je suis désolé, je sais combien vous êtes impatientes de retourner à bord de votre vaisseau...

Il se répète. Mais peut-être ne se rappelait-il pas les paroles qu'il avait prononcées durant la nuit. Peut-être avait-il oublié que Frédérique avait veillé sur lui.

Peut-être ne s'était-il pas rendu compte qu'elle l'avait soutenu, puis réchauffé de son corps serré contre le sien… Elle se mordit la lèvre inférieure et se tourna vers Christane, pour juger de l'effet des paroles d'Ouri sur celle qui avait exprimé son impatience. Quelqu'un, parmi leurs hôtes, avait manifestement rapporté leurs faits et gestes au malade.

Christane toussota.

— En réalité, j'ai seulement dit que j'avais besoin d'agir. Dites-moi comment je peux vous aider.

— Nous aider…

Il jeta un coup d'œil rapide du côté de Korasi, qui l'ignora, et continua :

— Le meilleur moyen de nous aider, Christane, sera de rentrer chez vous pour témoigner de ce que vous avez vu ici.

La pilote se renfrogna. Ce n'était pas exactement le genre d'aide qu'elle avait eu envie d'apporter, Frédérique le savait. Témoigner de la situation sur Arkadie était une bonne idée, mais qui pouvait s'avérer difficile à concrétiser. En exposant les actes des mercenaires, Frédérique et Christane attireraient l'attention des médias occidentaux, certes, mais ça ne plairait pas à l'Hindustan, leur puissant voisin. Cela déplairait particulièrement à la Howell-Devi et aux autres grandes compagnies minières qui feraient pression sur l'Union occidentale afin de museler ou de discréditer ces témoins gênants, par exemple en déclarant que les Occidentales avaient débarqué de façon aussi illégale que volontaire sur Arkadie. L'accusation de piraterie pouvait s'appliquer tout aussi bien à Christane, qui pilotait la barge, qu'à Piccino-Lepinsky-Ouri, qui les avait soi-disant forcées à agir…

Frédérique secoua la tête pour chasser ces pensées.

— C'est bien joli, tout ça, mais il faut d'abord rentrer chez nous.

— Exact, admit Ouri. Nous partirons demain.

Nora avait suivi les Cristobaliennes et pénétré dans la chambre derrière elles. Frédérique l'entendit protester.

— Tu n'es pas en état !

— Je veux dire… nous commencerons à nous mettre en route, mais en deux groupes. Korasi partira le premier avec Christane, et nous suivrons le lendemain, toi et moi avec Frédérique. Ça me donne un jour de plus pour le sevrage, tu devrais être satisfaite.

Nora ne l'était pas, et Christane non plus. Elle qui avait appelé l'action de ses vœux paraissait réticente.

— Je ne suis pas impatiente à ce point-là. Pourquoi nous séparer ?

— Question de sécurité, au cas où nous tomberions sur les hommes de Méline.

Frédérique intervint :

— Est-il nécessaire que Korasi nous accompagne ? Il vient tout juste de retrouver sa famille.

Le principal intéressé ne dit rien, mais il adressa à Ouri un regard empreint d'ironie. Une étrange tension flottait entre les deux hommes. Korasi n'était visiblement pas d'accord… mais il taisait son opposition. Pourquoi ?

Ouri est le chef.

Frédérique s'étonna de ne pas l'avoir compris plus tôt. Un chef secret, un chef qui dissimulait sa véritable identité, mais un chef quand même. *Pas surprenant que les mercenaires aient tant souhaité le capturer ! Et que les rebelles aient déployé autant d'efforts pour le libérer…* Pas surprenant non plus qu'il ait été trahi. Sans doute son autorité avait-elle été contestée, ce qui expliquait qu'il ait choisi un exil temporaire sur Cristobal.

— Nous avons besoin de Raju à Bourg-Paradis pour rencontrer les membres de l'Assemblée, déclara Ouri d'un ton péremptoire. Elhanan restera ici.

— Et Sylvio ? demanda Christane. S'il est parti en éclaireur, est-ce qu'on ne doit pas attendre son retour ?

— En éclaireur ? répéta Ouri avec étonnement.

Korasi soupira.

— C'est ce que je leur ai dit.

Plus précisément, ce qu'il avait déclaré à Christane pour la convaincre qu'elle ne pouvait accompagner le jeune homme… La pilote rétorqua avec méfiance :

— Ce n'était pas vrai ?

— Ce n'était pas faux. Sylvio est allé… dans une autre direction. Il nous rejoindra à Bourg-Paradis.

La voix d'Ouri avouait sa lassitude. Nora s'approcha du lit.

— Ça suffit pour aujourd'hui.

Chef des rebelles ou pas, Ouri ne pouvait s'opposer aux ordres du « médecin ».

D'un ample geste des bras, Nora refoula les visiteuses vers la sortie. Frédérique regagna la grande pièce d'un pas machinal. Tout ce que Ouri et Korasi leur taisaient lui donnait suffisamment matière à réflexion. Ainsi donc, Sylvio était parti dans une autre direction… Elhanan avait apporté des nouvelles ou un message que le chef attendait et qui l'avait poussé à envoyer Sylvio en réponse.

Elle comprenait, oui, elle comprenait pourquoi Ouri montrait tant de hâte à les expédier à bord du *Gagneur*, Christane et elle. Il préparait une offensive et ne désirait pas que les Cristobaliennes se trouvent prises entre deux feux.

CHAPITRE 9

Un silence ouaté régnait dans le refuge, de ces silences d'après-midi qui donnent le goût de piquer un somme, mais Frédérique se sentait trop fébrile pour dormir. Elle n'avait pas voulu accompagner encore une fois les filles au dehors et le regrettait maintenant. Le temps se traînait…

La veille avait été une journée fort active, car les Cristobaliennes ne pouvaient se rendre à Bourg-Paradis dans leurs vêtements étrangers, trop repérables, ni dans les robes légères que Mandula leur avait prêtées. Les femmes avaient donc passé une partie de la journée à coudre : pantalon serré à la taille par un cordon tressé, blouse à manches courtes et veste chaude comme celle que portait Ouri quand il était monté à bord du *Gagneur* un siècle plus tôt. Quant aux chaussures, il fallait se contenter des vieilles paires de sandales.

Ce matin, avant l'aube, Korasi était parti en emmenant Christane, une Christane ravie et excitée comme une gamine, sans rapport avec la femme prudente qui avait déclaré à Ouri qu'elle n'était pas si impatiente de s'en aller. Quand Frédérique lui en avait fait la remarque, Christane avait répondu avec un haussement d'épaules :

— Je n'étais pas sûre d'avoir envie qu'on se sépare… mais je suis trop contente de bouger enfin.

Frédérique s'était donc retrouvée seule, enfin, façon de parler. Elle avait espéré qu'Ouri lui consacre un peu de temps, maintenant qu'il allait mieux. Bon, sans doute était-il fort occupé à dresser un plan d'attaque contre les mercenaires. Du moins, c'était ce que Frédérique attendait d'un chef, et Ouri, elle en était sûre, était une sorte de messie dont les Arkadiens avaient espéré le retour durant deux longues années.

Une part d'elle-même conservait encore un minuscule fond de sens critique et lui répétait qu'elle était stupidement en train de s'emballer pour un gars dont elle ne savait rien, que son imagination avait toujours été trop riche pour son propre bien, que ce n'était pas parce qu'elle lui avait tenu chaud une nuit qu'elle présentait le moindre intérêt à ses yeux. Elle se sentait bien sotte et impuissante à contrôler le flot de ses émotions.

Alors, elle se morfondait à attendre que le temps passe et l'oppression, la sensation terrible d'être envahie par l'angoisse s'était de nouveau emparée d'elle, pesant sur sa cage thoracique jusqu'à créer l'impression qu'elle ne pouvait respirer.

Non, c'était trop, elle étouffait.

Elle sortit de l'alcôve, s'arrêta dans la grande pièce déserte. Si Mandula ou sa sœur était venue à passer à cet instant, si les filles étaient entrées et l'avaient apostrophée, elle aurait aussitôt recouvré un certain calme, mais personne ne se montra. D'un pas résolu, elle prit le couloir qui menait à la chambre d'Ouri. Elle s'immobilisa toutefois près du rideau de la porte et se tint là, comme Kiran l'autre nuit, sans bouger, à guetter un bruit, un mouvement dans la chambre au-delà. Rien.

Le couloir se prolongeait sur sa gauche, un boyau étroit plutôt qu'un corridor, en vérité. Elle était passée par là en compagnie de Christane et des filles, l'autre jour, pour descendre dans le vallon entretenir le potager de Raziya. Au bout de ce boyau, il fallait grimper – la paroi rocheuse offrait de nombreuses prises – et l'on aboutissait dans une anfractuosité située près du sommet de la colline. Monter pour mieux descendre, une autre absurdité de la vie dans ces grottes.

Frédérique hésita. Elle pouvait s'engager dans le boyau, sortir à l'air libre et attendre là-haut le retour de Kiran et d'Asha, même si elle n'en avait aucune envie, même si elle brûlait de soulever ce rideau et d'entrer dans *cette* chambre.

Un bruit la fit sursauter, le choc d'un objet en métal, peut-être un plat, qui roulait sur le sol de pierre. Ça ressemblait au bruit qu'avait fait le gobelet jeté par Ouri, l'autre nuit. Mandula ou Raziya, dans le coin cuisine ? Non, le bruit provenait de l'étroit boyau qui menait à la sortie. Frédérique se rappela qu'elles étaient passées devant une épaisse tenture, l'autre jour. À ce moment, elle était trop préoccupée de la petite expédition à l'extérieur pour questionner les filles à propos de la pièce que fermait ce rideau. Peut-être était-ce la chambre de Nora ? La jeune femme disparaissait parfois durant des heures, et elle ne passait pas tout ce temps avec Ouri, sûrement.

Frédérique se décida et s'engagea dans le boyau jusqu'à la lourde tenture devant laquelle elle s'arrêta, de nouveau aux aguets. Du bout des doigts, elle effleura le tissu. Le rideau remua. Il n'allait pas jusqu'au sol, un interstice de quelques centimètres ne montrait que la noirceur la plus totale. Si quelqu'un se trouvait dans la pièce de l'autre côté, cette personne se tenait dans une parfaite obscurité. Qui ? L'espace d'un instant, Frédérique imagina qu'un espion, un habile mercenaire ou un rebelle vendu aux loyalistes, s'était infiltré comme un serpent dans le refuge de la famille Korasi.

Quelqu'un toussa, et Frédérique reprit ses esprits. Si c'était la chambre de Nora, celle-ci s'était peut-être étendue pour une sieste, ce qui expliquait l'obscurité. Frédérique appela doucement :

— Nora ?

Cependant, la voix rauque qui chuchota en réponse n'était pas celle de la jeune femme.

— *Kio ?*

C'était une voix rocailleuse, chevrotante, une voix de vieille personne, mais Frédérique n'aurait su dire de prime abord s'il s'agissait d'un homme ou d'une femme. Elle retint son souffle. Ah, elle avait l'air fin, maintenant. Un espion !

— *Kio ?* répéta la voix éraillée, qui appartenait probablement à une femme. *Ashanja ? Chu vi, karulino ?*

D'autres paroles rapides s'ajoutèrent qui furent suivies d'une nouvelle quinte de toux, plus profonde. Une vieille femme, décida Frédérique. Elle pouvait encore se retirer en silence, laissant l'autre, derrière la tenture, croire qu'elle avait imaginé une présence…

— C'est… je m'appelle Frédérique Laganière, annonça-t-elle quand la quinte de toux se fut calmée.

La vieille femme dans la chambre comprenait-elle le français ? Il était un peu tard pour reculer, maintenant.

— *Ha ! Cristobalino*… répondit la voix éraillée. *Envenu*… Entre.

Frédérique écarta le rideau, puis elle resta sur le seuil, hésitante. Elle perçut un mouvement à quelques pas devant elle, le bruit d'une chaussure raclant le roc. Plongée dans le noir, la chambre n'avait rien d'invitant.

Là, devant, la voix de la vieille se fit étonnée :

— *Kio ? Ha*, pas *lumo*… (D'un ton sec, impératif :) *Lumoj !*

Elle est aveugle, comprit Frédérique avec un choc. Une vieille femme aveugle, qui vivait recluse au fond de la grotte. Les plaques lumineuses du plafond, en s'activant, révélèrent une silhouette toute menue qui montrait son dos à la visiteuse.

— Ne sois pas surprise, prévint la vieille avec un accent que l'âpreté de la voix rendait difficile à reconnaître. J'ai mis mon voile.

Elle se retourna, mais le manteau long qui l'emmitouflait laissait voir peu de chose de son corps, tout comme le châle qui couvrait la tête dissimulait le visage. Elle resta immobile un instant, s'offrant au regard de la visiteuse avec patience, fruit d'une longue habitude.

La chambre, quant à elle, paraissait confortable avec ses murs tendus de tissus, sa banquette garnie d'une paillasse épaisse, et un petit fauteuil de rotin placé devant une table basse. Des objets décoraient l'endroit, assiettes et verres en métal ouvragés, et même une sorte de théière compliquée posée sur le rebord de pierre.

La voix rauque émergea de nouveau, étouffée par le tissu :

— Tu ne sais pas qui je suis, n'est-ce pas ?

La vieille croisa les bras sur sa poitrine, et le geste laissa voir les doigts de sa main gauche enveloppés dans une espèce de mitaine à bout ouvert. Des doigts à la peau grumeleuse, l'index et le majeur soudés en un seul moignon horrible.

Embarrassée, Frédérique bredouilla :

— Je ne savais même pas qu'il y avait quelqu'un dans cette chambre.

Ce disant, elle se rendit compte que ce n'était pas tout à fait exact. À son arrivée au refuge, Korasi avait nommé quelqu'un qui ne s'était pas montré aux visiteuses avec les autres femmes, mais Frédérique avait oublié.

La vieille hocha la tête.

— Je suis Ourianova. Natalia Ourianova.

En se nommant, la vieille s'était redressée avec une certaine fierté. *Ourianova*. Oui, c'était l'accent slave que Frédérique avait perçu. Que fallait-il comprendre de ce nom ? *Ourianova*. *Ouri*. Bien sûr.

C'était sa mère.

Touchant son châle, la vieille femme expliqua :

— J'ai été gravement brûlée lors de l'incendie.

— L'incendie ?

Natalia Ourianova eut un claquement de langue.

— L'émeute, l'incendie d'Howell, celui qui a déclenché la guerre.

Frédérique faillit encore une fois répéter ses paroles – *la guerre ?* –, mais elle se retint. La mère d'Ouri avait beau être âgée, elle avait tout au plus atteint la soixantaine et, donc, n'était même pas née à l'époque du Grand Conflit, cette *guerre* terrible qui avait causé la rupture des communications entre Cristobal, la Terre et les autres colonies. Non, Natalia Ourianova parlait bien sûr du conflit civil qui divisait son peuple depuis vingt ans. Frédérique ne se rappelait pas avoir entendu parler d'incendie ou d'émeute.

Mais elle comprenait maintenant pourquoi Nora parlait avec une telle amertume de manque de médecins sur Arkadie : un grand brûlé avait bien peu de chances de survie dans un tel contexte, et Natalia Ourianova avait sans nul doute souffert le martyre. Dans n'importe quel pays sur Cristobal, des médicaments antidouleur l'auraient soulagée, ou bien elle aurait été placée dans un caisson de survie, le temps que prenne la greffe de peau qui aurait effacé les traces de ses brûlures. Frédérique frissonna.

— Cela a dû être terrible…

Natalia haussa les épaules.

— J'ai eu de la chance, j'ai survécu. Et puis, maintenant, il y a *Dàifu*, il m'aide beaucoup.

Dàifu. En mandarin, le mot signifiait « docteur ». Un médecin… chinois ?

— Nora m'a dit… qu'il n'était venu aucun secours médical de Cristobal.

Natalia pencha la tête comme pour observer son interlocutrice, ou pour mieux l'entendre.

— Je ne sais pas pourquoi elle t'a menti. Il est venu une équipe médicale hindustani au début de la guerre, après l'émeute, justement. Ces médecins-là sont repartis, mais d'autres sont venus il y a quelques années, encore des Hindustani, et des gens du pays de *Dàifu*… comment appelles-tu leur pays ?

— Le Zhongguó.

— C'est ça. *Dàifu* vient du Zhongguó. Ses confrères nous ont quittés quand les mercenaires sont arrivés, mais pas lui, il est resté, il nous a soignés.

Frédérique comprit soudain pourquoi la vue du sac de Nora la mettait si mal à l'aise. Son père en avait possédé un identique quand il pratiquait la médecine, un sac offert par l'oncle Pierre et son ami Guan Yiren, qui eux-mêmes utilisaient ce contenant comme trousse médicale lorsqu'ils se rendaient sur les lieux d'un accident, ou dans tout endroit reculé où il fallait porter des secours d'urgence. À l'époque, Pierre adorait ce qu'il appelait la médecine de brousse, qui le changeait de la routine de la clinique familiale qu'il dirigeait à La Brahé.

L'un des médecins venu du Zhongguó avait laissé sa trousse d'urgence à Nora, peut-être même avait-il formé la jeune femme afin qu'elle puisse, à son tour, porter secours à ses concitoyens. La présence du sac, en fin de compte, s'expliquait de manière bien banale.

La résolution de ce petit mystère laissait pourtant Frédérique désemparée. Par chance, elle fut distraite par un point de lumière, un reflet sur la surface lisse d'un gobelet de métal. Elle ne s'était pas trompée, tout à l'heure, en reconnaissant le bruit.

D'un geste vif, elle se pencha et déposa l'objet sur la table basse. Le son que produisit le gobelet en touchant le plateau était très léger, mais il suffit à Natalia Ourianova pour comprendre ce qui se passait.

— *Spacibo*. Je l'ai fait tomber et je n'arrivais pas à le retrouver. Je n'aime pas être toujours en train de demander à Asha, elle a bien assez de m'apporter mes repas.

— Asha vous porte vos repas ici, vous n'allez jamais dans la grande salle ?

Natalia Ourianova eut un reniflement de dédain.

— Je vais où je veux... mais Raju a pensé qu'il valait mieux que je reste à l'écart durant votre séjour.

Pourquoi diable Korasi avait-il obligé la pauvre vieille à rester enfermée, il ne craignait tout de même pas que sa vue dérange les Cristobaliennes ?

— Je suis désolée, madame Ourianova. Maintenant que je vous ai rencontrée, cet isolement est inutile. Voulez-vous que je vous emmène dans la grande salle ?

— Tu es bien gentille...

Natalia Ourianova tendit impulsivement la main pour la toucher, mais elle réprima son geste. Frédérique prit doucement la main brûlée et la posa sur son propre bras.

— Venez.

La vieille dame résista au mouvement de Frédérique. Un soupir émergea de sous le châle.

— Non, je préfère rester chez moi. Mais viens t'asseoir, mon enfant. J'ai du thé. Même s'il est froid, il reste très buvable.

Elle guida Frédérique jusqu'à un pouf placé à proximité du fauteuil d'osier, puis elle s'activa. Ses mains trouvèrent la grosse théière posée sur le rebord de pierre, et des gobelets qu'elle remplit d'un liquide frais et odorant. Elle tendit un verre à Frédérique, posa le sien près de l'autre, celui qu'elle avait échappé, sur la table basse avant de s'asseoir dans le fauteuil avec un léger gémissement de douleur.

— Je peux faire quelque chose pour vous soulager ? Vous voulez que j'aille chercher Nora ?

— Je te remercie, mais c'est une vieille souffrance familière, on n'y peut rien.

Non, on n'y pouvait rien. Sauf si le conflit cessait, si les échanges commerciaux devenaient encore plus nombreux avec Cristobal... Peut-être, dans ces conditions, une aide médicale véritable pourrait-elle être apportée sur Arkadie. Par le Zhongguó. Ou l'Hindustan, en vérité. Si les compagnies minières revenaient s'établir ici, si les ressources d'Arkadie étaient exploitées de nouveau sur une base industrielle, cela serait-il une si mauvaise chose si cela améliorait les conditions de vie des Arkadiens ?

Elle garda évidemment cette réflexion pour elle et but son thé frais, épicé, composé d'herbes qui provenaient très certainement du jardin de Raziya. Près d'elle, Natalia effleurait de ses doigts mutilés le tissu qui couvrait son visage.

— Vous pouvez enlever votre châle, madame Ourianova. J'ai grandi dans une famille de médecins, je crois que je peux supporter la vue de vos cicatrices.

Et puis, j'aimerais bien être sûre de voir à qui j'ai affaire... Et si cette rencontre « fortuite » avait été arrangée, et si la malheureuse recluse n'était en réalité qu'une façon de manipuler l'étrangère, de l'amener à croire au bien-fondé de la rébellion ?

Ah, et si elle pouvait cesser de penser !

La vieille dame hésitait, ses mains déformées touchaient le tissu et le relief de ses joues en dessous. Enfin, d'un geste lent, elle retira le châle. Elle garda d'abord la tête baissée puis, doucement, la redressa.

Frédérique s'était préparée à ressentir un choc ; elle ne voulait pas manifester de répulsion, persuadée que Natalia le percevrait malgré son handicap visuel. Pourtant, elle ne put retenir un geste de recul.

Natalia Ourianova avait sans doute été blonde, comme en témoignait la partie encore intacte de sa tête couverte d'une chevelure d'un blanc presque pur. Le menton et le bas de sa joue droite avaient également été épargnés, laissant voir une peau encore lisse, un teint pâle. Le reste était à la fois cireux et grumeleux, un magma de chairs d'un blanc rougeâtre.

Frédérique inspira avec bruit, et elle demanda précipitamment, pour masquer son souffle bruyant :

— Qu'est-ce qui s'est passé ? Vous avez parlé d'une émeute...

Natalia eut un geste fataliste de la main.

— Ce devait être une manifestation pacifique pour montrer notre opposition à la décision de rendre leurs propriétés aux compagnies minières… Franchement, je ne sais pas ce qui s'est passé. Bourg-Paradis était sens dessus dessous. Les tiens, les gens de ce vaisseau…

— Le *Pèlerin*?

— Oui, ces gens… c'est à eux que j'en veux le plus. Ils ont débarqué sur notre sol, ils ont bouleversé nos vies, et puis ils ont repris leur voyage comme si de rien n'était… Mais pour nous, tout avait changé. Il y avait un espoir profond, beaucoup de joie, et puis c'est devenu soudain tellement fou, tellement absurde… Je suppose qu'il fallait s'attendre à ce que les esprits s'échauffent. Moi, je n'ai rien vu venir. C'était familial, tu vois, cette manifestation. J'avais même emmené Viktor avec moi. Il avait neuf ans. Quelle folle j'étais, moi aussi ! Il aurait pu être tué…

Frédérique mit un moment à comprendre qui était ce Viktor dont parlait la vieille dame. Son fils. Bien sûr. Ouri était le diminutif d'Ourianov, pas de son prénom. Bon sang… elle avait fini par connaître son identité, la véritable. Viktor Ourianov.

Était-ce pour cela que Korasi avait tenu la vieille dame à l'écart, parce qu'il voulait laisser ignorer aux Cristobaliennes la vraie identité d'Ouri ? Quelle importance revêtait un nom ? Mais elle ignorait tant de choses de ces gens… Leurs souffrances, les bouleversements qui avaient marqué leur vie…

Elle avala une autre gorgée de thé froid pour se donner contenance.

— Comment êtes-vous parvenue jusqu'ici ?

— Oh, ç'a été un long parcours… Je suis restée longtemps inconsciente, entre la vie et la mort, et Viktor était bien trop jeune pour savoir quoi faire. Des gens qui fuyaient nous ont emmenés avec eux dans la bousculade de l'émeute. Ils se sont réfugiés dans la forêt et m'ont soignée comme ils ont pu. Quand j'ai repris mes sens, j'étais défigurée, aveugle, totalement dépendante de l'aide d'autrui. Arkadie était divisée en deux camps, et moi, je me trouvais parmi les rebelles… Raju voulait mettre sa famille à l'abri, il avait découvert ces grottes… Il a proposé de nous prendre avec eux. J'imagine que j'aurais dû retourner à Bourg-Paradis, mais je n'en avais pas la force. Et puis, je voulais tenir Viktor à l'écart du conflit, il allait très mal, il se sentait responsable de mes blessures…

La vieille dame se raidit dans son fauteuil. Elle avait entendu, bien avant que Frédérique distingue le moindre son, des murmures joyeux dans le couloir: les filles de Korasi rentraient à la maison.

Natalia resta immobile et silencieuse, le temps que les voix s'éloignent, et Frédérique l'imita. Après, seulement, Frédérique chuchota:

— C'est terrible, ces enfants qui n'ont rien connu d'autre que le conflit…

Natalia baissa le menton, et sa voix ne fut plus qu'un murmure:

— Cette maudite guerre nous a pris nos familles et nos vies. J'ai perdu Viktor, j'ai perdu Sacha et mon mari… La guerre ne laisse que des ruines.

Frédérique tressaillit. Avait-elle mal interprété les paroles de la vieille dame? Ouri n'était-il pas son fils, ou était-il un imposteur agissant comme son fils?

La voix de Natalia faiblissait tant, Frédérique dut se pencher vers elle pour saisir ses derniers mots.

— Viktor est devenu une sorte de mort-vivant… Il ne veut plus vivre. Alors que, s'il voulait, il pourrait… essayer, au moins…

Une violente quinte de toux la saisit soudain, et Frédérique crut un moment que la vieille dame allait s'étouffer pour de bon. Elle quitta son pouf pour se pencher vers Natalia, lui massant le dos comme si elle pouvait l'aider à respirer. Elle lui tendit le gobelet de thé. Ourianova but, toussa encore, et enfin se calma.

Frédérique se redressa.

— Cette fois, je vais vraiment chercher Nora…

Elle ressentait une certaine culpabilité, car elle n'aurait pas dû se trouver là, et la conversation avait épuisé la vieille dame. Mais Natalia leva la main et s'accrocha au bras de la visiteuse.

— Non, non, je n'ai pas besoin de Nora. Asha va venir…

Comme en réponse à un appel, la voix inquiète de la jeune fille s'éleva dans le couloir.

— *Chio en ordo ? Chu, Natalia* ?

— Viens, *Ashanja*, j'ai de la visite…

La jeune fille écarta le rideau et resta sur le seuil, à dévisager la Cristobalienne d'un air incrédule. Frédérique détourna les yeux avec embarras.

— Je m'en allais.

— Mais tu reviendras me voir, insista la vieille dame.

— Si je peux, oui.

Elle ne jugea pas nécessaire de préciser qu'elle partait le lendemain et qu'elle espérait, de tout son cœur, quitter bientôt Arkadie, et pour toujours.

CHAPITRE 10

De nouveau, le couvert des arbres, tel un filtre bleu-vert qui, hélas, n'empêchait pas le soleil d'accabler les marcheurs ; de nouveau, les insectes qui bourdonnaient autour d'eux, se posaient sur le moindre petit bout de peau à découvert, se faufilaient jusque dans les narines et la bouche ; de nouveau, la sueur qui dégoulinait sur tout leur corps. Pourtant, Frédérique tenait le rythme. Vrai que son organisme avait eu le temps de s'adapter à la gravité arkadienne. Et puis, le trio n'avançait pas si vite, tant à cause des obstacles naturels que par la nécessité de ménager Ouri. Mais Frédérique n'était décidément pas en forme. La stimulation électrique, quand elle se trouvait dans son berceau de navigation, avait beau empêcher les muscles de s'atrophier, ça ne valait pas l'activité physique véritable.

Et bouger, c'était tout ce que souhaitait Frédérique. Se remuer sans réfléchir.

La rancœur l'avait soutenue au début du trajet, une rancœur dirigée contre Nora qui l'avait humiliée devant les autres femmes. Car, la veille, lorsque Frédérique était revenue dans la grande pièce en compagnie d'Asha, Nora lui avait fait subir un véritable interrogatoire afin de découvrir ce que Natalia Ourianova lui avait raconté. Tant et si bien que Frédérique s'était écriée :

— Qu'est-ce qu'elle risquait de me dire que je ne dois pas savoir, hein ?

Nora en était restée interloquée et avait fini par déclarer : « Rien. » C'était faux, évidemment. Et Frédérique, qui désirait une revanche, avait repris :

— Et puis, pourquoi tu m'as menti en prétendant qu'il n'était pas venu de médecins cristobaliens ?

Cela aurait dû clouer le bec de l'Arkadienne, mais elle avait rétorqué :

— Parce que tu trouves qu'on a de merveilleux services médicaux, tu trouves que Natalia a été magnifiquement soignée, c'est ça ?

Mandula avait mis fin à la dispute par une réplique incompréhensible pour la Cristobalienne, mais qui avait bâillonné Nora. Frédérique n'avait pourtant pu recouvrer son calme. Dans la solitude de son alcôve, elle avait espéré qu'Ouri la convoquerait dans sa chambre. Elle était prête à essuyer des reproches de sa part... n'importe quelle forme d'attention. Mais Ouri ne l'avait pas appelée près de lui, et la rancœur de Frédérique, pas tant à l'égard de Nora qu'envers l'ensemble de ses hôtes, avait augmenté d'un cran.

Il n'avait pas besoin d'elle comme il avait besoin de Nora. Ou il se fichait bien de ce que sa mère pouvait raconter.

Maintenant, la fatigue avait effacé le ressentiment, il ne restait qu'un état d'hébétude, et Frédérique avançait de façon machinale, s'arrêtant et marchant sur commande, tel un robot.

Ils n'avaient pas suivi le même chemin qu'à l'aller. Ouri, qui avait pris la tête et la lampe, avait mené ses compagnes par des tunnels étroits jusqu'au flanc ouest du Haut-Redan. Depuis la grotte qui abritait la sortie, Frédérique avait pu apercevoir dans le lointain, vers le nord, la ligne sombre d'une chaîne de montagnes qu'Ouri avait appelée les monts Carter. Il n'avait toutefois pas daigné expliquer le choix de la route et, comme Nora n'avait pas contesté sa décision, Frédérique n'avait pas posé de question.

En quittant la grotte, ils avaient d'abord débouché dans un fouillis d'arbustes épineux à travers lequel ils s'étaient péniblement frayé un chemin. Quand ils avaient enfin pénétré sous les arbres au bas de la colline, ils saignaient tous trois par une multitude d'éraflures. Ils avaient alors marqué une première pause, qui n'avait guère paru reposante à cause de la présence des mouches qui s'agglutinaient sur les écorchures. Nora avait encouragé Frédérique à s'asperger le visage avec un peu d'eau de sa gourde et à nettoyer sommairement ses blessures.

— On trouvera à remplir les gourdes, ne t'inquiète pas.

Ouri les avait presque aussitôt exhortées à reprendre la route, et ils marchaient depuis.

Le trajet sous le couvert des arbres fut relativement de courte durée et, à la mi-journée, ils tombèrent sur un ruisseau, non pas la petite rivière où Frédérique s'était baignée en compagnie des filles de Korasi, mais un autre cours d'eau qui descendait de ce côté du Redan.

Cette deuxième pause à l'air libre fut plus longue et plus agréable. Ils nettoyèrent à fond leurs écorchures en barbotant dans le ruisseau. Frédérique se serait abreuvée à même le courant, mais, accroupie dans l'eau claire, elle voyait nager des espèces de petits serpents blanchâtres qui n'étaient pas sans rappeler les spaghettis que lui servait jadis la sœur de son ami Giovani.

— Des poissons-ficelles, fit Nora qui regardait pardessus l'épaule de Frédérique. Pas dangereux.

Pas dangereux, non, mais dégoûtant. Elle put toutefois boire tout son content après que Nora eut ajouté un désinfectant à l'eau de sa gourde.

— Certains de tes compatriotes ont été affreusement malades après avoir bu de notre eau, expliqua l'Arkadienne avec une grimace. Quand elle provient d'un puits, tu ne devrais pas avoir de problème. Mais ne bois pas à un ruisseau, c'est compris ?

Frédérique acquiesça en supposant qu'il fallait considérer ce souci pour sa santé comme un signe de trêve entre elle et Nora.

Elle s'installa sur un rocher pour tremper ses pieds dans le courant habité par les poissons-ficelles. Le rude cuir des sandales lui avait mis la peau à vif. Sa seule consolation était de constater que ses compagnons, à tout le moins Ouri, n'étaient pas en meilleur état. Nora, quant à elle, était assise au pied d'un arbre d'où elle observait le jeune homme, debout dans l'eau à mi-mollet. Il haletait. Nora tapota l'herbe près d'elle.

— Viens ici.

Ouri secoua négativement la tête.

— Je peux attendre.

Et, plus bas : « Je *dois* attendre. » Nora fronça les sourcils. Ouri quitta le lit du ruisseau et s'installa à son tour sous un arbre, les yeux clos. Nora parut hésiter, puis elle haussa les épaules.

Bien sûr, Ouri voulait retarder le moment où Nora lui injecterait cette infime dose d'amplix qui lui permettrait de continuer. Agissait-il par orgueil ou parce que la quantité de drogue en leur possession s'amenuisait ? Frédérique ne se rappelait pas combien elle avait vu de petites ampoules dans sa chambre, quand elle avait veillé sur lui, et elle ignorait si Nora disposait d'une réserve. Récupérer les conteneurs et, du même coup, l'amplibéta, réglerait la question. Les rebelles prendraient-ils le risque ? Mais, sûrement, pour sauver leur chef…

Frédérique était-elle en train de souhaiter qu'un affrontement ait lieu entre mercenaires et rebelles ?

Elle s'aspergea à nouveau le visage d'eau glacée, mouilla et renoua le foulard qu'elle portait au front. Quand elle baissa les bras, elle vit qu'Ouri l'observait à son tour entre ses paupières mi-closes. Elle avait terriblement envie d'aller le rejoindre sous l'arbre, mais, quand elle quitta le rocher, il se leva lui aussi et passa en bandoulière le sac de vivres qu'il transportait, mettant fin à la pause. Avec un soupir, Nora l'imita.

Au fil de leur progression, le bois clairsemé se retransforma en taillis, les arbres se firent arbustes – heureusement, pas des épineux –, le sol devint spongieux et les nuées de moustiques encore plus abondantes. Les arbustes ou, plutôt, cet enchevêtrement de branches brunes, portaient des feuilles minuscules, d'un rouge clair veiné de lignes plus foncées. En voulant écarter une branche de son chemin, Frédérique retira sa main avec vivacité: elle avait vu fuir un insecte dont le corps effilé imitait efficacement la tige de l'arbuste.

Frédérique regarda ses compagnons absorbés par leur progression dans le taillis. L'insecte ne l'avait ni piquée ni mordue, et elle l'avait à peine aperçu. Ça ne valait pas la peine de le signaler. Elle continua à avancer, mais elle porta une plus grande attention aux branches avant d'y mettre la main.

Bientôt, Ouri intima à ses compagnes de marcher dans ses pas, car il devait s'assurer de la fermeté du sol avant de continuer. Ils s'arrêtèrent à quelques reprises pour souffler, mais jamais longtemps, le terrain ne se prêtant guère à une halte prolongée.

Au crépuscule, ils parvinrent à une large rivière méandreuse, la Jadière, qu'il était plus juste de qualifier de fleuve puisqu'elle se jetait dans l'océan, loin dans le sud.

À force de gestes et dans un méli-mélo linguistique typique d'Arkadie, Mandula avait réussi à expliquer à Frédérique que la Jadière coulait près de Bourg-Paradis et qu'avec l'une de leurs petites embarcations, les femmes du refuge pouvaient atteindre l'agglomération en deux jours. Même si Mandula avait affirmé qu'elles se rendaient « souvent » à Bourg-Paradis, cela restait une longue excursion, et Frédérique, vannée par la première partie du trajet, ressentait beaucoup d'admiration pour celles qui, en plus de se taper le chemin, devaient au retour rapporter des provisions.

La rive de la Jadière marquait la fin de la première étape. Au matin, Nora les conduirait à la petite remise à bateaux, mais pas ce soir. Ouri ne souhaitait pas dormir trop à proximité d'un endroit connu par beaucoup de gens comme un relais appartenant à la famille Korasi.

Même si le terrain était marécageux, il existait des portions de terre ferme plantées d'arbres dont les branches serpentines se courbaient au-dessus de la rivière. Ils choisirent un bosquet au sol relativement sec pour établir leur campement. À cet endroit, la berge était composée de gros rochers qui leur donneraient un accès sans danger au cours d'eau.

À la clarté des étoiles, ils s'y trempèrent à tour de rôle, sans s'éloigner du bord. À ce temps de l'année, le cours de la Jadière semblait lent et paresseux, une allure trompeuse car il cachait des creux où un tourbillon inattendu pouvait s'emparer du nageur imprudent. Frédérique était lasse, elle avait très envie de s'immerger de la tête aux pieds… mais elle se rappelait les poissons-ficelles du ruisseau et se demandait ce qui nageait dans le flot obscur. Ouri et Nora n'entretenaient aucune crainte, eux, et les regarder barboter prudemment donnait très envie de les imiter.

Malgré la chaleur que retenaient les rochers de la berge, Frédérique suivit le conseil de Nora et retira ses vêtements avant d'entrer dans l'eau. Elle aurait bien aimé les laver, eux aussi, car ils étaient imbibés de sueur et maculés de taches d'herbe et de sang.

— Demain matin, chuchota Nora. Tu verras, cette nuit, tu seras contente d'avoir chaud.

Frédérique voulait bien l'admettre.

Ils s'étendirent enfin entre les racines noueuses du bosquet. Avec la nuit, le harcèlement des insectes avait cédé le terrain aux stridulations d'invisibles habitants du marais, ponctuées parfois de cris sourds, de croassements, de ululements lointains, de bruits d'éclaboussures. Allongée près de Nora, Frédérique crut d'abord qu'elle ne parviendrait pas à dormir. Elle revoyait la bestiole qu'elle avait confondue avec unc branche… Comment disait-on ? Capable de mimétisme ? Y avait-il de ces insectes imitateurs dans le bosquet, en ce moment même ? Qui sait quelle bestiole pouvait se glisser sous ses vêtements pendant son sommeil…

Au-dessus de sa tête, le couvert trop dense des branches cachait les étoiles. Frédérique aurait aimé les apercevoir, même si elle croyait bien (elle n'en était plus certaine) que la Chevelure de Bérénice – la constellation où se nichait l'étoile de Cristobal – n'était pas visible de cette latitude.

La nuit l'enveloppait, le bosquet aussi, avec sa senteur d'humus, d'herbe sèche et de feuilles mortes, avec le froissement des branches sous le vent, et, pas très loin, l'odeur de moisi exhalée par le marais, et puis tous les bruits inconnus, là encore, cet espèce de cri-cri…

Curieux. Malgré toutes ses allées et venues entre Cristobal et Agora, et même lorsqu'elle s'était rendue jusqu'à Kubera, jamais elle n'avait connu pareil sentiment d'éloignement. Le séjour en station, que ce fût dans Lien ou Agora, semblait aussi artificiel qu'une balade dans le Monde. Alors qu'ici et maintenant, ce sol un peu humide sous son dos, ce toit de feuilles au-dessus de sa tête, la caresse de la brise sur sa joue, même la crainte stupide des insectes, c'était si étrange, si réel, si… vivant.

« Viktor est devenu une sorte de mort-vivant », avait dit Natalia Ourianova. Frédérique n'avait pas compris ce que la vieille dame voulait signifier, mais, cette nuit, dans ce silence habité, riche de millions d'existences, elle se demandait si elle-même, jusqu'à cet instant, n'avait pas été absente de sa vie, comme un avatar oublié dans le Monde, comme une coquille vide à la recherche de son âme.

Et pourtant… le chemin amorcé ce matin en quittant le refuge, ce long et épuisant trajet, n'était-il pas destiné à la ramener dans l'espace… dans le vide ?

◆

Un grognement animal la tira du sommeil. Grondements étouffés, halètements… Elle distingua une vague silhouette, non, deux corps qui luttaient au sol, et bondit aussitôt sur ses pieds. Elle voulut crier, se mordit les lèvres. Si les mercenaires les avaient découverts, elle pouvait encore s'échapper…

— Aide-moi !

La voix de Nora. Mais qu'est-ce que…

— Il a des convulsions, il faut que je lui fasse une injection !

Frédérique hésita un moment, cherchant des repères. Le corps d'Ouri tressautait et Nora s'efforçait de le maintenir. Frédérique se décida, se pencha pour tenter de saisir les jambes d'Ouri. Un coup brutal sur son front – coup de pied, coup de poing ? – la rejeta en arrière et elle resta sonnée une fraction de seconde.

— Frédérique… implora Nora.

Elle se jeta à nouveau dans la mêlée, son corps en travers de celui d'Ouri, plaquant ses jambes au sol. Une main l'effleura, elle perçut la froide moiteur de la peau. Elle chercha une prise, saisit le bras avec fermeté et s'y agrippa de toutes ses forces.

Et puis, toute la tension se relâcha, les membres qu'elle retenait cessèrent de lutter, flasques et sans vie.

— Nora, s'inquiéta Frédérique, est-ce qu'il est… ?

Nora se redressa, petite silhouette toute courbée.

— Non, non…

Sa voix manquait de conviction. Toutefois, le corps d'Ouri reprenait vie, il fut parcouru d'un long frisson. Soulagée, Frédérique s'allongea contre lui pour le réchauffer.

— Là, ça va aller…

Nora s'étendit de l'autre côté, avec un soupir de lassitude. Ils restèrent ainsi tous les trois, plus affalés qu'étendus sur le sol, sous les arbres qui bruissaient dans la nuit.

◆

Papa, papa !

Le corps de son père allongé dans l'herbe, ses yeux grands ouverts qui, peu à peu, ne regardent plus, des yeux qui bientôt ne voient plus, des yeux de…

Mort !

Frédérique s'éveilla en sursaut. Elle craignit un instant d'avoir crié et resta à l'écoute du souffle de ses compagnons. Il était régulier, apaisé. Comment Nora et Ouri pouvaient-ils ne pas entendre les battements désordonnés de son cœur à elle, comment pouvaient-ils dormir si paisiblement ? Mais la terreur qui l'étreignait, cette nuit, n'appartenait qu'à elle-même. À son passé. Elle avait vu mourir son père. Elle n'était qu'une enfant. Elle n'avait pas compris ce qui se passait, alors. Elle savait seulement que la vie s'était échappée de son père, d'une façon insidieuse, sans qu'elle n'y pût rien.

Et elle ne voulait plus jamais revivre cela.

Oh, la mort, cette vieille ennemie, ne l'avait jamais quittée depuis : l'oncle Luc, puis grand-père, et encore quelques jours auparavant, ces mercenaires dans le camion… Mais l'oncle Luc et grand-père s'étaient éteints tout doucement, sans qu'elle n'en sache rien avant qu'on le lui dise; quant aux mercenaires, leur mort avait été si brutale, si sanglante, qu'elle en perdait en quelque sorte sa réalité, elle ressemblait à une mise en scène dans le Monde, une chose artificielle et fausse.

Ouri… non, elle ne voulait pas voir la vie soufflée de son regard comme la flamme d'une chandelle; elle ne voulait pas sentir sa peau devenir froide sous sa main; elle ne voulait pas le perdre.

Elle l'entoura de ses bras, le serra plus étroitement contre elle, comme si elle pouvait, par ce geste, empêcher la mort de le lui prendre.

◆

À la lumière du jour, Frédérique examina ses compagnons d'un air anxieux: le visage tuméfié de Nora, les traits tirés d'Ouri… Ah, ils étaient beaux à voir. Nora bougonna:

— Et toi, ton front!

Frédérique porta une main prudente à l'endroit désigné… pour la retirer vivement. Aïe! Une bosse douloureuse. Nora fustigea Ouri.

— Espèce d'idiot, tu vois ce que ça donne d'étirer le temps entre les doses.

— Et quand il ne restera plus de drogue, on fera quoi? Il faut attendre à la limite, on n'a pas le choix.

Ils s'affrontèrent du regard un moment, puis se détournèrent. Frédérique soupira. Ils avaient raison tous les deux, et ça ne rendait personne heureux.

Il leur fallut un moment pour reprendre figure humaine – façon de parler, car les marques de coups ne disparaîtraient pas de sitôt –, pour nettoyer leurs vêtements, se laver. Seulement après, ils se mirent en quête de la « remise » que Frédérique n'aurait jamais su dénicher toute seule, car il s'agissait d'un abri de branches entrelacées et non d'une construction solide. La barque qui s'y trouvait lui sembla bien étroite, bien fragile, pourtant ils y tinrent tous les trois. Nora monta la dernière, après avoir imprimé une bonne poussée qui envoya l'embarcation dans le courant. Frédérique laissa les Arkadiens pagayer. De toute manière, comme ils descendaient le courant, cela ne demandait guère d'effort.

En plein été, la raison pour laquelle la rivière avait été nommée la Jadière était évidente : dans ses anses les moins profondes, le cours méandreux était planté d'herbes aquatiques qui lui donnaient l'air d'un champ cultivé. Si l'on ajoutait les arbres tout tordus qui se miraient dans le miroir de sa surface, on obtenait une palette où quelque peintre géant avait étalé mille tons allant du bleu émeraude… au jade.

C'était un paysage si paisible ! Frédérique aurait aimé se laisser flotter au fil de l'onde, à somnoler dans la douceur de l'air. Mais elle était terriblement consciente que la proximité de Bourg-Paradis signifiait la proximité du camp des mercenaires. Et puis, ces trois voyageurs en piteux état seraient vite repérés, même par l'œil le moins vigilant. Ils avaient beau avoir lavé leurs vêtements, ceux-ci demeuraient froissés, sans compter que certaines taches persistaient. Le visage des deux femmes portait des traces de coups. Et Ouri s'était coiffé d'un ridicule chapeau de paille trouvé dans la barque. Bien sûr, le couvre-chef maintenait son visage dans l'ombre et rien dans l'aspect de Frédérique ne pouvait indiquer qu'elle venait d'une autre planète. Mais ils ressemblaient à des gueux errants.

Soudain, Ouri émit un sifflement bref. Frédérique se raidit malgré elle. Devant, une grosse chaloupe venait vers eux à lents coups de rames. Un filet replié à la proue indiquait à quelle activité se livraient les occupants de l'embarcation, mais ce pouvait être un déguisement. Comme la chaloupe avançait en droite ligne, Frédérique pencha un peu la tête pour observer les pêcheurs, qui devenaient de plus en plus visibles à mesure que les embarcations s'approchaient l'une de l'autre.

Il y avait deux hommes à bord, coiffés du même ridicule chapeau de paille. Lorsqu'ils passèrent à la hauteur de la barque, qu'ils se contentèrent de saluer d'un signe de la main, Frédérique put constater que leurs vêtements avaient à peu près le même aspect que les leurs, froissés, pas très propres. D'accord, Arkadie n'était pas l'Union occidentale. Elle se détendit, mais juste un peu.

Les rives avaient changé, les arbres et le marécage avaient laissé place à des pacages et à des champs cultivés. Une grosse bête d'allure vaguement chevaline, au pelage pâle et à la tête ornée de ramures, s'abreuvait au bord de l'eau. Frédérique se rendit compte qu'il s'agissait du même animal représenté sur le fronton du temple, dans la mise en scène où elle avait rencontré Ouri la première fois. Elle se demanda si la bête était sauvage ou domestiquée, si elle savait nager, si elle pouvait s'élancer dans la rivière et s'approcher de la barque, mais déjà ils étaient passés, et Frédérique aperçut des gens qui marchaient à pas lents sur une route. En vérité, elle ne voyait pas le chemin, que lui cachaient de hautes herbes, mais le mouvement des piétons y était si régulier qu'elle imaginait sans peine le tracé rectiligne.

Elle n'entendit aucun bruit de moteur mais vit soudain un gros camion bleu qui filait sur la route, et qui dut ralentir derrière une charrette à bœuf.

— Un transport de marchandises, murmura Ouri. Il vient de la piste.

La piste ? Comme Frédérique lui adressait un regard étonné, Ouri ajouta :

— Là où les navettes atterrissent…

— Ah, l'astroport !

Derrière elle, Nora se mit à rire. Ouri expliqua :

— Ce n'est vraiment qu'une piste, tu sais, avec des hangars qui datent d'avant la guerre.

Frédérique acquiesça de façon machinale. Elle avait presque oublié qu'il existait, quelque part en orbite d'Arkadie, un objet qui s'appelait le *Gagneur*, qu'elle aspirait tant à retrouver. Un objet dont le mutisme devait avoir attiré l'attention de la station Agora, maintenant…

Le camion avait dépassé la charrette et s'éloignait en direction du village, laissant derrière lui un nuage de poussière fine que traversait lentement la charrette tirée par le bœuf. L'animal meugla soudain, et son maître, juché sur son chargement, claqua bruyamment de la langue pour l'encourager à continuer.

Frédérique se laissa de nouveau aller contre la paroi de l'embarcation, tandis que le silence retombait au même rythme que la poussière de la route.

La scène redevint si calme, si bucolique… la rive semblait glisser vers l'arrière tandis que la barque restait immobile, comme dans un rêve. Un rêve sans mercenaires, sans armes, sans violence. Sans mort.

Deuxième partie

La toile

CHAPITRE 11

Le coup d'œil que Frédérique avait jeté sur Bourg-Paradis depuis l'hélijet et le camp des mercenaires lui avait donné l'impression d'un entassement d'habitations disparates hérissé de touffes de verdure, alors qu'en réalité l'agglomération s'étendait sur une bonne distance. Après les champs et les bâtiments de ferme, Frédérique découvrit de petits appontements plantés au bord de la Jadière, tandis que la route s'en éloignait. Les embarcations de toutes sortes étaient devenues plus nombreuses quand la barque du trio glissa sous le pont, ce pont de bois sans parapet sur lequel Frédérique était passée en camion, il y avait une éternité de cela. Les piles en étaient de pierre, de même que beaucoup de maisons.

Ils dépassèrent le quai municipal désert pour finalement s'approcher d'un appontement de taille modeste. Des enfants jouaient au bord de l'eau à cet endroit, et ils poussèrent de tels cris en voyant accoster la barque que Frédérique se dit: *Ça y est, ils vont donner l'alerte.*

Les gamins se jetèrent dans les bras de Nora. Embrassades, questions entremêlées. Les gamins adoptèrent des mines sérieuses de jeunes gens bien élevés lorsque Nora les présenta:

— Mon frère Félicien, ses amis Ramon et Clara.

Frédérique ne comprit pas ce que Nora dit de ses compagnons afin de justifier leur présence, mais quelle que fût l'explication, elle sembla satisfaire la curiosité des enfants.

L'appontement où ils laissèrent la barque appartenait à Enrique Garcia, un lointain cousin de Maxime Henke, le père de Nora, et servait de port d'attache aux membres de la famille Korasi lorsqu'ils venaient au village. Une pente douce mena toute la bande à une maison qui semblait avoir grandi au fil des générations : au rez-de-chaussée en pierre des champs on avait ajouté un second étage en bois, ainsi que deux petites ailes de chaque côté. Sur le devant s'étendait un vaste champ d'herbe verte ponctuée de fleurs jaunes et blanches, parmi lesquelles broutaient des moutons.

La maison des Garcia n'était pas la destination finale des voyageurs, mais il n'était pas question de poursuivre la route sans d'abord saluer le propriétaire de l'appontement. Dans la cuisine où ils entrèrent (par la porte de derrière, comme tout membre de la famille), Frédérique renifla avec étonnement le mélange d'odeurs agréables qui flottaient. Un bouquet d'épices masquait en bonne partie la senteur des poissons fraîchement pêchés que Enrique Garcia (Nora l'appelait « *Tio* ») s'affairait à nettoyer. Quand ce dernier embrassa Nora avec fougue, Frédérique ne put réprimer un sourire. « Toi et tes oncles ! » Elle aurait aimé que Christane fût ici, près d'elle, pour qu'elles échangent un sourire complice en observant les effusions.

À son « oncle », Nora donna plus de détails sur ses compagnons, du moins ses explications durèrent plus longtemps. Enrique Garcia saisit les deux mains de la Cristobalienne et les serra chaleureusement entre les siennes – qu'il avait fort calleuses – dans un flot de paroles où Frédérique crut reconnaître le mot « *bienvenida* ».

— Il dit « Sois la bienvenue », traduisit aimablement Nora, et qu'ici tu trouveras toujours de l'aide et un toit.

Frédérique remercia d'un ton mitigé, ne sachant trop si elle devait y voir l'expression de l'hospitalité arkadienne ou une sombre prédiction quant à ses chances de repartir bientôt.

Même s'il s'était lavé les mains avant de serrer celles des nouveaux arrivants, Enrique Garcia laissait derrière lui l'odeur du poisson et des épices, une senteur qui rappelait à Frédérique qu'elle n'avait rien avalé depuis le rapide petit-déjeuner au bord de la Jadière.

Mais rien dans l'attitude de Nora n'indiquait qu'elle avait l'intention de s'attarder. Elle présenta Ouri sous le nom de Piccino, et Frédérique s'empressa de masquer sa surprise. Au fond, pourquoi s'étonner? Korasi avait dit qu'il y avait soixante mille habitants sur Arkadie, les gens ne pouvaient se connaître tous. Et si le nom d'Ourianov ne devait pas être prononcé, il n'y avait rien d'étrange à ce que Nora le taise même devant ses proches.

Frédérique comprit que Nora s'informait de Raju Korasi. Enrique Garcia eut un mouvement du menton vers le devant de la maison et sa nièce parut soulagée. Frédérique aurait aimé que Nora mentionne également Christane, elle brûlait d'envie de savoir si son associée était arrivée, elle aussi, saine et sauve. Mais Nora mit fin à la conversation par un baiser d'au revoir, avant d'entraîner ses compagnons sur la route, par la porte du devant.

Ouri n'émit aucun commentaire. Ses gestes semblaient saccadés, un peu contraints. Sans doute était-il temps, pour lui, que le voyage se termine.

Heureusement, leur prochaine destination – chez la veuve Tossa, c'est-à-dire la mère de Sylvio, expliqua Nora – n'était pas très loin, une petite maison trapue entourée de champs, située en retrait de la route. En chemin, les voyageurs croisèrent de nombreux passants, qu'Ouri et Nora saluaient de la tête ou d'un « *bonan tagon* » aimable, sans se troubler. Chez la veuve, Nora ouvrit la porte sans frapper, mais elle lança :

— *Ciao, zia Maria ! Sono qui !*

— *Éléanora !* s'exclama la résidante de l'endroit.

La salle principale était encombrée de pièces de tissu, la veuve Tossa étant couturière, et servait tout à la fois de séjour, de cuisine et d'atelier. Un second étage en mezzanine abritait les chambres, qui devaient être assez basses de plafond. Cela ne devait guère gêner la veuve, car elle était toute menue.

Mêmes embrassades, mêmes présentations que chez les Garcia (mais pas dans la même langue : Frédérique reconnut des bribes d'italien), mêmes odeurs de cuisine (une soupe, cette fois, mijotait sur le feu) et même indifférence apparente de Nora à l'égard de la nourriture.

— Raju ? s'informa l'Arkadienne.

— *È in burgo.*

Nora parut satisfaite de la réponse, puis elle se lança dans une longue tirade où il était question de « Nicola ». Les yeux sombres de la veuve examinèrent Ouri, ses traits tirés, son teint blême – et Frédérique saisit deux mots de sa réplique : « *povero ragazzo* », des mots qui arrachèrent un pâle sourire à Ouri. Nora et la veuve discutèrent un moment avant d'en venir à une entente qui concernait Ouri, puisque ce dernier remercia de sa voix rauque.

— Je reviens tout de suite, annonça Nora à l'intention de Frédérique.

Embarrassée, celle-ci regarda ses deux compagnons grimper à la mezzanine par un escalier si abrupt qu'il tenait plutôt de l'échelle. Lorsqu'ils disparurent dans une chambre, Frédérique chercha où poser son regard, avant de se rendre compte que son hôtesse l'observait avec un sourire amical. Encore plus gênée, Frédérique fouilla avec frénésie dans sa mémoire, en quête des quelques mots que lui avait enseignés son premier amant, le voisin Giovani. Elle bredouilla finalement, tout en ayant conscience de la stupidité de sa question :

— *Parla italiano ?*

La veuve répondit évidemment avec abondance de paroles auxquelles Frédérique ne comprit goutte, mais la vieille dame s'en rendit compte. Elle s'interrompit, puis prononça lentement :

— *Capisco un po' di francese.*

C'était une invitation à la questionner, et Frédérique ne s'en priva pas.

— Mon amie… l'autre visiteuse… Christane… vous l'avez vue ?

La vieille dame montra une fenêtre du doigt.

— *È in burgo.*

C'était ce qu'elle avait dit tout à l'heure à propos de Raju Korasi. *In burgo. Burgo.* Bourg-Paradis. Frédérique respira, soulagée.

Christane lui manquait. Abandonnée même brièvement par ses deux compagnons de route, Frédérique prenait conscience qu'elle était à la merci de parfaits inconnus pour qui son sort ne comptait sans doute pas autant qu'elle l'aurait souhaité.

Comme la veuve la dévisageait toujours, Frédérique fit un effort pour relancer la conversation – si on pouvait qualifier ainsi un tel dialogue de sourds.

— Je vais… je dois rencontrer les membres de l'Assemblée.

La veuve prit un air entendu, souligné d'un lent hochement de tête. Que savait-elle des étrangères, de leur situation ? Peut-être était-elle plus au courant que Frédérique ne l'imaginait… Prise d'un doute, elle demanda :

— Êtes-vous… membre de l'Assemblée ?

La veuve éclata d'un rire joyeux qui montra ses dents gâtées et laissa Frédérique vaguement vexée. Qu'est-ce que sa question avait de si drôle? Frédérique chercha une réplique cinglante, puis elle se souvint de ce que Sylvio avait déclaré de sa famille, son frère Andrea tué par les mercenaires – par les Cristobaliens. Et, après tout, on qualifiait sa mère de « veuve », elle avait donc également perdu son mari... Une autre victime de cet absurde conflit?

Un craquement de l'échelle, qui annonçait le retour de Nora, la tira d'embarras. Nora paraissait soucieuse quand elle s'adressa à la veuve. Puis, elle se tourna vers la Cristobalienne.

— Allons-y.

— Est-ce qu'Ou... Est-ce que Nicola reste ici?

Nora eut un geste vague de la main.

— Il a besoin de repos. Je reviendrai le voir plus tard.

Ce n'était pas exactement ce que Frédérique avait voulu savoir... Son sentiment d'isolement augmenta d'un cran.

Elles reprirent la route en silence au milieu du va-et-vient des charrettes et des marcheurs. Bientôt, les champs laissèrent place à des constructions plus tassées les unes sur les autres, des maisons qui combinaient la pierre et le bois comme chez les Garcia, et de plus vastes bâtiments au toit de tôle qui abritaient divers ateliers. Ce n'était pas un paysage urbain – les arbres et la route en terre battue témoignaient du contraire –, mais c'était tout de même une agglomération populeuse remplie de bruits et d'odeurs, un lieu de vie et de travail, un endroit somme toute paisible qui ne portait aucune trace de combats.

Pourtant, là-haut, sur la colline, la maison entourée d'une palissade rappelait la présence des mercenaires.

Frédérique jeta un regard en biais à sa compagne, mais Nora ne semblait pas consciente de cette présence, ou bien elle ne la jugeait pas menaçante. Cependant, elle dut sentir peser sur elle le regard de Frédérique, car elle lui toucha le bras.

— On arrive bientôt.

La route devint plus étroite entre les maisons plus serrées. Soudain, les voyageuses tombèrent dans une sorte d'embouteillage causé par un troupeau de moutons que deux hommes tentaient de convaincre d'avancer. Les bêtes s'emmêlaient les pattes avec obstination, poussant d'un côté et de l'autre en bêlant.

— L'abattoir et la tannerie sont de l'autre côté du village, expliqua Nora, en aval sur la rivière, mais certains éleveurs s'obstinent à emmener leurs bêtes paître en amont. Ça cause toujours des problèmes de circulation. Viens par ici.

Elles s'extirpèrent du troupeau en prenant une allée étroite entre deux maisons. Frédérique se rendit compte qu'elles se trouvaient dans la plus ancienne partie de Bourg-Paradis constituée de bâtiments qui dataient de bien avant le Grand Conflit, d'une époque où l'agglomération n'était encore qu'un village, où les gens qui l'habitaient n'étaient pas encore des Arkadiens mais des chercheurs et des savants terriens venus étudier la faune et la flore. Quel âge avaient ces édifices, quatre siècles? Le matériau de synthèse dont ils étaient faits avait tenu bon tout ce temps; usés, décolorés par la pluie et le soleil, les murs semblaient encore solides. Les habitants actuels avaient tenté de leur donner meilleure allure à coups de pinceaux: ici, on avait peint une fresque, là imité l'aspect du bois... à moins que, simplement, on ait voulu effacer leur origine terrienne sous des couches de peinture.

Jadis, les bâtiments s'étaient élevés à bonne distance les uns des autres, mais, après le Grand Conflit, l'espace disponible avait été rempli de maisons nouvelles, principalement en bois, et il s'était ainsi créé tout un réseau de ruelles étroites d'aspect labyrinthique, comme si les survivants, lorsqu'ils s'étaient établis à Bourg-Paradis, avaient voulu se coller aux maisons anciennes et, surtout, à leurs résidants qui, eux, savaient comment se débrouiller sur Arkadie.

Frédérique comprenait pourquoi Ouri était resté chez la veuve Tossa: même si la population était ici plus nombreuse, ce n'était quand même pas l'anonymat des grandes villes cristobaliennes et, dans une telle promiscuité, chacun devait être au courant d'à peu près tout ce que faisait ou disait le voisin.

Par contre, chez la veuve, si les voisins immédiats étaient moins nombreux, un visiteur serait aussitôt repéré.

— Est-ce qu'Ouri est vraiment en sécurité là où on l'a laissé ?

Consciente de la présence possible d'oreilles indiscrètes à proximité, Frédérique avait chuchoté, mais cela n'empêcha pas Nora de réagir vivement. L'Arkadienne lui saisit le poignet et le serra.

— Il faut que tu oublies ce surnom, Frédérique ! Il s'appelle Nicola, c'est un cousin éloigné de Raju, du côté d'une grand-tante maternelle qui était une Piccino.

Frédérique dégagea son bras avec une grimace de douleur.

— Ça va, pas besoin de te fâcher.

— Il faut que tu fasses attention *tout le temps*. Même chez moi.

— C'est juré, Nora.

L'Arkadienne prit une profonde inspiration et se remit en mouvement.

— Il faut que je t'avoue une chose, Frédérique… je t'ai vraiment menti quand j'ai dit qu'il n'y avait pas de médecins à Bourg-Paradis. Enfin, je n'ai pas menti tout à fait, nos moyens sont très limités, mais on a quand même un hôpital, ou quelque chose qui en tient lieu. Il y avait des médecins à Bourg-Paradis au moment de la guerre, et ils ont transmis leur savoir autant qu'ils ont pu. Ma mère, Felicia Azzeglio, est ce qui se rapproche le plus d'un vrai docteur parce que, en plus, elle a travaillé avec les médecins hindustani qui sont passés ici il y a vingt ans, et les médecins chinois qui sont venus avant l'arrivée des mercenaires.

Venus et repartis... Frédérique comprenait d'autant mieux l'amertume de Nora : la jeune femme avait admiré le personnel médical chinois à l'œuvre, pour ensuite le voir se retirer, s'enfuir, quand les mercenaires étaient débarqués avec leurs armes. Frédérique hocha la tête même si, là devant, Nora lui tournait le dos.

— Eh bien, on a ça en commun, ma chère, on vient toutes deux d'une famille de médecins.

Sauf qu'elle, Frédérique, n'avait pas désiré poursuivre la dynastie... Sans doute parce que ni grand-père, ni oncle Pierre, ni, de façon générale, la si avancée médecine d'Union occidentale, malgré tout le soutien technique dont elle disposait, n'avaient pu sauver son père.

Curieux comme il était présent à son esprit, son père, depuis la nuit précédente où elle s'était, soudain, remémoré sa mort.

Nora s'engagea dans l'étroite cour arrière d'une maison, non pas l'un des bâtiments d'origine, mais une maison de bois, haute de deux étages, dont elle ouvrit la porte d'une vigoureuse poussée.

— Hou-ou, y a quelqu'un ?

Elles étaient entrées dans la cuisine, une cuisine froide et sans feu où rien ne mijotait. À l'appel de Nora, un pas léger se fit entendre et une adolescente apparut. Sur son visage, reproduction quasi identique de celui de Nora, des émotions diverses passèrent – étonnement, joie, anxiété –, vite masquées par une feinte indifférence.

— Oh, c'est toi.

Nora leva les yeux vers le plafond.

— Quel accueil ! Qu'est-ce qui se passe, encore ?

L'adolescente eut une boue boudeuse.

— Rien. Ici, il ne se passe jamais rien.

— Aude Henke, je t'ai déjà expliqué pourquoi je ne peux pas t'emmener avec moi.

Le regard de l'adolescente passa de Frédérique à sa sœur. Il n'était pas difficile de deviner les raisons de sa rancœur : dans ses pérégrinations, Nora emmenait une étrangère, mais pas sa propre sœur…

Nora lui flanqua une bourrade.

— Ah, arrête de bouder. As-tu mangé ?

Aude haussa les épaules.

— Je n'ai pas faim.

— M'man n'est pas à son bureau ?

— À l'hôpital. Et p'pa est à l'atelier.

Nora adressa à Frédérique un sourire complice, puis elle déposa son sac dans un coin avant de se retrousser les manches.

— Aude, emmène Frédérique se rafraîchir. Nous autres, on meurt de faim.

Si Frédérique « mourait » de faim, elle mourait surtout d'envie de questionner la jeune fille qui la conduisait vers la salle d'eau. Enfin, quelqu'un qui parlait sa langue sans effort ! Enfin, quelqu'un qui pourrait lui dire où se trouvaient Raju Korasi et Christane, surtout Christane !

Pourtant, Frédérique hésitait. Face à des questions directes, comment réagirait la jeune Aude, qui avait montré un caractère si difficile ? Et Nora, comment réagirait-elle en constatant que la Cristobalienne s'était empressée d'interroger sa jeune sœur ? Mais Nora devait bien se douter que Frédérique profiterait d'une telle occasion d'en apprendre un peu plus…

— J'ai rencontré ton frère Félicien chez les Garcia, commença finalement Frédérique. Est-ce que tu as d'autres frères et sœurs ? À part Nora, je veux dire.

Aude, ne semblant pas encore décidée à mettre fin à sa bouderie, répondit avec mauvaise grâce :

— Ouais, j'ai deux autres frères et une sœur plus jeune.

— Ils ne sont pas là ?

— À l'école, fit Aude, laconique.

— Et toi, tu ne vas pas à l'école ?

Cette fois, la jeune fille oublia son humeur maussade, elle se redressa.

— Moi, je suis en apprentissage avec m'man.

Frédérique eut un signe de tête admiratif.

— Oh, tu vas devenir médecin…

Elle avait failli ajouter « comme Nora », mais s'était retenue à temps. Elle reprit :

— Mon père était médecin, mon grand-père aussi, là-bas, sur Cristobal… ils sont morts, maintenant.

Elle fut récompensée par le regard à la fois intrigué et compatissant de la jeune fille, et se permit de demander :

— Et mon amie Cristobalienne, où est-elle ?

À ces mots, le visage d'Aude s'éclaira.

— Christane ? Elle est tellement gentille, et tellement drôle… elle est partie avec Amir.

Partie ? Frédérique se sentit blêmir. *Comment ça, partie ?* Aude s'était détournée pour ouvrir la porte de la salle d'eau et, lorsque le regard de la jeune fille revint vers la visiteuse, Frédérique avait réussi à reprendre contenance. Elle remercia son guide et s'empressa de fermer la porte derrière elle.

Qui était ce Amir, pourquoi diable Korasi avait-il laissé Christane partir avec ce type ? À moins… à moins qu'il se soit passé quelque chose avec les mercenaires… Korasi avait peut-être fait croire à la famille de Nora que Christane était repartie, alors qu'elle était…

Du calme. Frédérique s'appuya à la cuvette de métal qui servait de lavabo. Elle actionna la pompe, s'aspergea le visage de l'eau très froide qui en avait jailli. Pas d'affolement. Il ne servait à rien de relancer Aude sur le sujet. C'était Nora qu'il fallait questionner. Et Korasi. Peut-être avait-il eu vent de leur arrivée en ville et s'était-il éclipsé pour ne pas avoir à donner des explications…

Elle revint dans la cuisine d'un pas qu'elle voulait tranquille, mais ne put s'empêcher de lancer aussitôt, d'un ton faussement anodin :

— Aude me dit que Christane est déjà repartie.

— Comment ça, partie ? s'exclama Nora à son tour, écho inconscient des pensées de Frédérique.

Aude, qui mélangeait d'un air rêveur les ingrédients d'une salade, ne parut nullement troublée.

— Avec Amir. Il allait faire ses relevés en aval et Christane a insisté pour l'accompagner.

L'explication sembla rassurer Nora, que Frédérique implora du regard.

— Amir est hydrographe, il surveille l'état de la rivière, indiqua l'Arkadienne.

— À cause de l'abattoir et de la tannerie, ajouta Aude.

— Mais, reprit Nora, je me demande pourquoi il a emmené Christane avec lui.

Frédérique connaissait la réponse, bien sûr.

— Oh, c'est tout entendu. Christane ne tenait pas en place, tu t'en souviens. Elle n'est pas du genre à se tourner les pouces en nous attendant.

— C'est exactement ce qu'elle a dit, confirma Aude.

Frédérique réprima un frisson. Ce n'était pas nécessairement rassurant de savoir Christane en quête d'action. Mais sans doute l'explication était-elle encore beaucoup plus simple… si le dénommé Amir était beau garçon.

Chapitre 12

Korasi débarqua chez les Henke en fin d'après-midi, et il ne put cacher un geste de recul quand Frédérique et Nora l'assaillirent de questions à propos de l'absence de Christane. À Frédérique, il déclara, non sans ironie :

— Votre amie n'est pas facile à retenir quand elle a quelque chose en tête.

Ça, Frédérique le savait bien. À l'intention de Nora, il ajouta :

— Je l'ai laissée partir parce que son impatience est dangereuse. Ce n'est pas le moment de bousculer les membres de l'Assemblée ni d'attirer l'attention de nos amis d'en face.

Inutile de préciser à quels « amis » il faisait allusion. Nora insista :

— Mais toi, où étais-tu passé ?

— J'ai rendu visite à Luis Delprado, enfin, ton père m'a envoyé le voir. Ton père ne veut pas s'en mêler directement, et je ne peux pas le blâmer. En tout cas, Delprado vous attend.

Il se tourna vers Frédérique.

— Ou, plutôt, il vous attend, *vous*, demain matin.

C'est ainsi que Frédérique passa une première nuit parmi la joyeuse maisonnée des Azzeglio-Henke. La maison était vaste, mais la famille nombreuse et sa tablée bruyante. Les parents étaient polis, discrets, et ne laissaient pas les gamins épuiser la visiteuse de leurs questions. Frédérique put bavarder avec la mère et se livra volontiers, avec Felicia Azzeglio, à une comparaison des pratiques médicales de leurs mondes respectifs.

Une fois la table débarrassée et la vaisselle lavée, Frédérique tombait de sommeil. On lui donna le lit d'Aude dans la chambre que cette dernière partageait avec sa sœur Nora, tandis qu'Aude prenait le lit de Félicien dans le salon et que le gamin, ravi, allait dormir chez des voisins.

Au moment de sombrer dans le sommeil, Frédérique eut une pensée soudaine et navrante : si elle avait lutté contre la fatigue, elle aurait pu accompagner Nora pour sa visite nocturne chez la veuve Tossa... Peut-être Nora la réveillerait-elle avant de s'y rendre ?

◆

Nora la tira bel et bien du lit... le lendemain à l'aube. Frédérique n'eut pas le temps de la questionner afin de savoir si elle avait bien rendu visite à Ouri et, dans l'affirmative, comment il se portait. Le temps d'avaler un petit-déjeuner rapide, Korasi l'entraînait dans les rues de Bourg-Paradis. Frédérique n'en était pas mécontente, parce qu'elle comptait bien extirper quelques réponses à son escorte.

— Si j'ai bien compris ce qui s'est dit hier, le père de Nora est membre de l'Assemblée.

— Les Henke sont la plus ancienne famille d'Arkadie. Maxime n'est pas un politicien, mais c'est un homme sensé, il apporte un certain équilibre à l'Assemblée.

Korasi montrait beaucoup de bonne volonté à lui répondre, sans pourtant se départir de sa réserve. Il conservait, même au village, l'habitude prise dans les grottes de parler à voix basse. Frédérique calqua son attitude sur la sienne. Après tout, il fallait rester prudents.

— Si Maxime Henke représente l'équilibre, à quoi dois-je m'attendre de ce Luis Delprado ?

— C'est un homme intègre, un homme bien, vous verrez. Son arrière-grand-père était géologue, il s'intéressait à la manière dont les terres émergées se sont formées ici, et il avait commencé une étude comparative avec la Terre et Cristobal. Au moment où la guerre a commencé, celle que vous appelez le Grand Conflit, il travaillait de concert avec un chercheur cristobalien. Luis Delprado a gardé de son arrière-grand-père un certain intérêt pour Cristobal. Il est le membre de l'Assemblée qui connaît le mieux votre monde.

— Lui aussi descend d'une des familles de chercheurs…

Korasi eut un bref sourire.

— Comme tous les membres de l'Assemblée.

Ah. Les « vrais » Arkadiens, quoi. Ceux qui se trouvaient déjà sur place au moment du Grand Conflit, ceux qui avaient aidé les autres, les Arkadiens-malgré-eux, à s'adapter à leur vie nouvelle… Y avait-il des « classes » de citoyens, à Bourg-Paradis ? Les « Arkadiens de souche » snobaient-ils les descendants d'ouvricrs ?

Si l'ascendance et la famille comptaient dans les relations sociales, cela expliquait peut-être pourquoi il fallait éviter de prononcer le nom d'Ourianov, si tant est que ce nom eût un sens, une résonance particulière.

— Dites-moi, Raju, pour présenter notre situation aux membres de l'Assemblée, il va bien falloir leur parler de… votre lointain cousin du côté Piccino, puisque c'est lui qui nous a amenées ici, Christane et moi.

— Ça peut poser problème, oui. C'est pourquoi on procède par étapes. On rencontre Delprado d'abord, ensuite, on verra.

Frédérique espéra que l'honorable Luis Delprado était favorable à la cause des rebelles. Et s'il était habile politicien, probablement parviendrait-il à discuter avec ses collègues du cas des Cristobaliennes en laissant dans l'ombre le fait que le problème provenait d'un acte de piraterie commis par le chef des rebelles.

Drôle de monde tout en nuances et en non-dits. La veille en allant au lit, Nora avait voulu rassurer Frédérique en lui précisant que Bourg-Paradis était en quelque sorte une zone neutre. Ici, les mercenaires ne pouvaient s'attaquer à personne, même s'ils tombaient nez à nez, dans la rue, avec un homme qu'ils savaient très bien être un combattant. En échange, les rebelles ne s'en prenaient pas à eux non plus dans les limites du village. L'Assemblée n'aurait toléré aucun manquement à cette entente tacite, et un tel acte aurait entraîné la rupture du fragile équilibre qui permettait aux Arkadiens de mener une vie relativement normale malgré le conflit.

Plongée dans ses réflexions, Frédérique continua son chemin en silence, sans doute à la grande satisfaction de Korasi, jusqu'à ce qu'il lui désigne un édifice orné d'une fresque, l'un des bâtiments d'origine.

— Voici l'Assemblée.

Frédérique écarquilla les yeux. La fresque représentait les pâturages arkadiens piquetés de fleurs multicolores, parmi lesquels un fier animal à cornes dressait la tête, prêt à détaler, tandis qu'un oiseau d'un rouge vif, sinon écarlate, étendait ses ailes d'une envergure impressionnante et sans doute pas très réaliste.

— C'est ici que nous avons rendez-vous ?

Un homme âgé, de taille élancée, apparut à la porte, en haut d'une volée de marches en pierre.

— *Bonvenon, Raju, Majorino* Laganière…

Comme Korasi et Frédérique le rejoignaient en haut des marches, il tendit à la Cristobalienne une main ferme à serrer et déclara, avec un fort accent espagnol :

— Je suis Luis Delprado.

Il s'effaça pour les laisser entrer. Vaguement intimidée, Frédérique s'assura que Korasi la suivait – comme s'il pouvait la laisser à elle-même, alors qu'il aurait manifestement à jouer le rôle d'interprète.

À l'intérieur, l'endroit était plutôt dépouillé. Un plancher usé, marqué par le temps ; des murs nus, peints en jaune clair ; des fauteuils en bois disposés en cercle. Pas plus d'une vingtaine de sièges : les réunions de l'Assemblée n'attiraient guère de monde. Au fond, un bureau couvert de papiers, de crayons. Sur l'un des murs, une étagère où des livres en papier voisinaient des lecteurs électroniques, d'anciens modèles datant sans doute d'avant le Grand Conflit et qui ne fonctionnaient probablement plus, car la pile photoélectrique avait sûrement fini par cesser de se recharger. Il n'y en avait qu'un plus récent, peut-être le cadeau du représentant d'une compagnie minière. Cela rappela à Frédérique le vœu exprimé par l'ingénieur de la Howell-Devi, Mangeshkar, de venir à Bourg-Paradis. L'ingénieur avait-il réalisé son souhait, avait-il rencontré des membres de l'Assemblée ?

Luis Delprado tira une chaise hors du cercle.

— Venez, *Majorino* Laganière.

Frédérique s'assit, impressionnée par la prestance du vieil homme. Korasi tira deux autres sièges près du premier et il attendit que l'autre soit installé avant de s'asseoir à son tour. Delprado reprit la parole d'un ton solennel, et Raju traduisit :

— Je suis navré de vous recevoir dans pareilles circonstances, commandante Laganière.

Frédérique jeta un bref coup d'œil du côté de Korasi qui, d'un doigt impératif, lui intima de s'adresser au membre de l'Assemblée.

— Je… je suis désolée d'avoir atterri sur Arkadie de manière illégale. Ce n'était pas mon intention. En tant que transporteur membre de la Guilde, j'ai toujours respecté les lois et les règlements.

Nouveau regard vers Korasi, mais ce dernier s'abstint de traduire. Luis Delprado approuva d'un hochement de tête, que ses paroles, transmises par le truchement de Korasi, contredisaient :

— Vous savez, ce n'est pas nous qui avons établi les règles, commandante, ni construit la station orbitale par laquelle transitent les marchandises.

Frédérique en resta muette. Son regard passa de Delprado à son interprète, tous deux impassibles. Delprado comprenait pourtant manifestement le français. Raju avait donc fidèlement rapporté ses paroles… Alors ? Qu'est-ce que Delprado tentait de lui dire, là ? Que l'Assemblée n'avait pas le pouvoir de lui rendre sa barge ? Pourtant, l'air amical du vieil homme n'annonçait pas une mauvaise nouvelle… Il enchaîna avec lenteur, peut-être pour laisser à Korasi le temps de traduire :

— À l'Assemblée, nous nous efforçons, dans la mesure de notre pouvoir, de maintenir un certain équilibre et d'atténuer les tensions entre vos concitoyens et les nôtres. Enfin, quand je dis « vos concitoyens », je parle au sens général, car diverses nations cristobaliennes sont représentées ici.

Frédérique écoutait avec tant d'attention qu'elle en avait les muscles tendus. La situation était vraiment étrange : Korasi regardait droit devant lui en prononçant les mots du membre de l'Assemblée. Est-ce qu'il évitait le regard de la Cristobalienne ?

Quoi qu'il en fût, la conversation ne prenait pas du tout la direction prévue. Frédérique avait cru qu'on l'interrogerait sur sa mésaventure, puis qu'on lui ferait de vagues promesses en échange de l'assurance qu'elle se tiendrait à carreaux, ou quelque chose du genre.

Au lieu de quoi, Luis Delprado évoquait les « diverses nations », autrement dit, les tensions entre l'Hindustan et le Zhongguò… Il attendait manifestement quelque chose de sa part… mais quoi ? Et Korasi, qui aurait pu la guider, était forcé de garder ses distances.

— Lorsque j'interviendrai devant l'Assemblée, reprit Delprado par la bouche de Raju, j'aimerais pouvoir affirmer que je connais vos intentions.

Ses intentions ? Quelles intentions ?

Les mots clés ici étaient « tensions » et « pouvoir ». Le pouvoir de l'Assemblée. L'Assemblée arkadienne. Formée… des représentants des familles souches et qui faisait contrepoids au coordonnateur qui, lui, voulait offrir à un prix dérisoire les richesses d'Arkadie aux compagnies hindustani, alors qu'on murmurait par ailleurs que les Chinois soutenaient les rebelles, les Chinois qui proposaient peut-être un meilleur prix pour les matières premières…

L'Assemblée est du côté des rebelles.

Oh, pas de façon officielle, sinon le fameux équilibre aurait été rompu. De façon détournée. Souterraine.

Frédérique prit une profonde inspiration.

— Écoutez, monsieur Delprado… Je ne veux pas me mêler des affaires arkadiennes, et je ne peux non plus discuter du bien-fondé des prétentions des compagnies hindustani. Mais j'aimerais parler de ce que font ici mes concitoyens d'Union occidentale. J'ai vu des choses… dont je voudrais témoigner, sans nuire à l'autorité de votre Assemblée, et je me tairais si j'étais certaine que c'est dans le meilleur intérêt des Arkadiens. Mais ces hommes, ces mercenaires… je voudrais que les gens, en Union occidentale, se rendent compte de ce qui se passe ici.

Elle avait jeté les mots et les idées pêle-mêle, craignant de voir le visage de son interlocuteur se fermer, effrayée à l'idée de l'entendre déclarer qu'il ne pouvait rien pour elle. Mais la voix de Luis Delprado exprimait une douce approbation – même si Raju, de son côté, prononçait les mots d'un ton neutre.

— Commandante, loin de moi le désir de vous bâillonner, même si j'ai honte d'admettre que ces mercenaires sont ici à la demande du père de notre actuel coordonnateur.

Il marqua une pause, pendant laquelle son interprète feignit de s'intéresser au jeu d'ombre et de lumière que traçaient les rayons du soleil matinal sur le mur à sa gauche.

— Puis-je dire aux autres membres de l'Assemblée que vous ne demandez rien d'autre que ces petits appareils qui vous ont été pris, ces minicoms, afin que vous puissiez reprendre votre barge et regagner votre vaisseau ?

Pas de sous-entendu, cette fois. Frédérique avait-elle rêvé tout le reste ?

— C'est exactement ça.

Peut-être, Frédérique s'en rendait compte avec un temps de retard, l'aimable monsieur Delprado et ses confrères de l'Assemblée avaient-ils tout simplement craint que la *majorino* Laganière ne réclame des dommages et intérêts pour coups et blessures, ainsi que pour tous les incidents qui avaient bouleversé ce voyage de routine vers la station Agora… Mais Frédérique avait été sincère, et elle le demeurait : elle ne voulait rien d'autre que récupérer son bien et rentrer chez elle. Où elle ne se laverait pas les mains de la situation sur Arkadie, bien sûr que non. Elle s'indignerait publiquement, elle ameuterait l'opinion publique, elle tempêterait sur toutes les tribunes… dans le confort du Monde ou sous le bleu ciel de Cristobal.

◆

En sortant de la salle de l'Assemblée, Frédérique se sentait bizarrement vide d'énergie et de pensée.

Elle avait fixé Luis Delprado avec tant d'attention qu'elle en avait les yeux secs et fatigués, et les muscles de son cou étaient douloureux. Elle ne savait trop s'il lui fallait maintenant rentrer chez les Henke pour se reposer ou bouger afin de dénouer la tension musculaire. Le vide en elle ressemblait à une faim, un manque… le désir de voir Ouri et d'entendre ce qu'il penserait de cette réunion avec Delprado. Pour le moment, elle n'avait que Korasi sous la main.

— Vous ne m'avez pas beaucoup aidée, Raju.

— Il ne me semble pas vous avoir nui.

Y avait-il de l'ironie dans sa voix ? Frédérique le dévisagea un moment, puis elle renonça à chercher encore des sous-entendus.

— Vous croyez que l'Assemblée va forcer Méline à nous rendre les minicoms ?

— Delprado fera ce qu'il peut.

Frédérique en aurait crié de frustration. Elle vit son air navré. Il ajouta :

— Je n'ai pas dit que ce serait facile… ni rapide.

Il avait raison, évidemment.

Elle devait évacuer la tension. Décidément, la promenade l'emportait sur la sieste. Elle remua les bras et se massa le cou.

— Si c'est vrai que je suis en sécurité dans les rues de Bourg-Paradis, je crois que je vais marcher un peu.

— *Vous* êtes en sécurité, mais… ce n'est pas le cas de tout le monde, et la maison de la veuve pourrait être considérée comme hors des limites du village.

Frédérique rétorqua, partagée entre la vexation et l'étonnement :

— Comment savez-vous où je veux me rendre ?

Korasi esquissa un sourire narquois.

— Je commence à vous connaître. (Son sourire s'effaça.) Je suis sérieux, Frédérique. Est-ce que vous voulez le faire tuer ?

Frédérique grommela (elle avait la très nette impression d'avoir à ses yeux l'âge de Kiran) :

— Nora est bien allée le voir, elle !

— Nora le soigne. Et puis, de toute façon, maintenant il n'est plus là où vous l'avez laissé. Il a changé d'endroit, et n'essayez pas de savoir où il est allé. À moins que vous ayez envie de les conduire jusqu'à lui…

Du regard, elle suivit la direction que lui indiquaient les yeux de Korasi et aperçut un homme vêtu de kaki, le dos nonchalamment appuyé contre le mur d'une maison, la mine détendue, l'air innocent. Un homme de Méline. Qui les surveillait. Les avait-il suivis depuis la maison des Henke ? Frédérique n'avait rien remarqué.

— Alors, qu'est-ce que je suis supposée faire ? Je rentre à la maison et je me tais ?

Korasi resta un moment déconcerté, et cela suffit à Frédérique pour se décider. Elle le dépassa et marcha dans la direction où, lui semblait-il, se situait une rue animée. Elle mit un moment à trouver comment y déboucher mais, en se guidant sur le bruit, elle aboutit en fin de compte à ce qu'il convenait d'appeler la place du marché, au croisement de deux rues, un carrefour où les charrettes passaient, nombreuses. L'espace pour circuler y était plus vaste. Les édifices, à cet endroit, disposaient de façades largement ouvertes qui laissaient voir, à l'intérieur, les commerçants au travail, boulanger ou épicier d'un côté, ébéniste de l'autre. Il y avait même une brasserie, avec des tables et des tabourets sous des auvents de toile, où les gens s'asseyaient pour boire, dans des verres d'aspect métallique, une bière moussante. À l'approche de la grand-place, Frédérique avait ralenti l'allure. Elle ne fit aucun geste pour vérifier si Korasi et le mercenaire l'avaient suivie, elle était trop déconcertée par le spectacle de cette vie active et calme. Et puis, elle avait oublié de demander à Korasi comment fonctionnaient les échanges, ici, puisqu'il n'était pas question de forme virtuelle de paiement. Les Arkadiens avaient-ils une monnaie ou procédaient-ils par une forme de troc ? Elle n'avait rien à troquer.

Un homme s'était levé de table tandis qu'elle hésitait. Avec un frisson, Frédérique reconnut Carl Méline. Il ne paraissait pas surpris de la voir. Consciente du fait que Korasi se tenait peut-être quelques mètres derrière elle, Frédérique avança d'un pas machinal et s'arrêta face au Cristobalien.

— Il n'est pas un peu tôt pour de la bière, lieutenant ? À moins que la bière arkadienne soit exceptionnelle…

Il désigna le tabouret près du sien.

— Jugez-en par vous-même, mademoiselle Laganière.

Elle jeta un coup d'œil machinal derrière elle et autour. Pas trace de Korasi.

— Votre ami est entré chez le boulanger, l'informa Méline.

Elle se laissa tomber plus qu'elle ne s'assit sur le tabouret près de lui. Avant de reprendre place à ses côtés, Méline fit signe au serveur. Frédérique resta sans piper mot, et le lieutenant respecta son silence jusqu'à ce qu'on lui eût servi une boisson si fraîche qu'il se formait de la condensation sur la paroi du verre.

— Goûtez, intima Méline.

Elle obéit. Son cœur battait à grands coups désordonnés dans sa poitrine, et elle songeait combien Korasi serait furieux contre elle. Elle était déjà furieuse elle-même, mais elle n'avait pu résister, par bravade ou par pure inconscience. N'était-ce pas ainsi que Christane aurait agi si elle avait été présente ? Comme Christane lui manquait !

— Eh bien ? s'enquit Méline.

Elle reprit une gorgée. C'était une blonde qui lui laissa un goût fruité en bouche, quoique assez amer. Savoureux, approuva-t-elle. Cependant, elle avait la gorge nouée, et la bière passait difficilement.

Par bravade, vraiment ?

L'air goguenard qu'il affichait montrait que Méline percevait son malaise. Sa voix devint mielleuse:

— Alors, comment s'est déroulée votre rencontre avec Luis Delprado ?

Était-il au courant de tout, de l'endroit où elle logeait, des personnes avec lesquelles elle était arrivée ? Savait-il où se trouvait Ouri ?

Sa main qui tenait le verre était glacée. Elle la posa sur son front et la fraîcheur lui fit du bien.

— Je ne sais pas, à vous de me le dire. Nous rendrez-vous nos minicoms ?

Il parut surpris, peut-être ne s'attendait-il pas à une réponse si directe. Ses paupières cillèrent.

— Pas avant qu'on m'en ait prié.

— Vous aimez qu'on vous supplie ?

Il but une gorgée, essuya la mousse sur ses lèvres en secouant la tête.

— Non, je suis seulement curieux de voir combien de temps il faudra, et combien d'intermédiaires, pour que mon employeur me transmette une demande... ou un ordre.

Il s'amusait. Frédérique sentit affluer la colère et, curieusement, en fut rassurée. Mais elle ne devait pas se fâcher, elle en perdrait ses moyens.

— C'est donc un test qui porte sur la hiérarchie arkadienne, c'est ça ? Et quelle sera l'autorité ultime qui vous fera fléchir ? Le coordonnateur ou le représentant d'une compagnie hindustani ?

Méline la dévisagea un moment avant de répondre.

— Tout est là, non ?

Elle haussa les épaules, mais s'efforça de le regarder en face. L'homme était fat, et trop sûr de lui, elle le haïssait tout en étant fascinée par sa suffisance. Parviendrait-elle, une fois de retour à Kozuma, à lui nuire suffisamment pour le voir tomber, le voir rappelé et rentrer au pays la queue entre les jambes ?

Méline l'observait de biais.

— Dites-moi, puisque vous êtes là, votre ami Piccino a-t-il survécu à notre dernière rencontre ?

Elle se rendit compte qu'elle avait cessé de respirer et se força au calme. Qu'espérait-il apprendre d'elle ? Ignorait-il la présence d'Ouri à Bourg-Paradis ? Ou bien n'était-ce qu'une tentative pour lui extorquer des informations ? Et si elle le poussait à croire qu'Ouri était mort ?

Attention. *Le nom d'Ouri ne doit pas être prononcé*. Prudence.

Elle but et reposa son verre d'une main ferme.

— Je croyais qu'il s'appelait Lepinsky.

Méline reprit son ton doucereux.

— Vous savez bien que non. Mais peut-être avez-vous découvert une autre identité, un autre nom ?

Cette fois, elle ne chercha pas à le défier du regard, mais feignit de s'intéresser à la forme très banale de son verre.

— Comment savez-vous qu'aucun de ceux que vous connaissez n'est son vrai nom ?

— Je me suis beaucoup intéressé aux archives de Bourg-Paradis. Depuis le Grand Conflit, ces gens ont tenu un registre des naissances et des décès. Le dernier Piccino est mort depuis une bonne dizaine d'années. Quant au dernier Lepinsky, cela remonte à bien plus longtemps.

Frédérique haussa à nouveau les épaules.

— Quelle importance, le nom d'un homme mort ? Car Piccino n'a pas survécu, je vous le signale.

Son cœur s'était remis à battre la chamade. *Viktor Ourianov*. Si elle prononçait ce nom, Méline en saisirait-il l'importance et la signification, pourrait-il lui révéler ce qu'elle ignorait ? Avait-il suffisamment étudié les registres de la colonie, ou bien s'agissait-il encore d'une manifestation de sa suffisance ? Les mots brûlaient les lèvres de Frédérique, elle ferma la bouche avec violence. Elle aurait tant aimé savoir et comprendre, c'était une si grande tentation que d'exploiter la prétention de Méline pour enfin assouvir sa curiosité !

— Le nom peut nous conduire à connaître autre chose, par exemple la nationalité d'une personne, énonça Méline sentencieusement.

— Sa nationalité ? Je ne comprends pas. C'est vrai que j'ai toujours considéré les Arkadiens comme formant un seul peuple, alors qu'en fait ils proviennent de différentes nations terriennes… À preuve, ils parlent une multitude de langues, on finit par s'y perdre. Parlez-vous la langue commune arkadienne, lieutenant Méline ?

Elle osait à nouveau tourner les yeux vers lui. Il souriait de la bouche, mais le regard exprimait une étrange avidité. Il répliqua :

— Une langue, cela s'apprend, ce n'est pas une preuve de nationalité. Qu'est-ce qui vous dit qu'un homme est *né* sur cette planète ? La couleur de la peau, la forme du visage, la taille, la longueur des membres ?

Il se moquait d'elle, sans aucun doute. Elle eut un rire bref. Il continua.

— Par exemple, comment savez-vous que je suis, moi, Cristobalien ?

Elle ne l'avait pas su, justement, en tout cas pas tout de suite. C'était Christane qui avait compris qu'il venait de Limina. Méline attendait une réponse.

— Je ne sais pas… J'aurais dit que la langue ou l'accent sont des indices, mais vous prétendez que ce n'en sont pas.

— Et si ça l'était ? Vous trouvez que Piccino a un gros accent arkadien ?

— Il a vécu deux ans sur Cristobal…

Elle avait répliqué par réflexe, s'interrompit, et continua d'un ton incrédule :

— Êtes-vous en train de me dire que vous croyez que Piccino était Cristobalien comme nous ?

Le curieux sourire qui tordit sa bouche n'indiquait pas s'il était vraiment sérieux ou s'il la faisait marcher.

— C'est une hypothèse à envisager. Ça expliquerait le problème d'identité.

Mais il se nomme Viktor Ourianov! J'ai vu *sa mère, je lui ai parlé!* Elle avait failli crier ces mots, s'était retenue juste à temps. C'était peut-être exactement ce que Méline souhaitait, la pousser à bout, jusqu'à ce qu'elle lui révèle le vrai nom de son ex-prisonnier.

Elle rétorqua, à moitié vexée:

— Vous vous moquez de moi.

— Pas du tout. Piccino pourrait être un espion du Zhongguó, infiltré ici pour contrer l'influence hindustani.

— Un Chinois déguisé?

— Un Occidental à leur service.

Non, décidément, il ne pensait pas vraiment ce qu'il disait. Elle avait parlé à Natalia Ourianova, elle...

Natalia qui était aveugle.

Mais les aveugles développent une ouïe très fine... Une mère devait bien connaître la voix de son fils! Et alors? Natalia était restée longtemps inconsciente après l'incendie qui l'avait handicapée. À son réveil, on pouvait avoir prétexté que son fils se trouvait au loin, pour lui présenter, des mois plus tard, un jeune étranger jouant ce rôle. Viktor avait neuf ans au moment de l'émeute. Peu après, sa voix avait mué: à cet âge, un jeune adolescent change de manière si radicale qu'une mère ne reconnaît pas son fils!

Et le véritable Viktor serait mort durant l'incendie, comme son frère Sacha et son père...?

Mais qui aurait eu intérêt à monter une telle supercherie, et dans quel but?

— Ça vous en bouche un coin, hein? remarqua Méline, amusé. Malheureusement, s'il est mort, on ne pourra jamais vérifier mon hypothèse. C'est dommage. L'amplix a fait une nouvelle victime.

Tu voudrais bien que je proteste, hein, et que je me précipite pour interroger Ouri! Espèce de... tortionnaire!

Frédérique se contint avec peine, gardant résolument les yeux baissés.

— Oui, c'est bien dommage. Mais je dirais, moi, que c'est *vous*, plutôt que l'amplix, qui avez fait une nouvelle victime.

Elle releva les yeux et constata que Méline s'était raidi. Il rétorqua d'un ton de colère sourde :

— Vous croyez que c'est moi qui ai drogué Piccino ?

— Vous n'allez pas nier ça, maintenant ?

Il eut un geste évasif de la main.

— À son retour, oui, c'est vrai. Mais pas la première fois. Personne ne l'a forcé la première fois. C'est lui qui est venu vers nous.

Alors, c'était pour cette raison que Méline soupçonnait Ouri d'être un espion… et il n'avait peut-être pas tort, en fin de compte. Ouri avait abordé les Cristobaliens, feignant un intérêt envers la drogue importée de Cristobal… pour mieux connaître les étrangers, mieux les combattre. Oui, elle l'imaginait très bien, jeune idéaliste, collectant des informations sur l'adversaire… Et il avait mis sa vie et sa santé en danger en consommant de l'amplix…

Mais avait-il vraiment pris la drogue de façon volontaire ? Pourquoi croyait-elle les affirmations de Méline, lui qui prenait Ouri pour un espion chinois ?

Ah, ces pensées la harassaient.

Elle n'en pouvait plus. L'épuisante conversation avec Delprado par le truchement d'un interprète, puis les hypothèses de Méline à propos d'Ouri… Le nom était presque une douleur dans sa poitrine. Ouri. Où était-il, comment allait-il ?

Et puis, elle était si tendue… Venir ici ne l'avait vraiment pas aidée, elle avait encore plus mal au cou. Elle repoussa son verre et se leva, mais la main de Méline, froide et vive comme un serpent, lui saisit le poignet.

— Je pourrais encore vous emmener devant le coordonnateur, Frédérique, au lieu de laisser ces imbéciles se livrer à leurs jeux politiques.

— Pourquoi feriez-vous une chose pareille ?

— Eh bien, vous êtes la nièce de Lagan, je ne l'ai pas oublié.

Et si je vous en devais une, je serais forcée de me taire une fois de retour chez moi, ça vous éviterait de risquer l'expulsion, à vous et à vos petits soldats !

— Il y a autre chose que vous pourriez faire, lieutenant Méline : rentrer à votre camp et me rendre mon minicom. Ça mettrait aussitôt fin à tous les jeux politiques, comme vous dites.

Il lui lâcha le poignet pour écarter les bras.

— Ah, mais ça mettrait aussi fin à mon test !

— Alors, je ne vous gâcherai pas votre plaisir. D'ailleurs, puisque monsieur Delprado a entrepris des démarches, ce serait malpoli de le court-circuiter maintenant en m'adressant directement au coordonnateur.

— Et vous êtes une personne polie…

Elle parvint même à lui adresser un sourire.

— Ma mère m'a bien élevée. Aussi, je vous remercie pour la bière. Vous aviez raison, elle est très bonne.

Comme elle s'éloignait, il lança :

— Saluez bien feu Piccino de ma part !

Chapitre 13

— Tu as quoi ?

— Pris une bière avec Méline.

Christane était de retour – enfin ! –, mais la joie des retrouvailles avait été un peu gâchée lorsque Korasi avait rapporté la visite de Frédérique à la brasserie.

Ils s'étaient réunis tous les quatre après le lunch dans la chambre de Nora, chambre qu'elle partageait en temps normal avec sa sœur Aude. Heureusement, la mère avait prié sa fille cadette de l'accompagner à l'hôpital, ce qui donnait un peu d'intimité à Nora et à ses invités.

Jusqu'à quel point les parents de l'Arkadienne savaient-ils où disparaissait leur aînée quand elle quittait la maison durant des jours ? Si Frédérique ne se trompait pas dans son interprétation de l'attitude de Luis Delprado, Maxime Henke, le père de Nora, souhaitait comme les autres membres de l'Assemblée le départ des mercenaires. L'Arkadie aux Arkadiens, quoi. Mais cela ne signifiait pas pour autant qu'il approuvait l'action des rebelles, et encore moins le fait que sa propre fille appartienne à ce groupe. Encore une fois, c'était le règne du silence et du non-dit.

Toutefois, Frédérique devait reconnaître qu'elle n'était pas la personne la mieux placée pour reprocher aux autres leurs silences. Chez elle, chez les Laganière, on n'avait jamais, ni avant ni après sa mort, parlé des activités du fameux Lagan qui enthousiasmait Méline, l'oncle Luc aux mises en scène si célèbres dans le Monde pour leur violente pornographie. Et on ne parlait jamais non plus de la mort du père de Frédérique, au point qu'elle avait fini par l'effacer de ses souvenirs, comme si ça ne comptait pas, comme si ça ne pesait pas sur son passé.

— Eh bien ? s'impatienta Christane.

Frédérique s'extirpa de ses pensées pour lever vers ses interlocuteurs un regard interrogateur.

— De quoi avez-vous parlé, Méline et toi ? insista la pilote.

Frédérique hésita. Devait-elle rapporter aux Arkadiens les soupçons de Méline quant à l'identité d'Ouri ? Et son offre de la mener au coordonnateur ? Elle temporisa :

— De tout et de rien. (Puis, comme Christane semblait sur le point d'exploser, elle enchaîna rapidement :) Il voulait savoir si Ouri, enfin, Piccino, avait survécu. J'ai essayé de lui faire croire qu'il était mort, mais il ne m'a pas crue.

Enfin, prise de remords, elle ajouta :

— Il a aussi offert de me conduire chez le coordonnateur.

Korasi et Nora échangèrent un regard étonné.

— C'est curieux, ça... murmura Raju. Pourquoi serait-il pressé de vous voir quitter Arkadie ? Il sait très bien ce qu'il risque si vous parlez une fois rentrée chez vous...

Frédérique haussa les épaules.

— Si j'avais accepté, peut-être aurait-il exigé que je promette de ne parler à personne de ce qui se passe ici ?

— C'est quand même étrange. Je me demande ce qu'il prépare.

Nouvel échange de regards entre Korasi et Nora, qui supposa :

— Peut-être que Rossy a réussi ?

— Réussi quoi et qui est Rossy ? demanda aussitôt Christane d'un ton narquois.

Korasi examina les Cristobaliennes un moment, comme s'il évaluait le risque qu'il courait en leur livrant des informations, puis il répondit :

— Alber Rossy est le chef des combattants nationalistes ; le chef des rebelles, quoi.

Ouri n'était-il pas à la tête de ces gens ? Il possédait un tel charisme, pourtant... Frédérique ne comprenait plus rien.

— Le chef des rebelles, mais pas *votre* chef, précisa Christane.

Korasi hocha la tête.

— Comme je vous l'ai déjà dit, il existe plusieurs factions chez les nationalistes arkadiens. Alber Rossy dirige le parti le plus radical, il mène des actions directes contre les mercenaires. Il leur a volé des armes chaque fois que c'était possible. Son but est de parvenir à armer assez d'hommes pour livrer une bataille décisive contre les Cristobaliens. C'est grâce à lui que nous avons pu libérer Ouri, et vous deux en même temps.

— Ce sont ses hommes à lui qui sont partis avec le camion, compléta Christane.

— Voilà. Nous ignorons si Rossy a oui ou non repris les conteneurs que vous avez débarqués, ni même s'il a tenté une action pour les reprendre. Aux dernières nouvelles, il semblait décidé à risquer une tentative, malgré la surveillance que les hommes de Méline exercent sur les lieux. Peut-être l'a-t-il fait, peut-être a-t-il seulement testé la vigilance des mercenaires. Si Méline s'attend à un affrontement majeur avec Rossy, cela expliquerait qu'il cherche à vous éloigner.

— Les dernières nouvelles, continua Christane, c'est Elhanan qui les a apportées au refuge avant notre départ, c'est ça ?

— Oui.

Pendant un moment, Korasi parut sur le point d'ajouter autre chose, puis il secoua la tête et resta silencieux. Frédérique avait suivi la conversation sans piper mot. Korasi taisait plus d'informations qu'il n'en révélait, à n'en pas douter. Rossy était peut-être le chef des combattants, mais Ouri était... Il était quoi, au juste ?

— Et vous, demanda Frédérique d'un ton brusque, vous êtes quoi ? Raju, Nora, Sylvio qui est parti Dieu sait où... vous n'êtes pas des combattants nationalistes, dites-vous. Alors, quelle faction représentez-vous ?

Korasi fronça les sourcils. Ce fut Nora qui répondit :

— Nous ne sommes d'aucune faction, nous sommes les amis d'Ouri, c'est tout.

— Et lui ?

Korasi détourna les yeux sans répondre. Nora tapota le genou de Frédérique et répliqua d'un ton doux :

— Tu le lui demanderas la prochaine fois que tu le verras.

Sur ce, elle se leva en soupirant.

— J'ai promis à maman de terminer les préparations dont elle a besoin pour ses visites à domicile, demain. Il faut que je m'y mette.

— Et moi, enchaîna Korasi, il faut que je fasse les achats pour Mandu.

Encore une fois, il inspecta les Cristobaliennes du regard, évaluant leur capacité à se garder seules des ennuis.

— Je vais emmener Frédérique au labo d'Amir, annonça Christane.

Korasi hésita encore un moment, puis il sortit, laissant les Cristobaliennes seules dans la chambre. Frédérique agrippa aussitôt Christane par le bras.

— Tu m'as fait subir un vrai interrogatoire à propos de ma rencontre avec Méline, mais tu ne m'as rien dit de ta propre excursion avec cet Amir.

Un sourire mutin éclaira le visage de Christane.

— Amir ? Attends de le voir, tu vas comprendre.

Frédérique s'abstint de répliquer, mais elle leva les yeux au ciel, découragée. Ah, pas encore ! Christane s'était évidemment empressée de retomber amoureuse. Dans quoi sa nouvelle toquade allait-elle les entraîner cette fois ?

En maugréant, elle suivit Christane dans l'escalier. Une bonne promenade l'attendait, car le labo d'Amir se trouvait dans un hangar au bord de la Jadière, à quelques kilomètres de l'agglomération, là où l'un de ses méandres rapprochait la rivière du village. Frédérique n'avait que modérément envie d'une longue marche sous un soleil de plomb, dans ce qui constituait le quartier de la tannerie et des abattoirs. Aussi, accueillit-elle le changement de programme comme une bénédiction.

En effet, pendant que les Cristobaliennes emplissaient leurs gourdes à la cuisine, la porte arrière s'ouvrit sur Korasi, qui n'était pas allé très loin lui non plus et qui revenait à la maison en compagnie d'un visiteur.

— Sylvio ! s'écria Christane.

Le jeune homme portait un poncho qui couvrait le haut de son corps, malgré la chaleur, et son pas manquait de fermeté. Korasi le mena jusqu'à une chaise où Sylvio se laissa tomber lourdement. Sous le poncho, son bras droit pendait, inerte, le long de son flanc.

Nora, qui était accourue aussitôt, s'exclama en l'apercevant.

— *Si è fatto male ?*

— *Non cè niente*, j'ai fait une mauvaise chute et je me suis arraché la peau du bras sur un rocher. J'ai nettoyé comme j'ai pu…

Korasi l'aida à retirer le poncho et le petit sac qu'il portait en dessous, passé en bandoulière. Le vêtement avait dissimulé la manche et le côté de sa chemise déchirés et tachés. Avec une grimace, Sylvio ôta le vêtement, découvrant un bandage noué maladroitement.

— De l'eau ! réclama Nora.

Frédérique lui tendit la gourde qu'elle venait de remplir. Nora humecta la bande de tissu qui avait adhéré à la plaie et qui, mouillée, se détacha plus facilement. Christane offrit sa gourde au jeune homme, qui l'accepta avec reconnaissance. Il retint toutefois le geste d'y boire et étouffa un cri de douleur lorsque Nora arracha le dernier bout de tissu.

— *Devo vedere Ouri*, souffla Sylvio.

— Tu n'iras nulle part tant que je n'aurai pas nettoyé ça, répliqua Nora.

De sa main valide, le jeune homme montra le sac, que Korasi avait posé sur la table. Raju l'ouvrit et en tira un minuscule paquet enveloppé dans un morceau de tissu qu'il déroula, découvrant quatre capsules grises de la taille d'un petit doigt. Nora tressaillit.

— C'est tout ce qu'*il* a envoyé ? demanda-t-elle.

Sylvio soupira.

— Juste assez pour le voyage.

Frédérique comprit, soudain, et se sentit pâlir. Ces capsules, c'étaient des ampoules d'amplibéta. Rossy était passé à l'action, en fin de compte, à tout le moins, il avait récupéré l'un des conteneurs, celui du matériel médical, et il s'attendait manifestement à ce que Ouri aille lui-même chercher le reste.

Une telle tension régnait entre les Arkadiens que Frédérique explosa :

— Allez-vous nous dire ce qui se passe, à la fin ? C'est quoi ce « voyage », c'est quoi cette histoire ?

Korasi passa une main lasse sur son visage, tandis que Nora concentrait son attention sur la blessure de Sylvio.

— Rossy veut rencontrer Ouri…

— C'est le message qu'Elhanan a transmis quand nous étions au refuge, intervint Christane, c'est ça ?

Korasi acquiesça. La pilote reprit :

— Ouri a refusé… c'est la réponse que Sylvio est allé porter.

— Oui, soupira Korasi, et voici la réplique…

Ils contemplèrent les quatre petites capsules en silence, puis Korasi expliqua :

— Alber et lui ont eu dans le passé quelques… différends. (Sylvio ricana.) Ouri n'était pas très heureux que nous ayons fait appel à Alber pour le tirer des griffes de Méline…

— Il a bien raison, approuva Frédérique, le regard fixé aux capsules. Méline avait été prévenu de son arrivée, il l'attendait, il l'a dit. Et c'est forcément quelqu'un du camp des rebelles qui l'a trahi !

Elle leva les yeux vers Korasi.

— Il ne peut pas aller à ce rendez-vous, ce ne peut être qu'un piège.

— Je ne crois pas, non, corrigea Korasi. Alber n'avait pas intérêt à livrer Ouri à Méline. La situation est… plus compliquée que ça.

Nora avait fini de nettoyer la plaie. Elle passa dans le bureau de sa mère prendre un onguent – et Frédérique songea aux médicaments qu'Ouri avait acquis au Zhongguó, maintenant récupérés par Rossy et ses hommes avec le conteneur. Des médicaments qui apporteraient un soulagement à beaucoup de malades… si Alber Rossy les laissait circuler dans la communauté, évidemment. Cet homme, elle le détestait à l'avance sans rien savoir de lui, parce qu'il mettait la vie d'Ouri en danger en l'obligeant à ce rendez-vous, en n'envoyant que quelques doses du produit que son corps réclamait.

Pendant que Nora refaisait son bandage, Sylvio répéta :

— *Devo vederelo.*

Korasi posa une main sur son épaule valide.

— Non, tu vas manger d'abord, et ensuite dormir.

Il enveloppa les capsules dans leur linge et les glissa dans sa poche.

— J'y vais, moi.

— Attends une seconde, le retint Nora.

Elle passa de nouveau dans le bureau de sa mère et remit à Raju un petit objet que Frédérique ne put voir. Korasi hésita un bref instant. Le regard que Frédérique lui adressa contenait une supplique, mais Raju, d'un geste de la main, lui intima de ne pas insister.

◆

Pendant que Sylvio ronflait dans la chambre de Nora, et que celle-ci continuait ses tâches dans le cabinet de sa mère, Frédérique tournait en rond dans la cuisine des Henke. Elle n'avait pas voulu sortir malgré l'insistance de Christane, qui jugeait inutile de rester à la maison à se ronger les sangs. Frédérique préférait attendre le retour de Raju. De toute manière, elle aurait été incapable de s'intéresser à quoi ou à qui que ce soit, et surtout pas à la dernière toquade de Christane, le dénommé Amir. La pilote avait renoncé à rejoindre son nouvel ami et se balançait sur une chaise en contemplant l'impatience de son associée.

— Je n'en reviens pas, s'exclama Christane au bout d'un moment. C'est moi qui suis supposée être incapable de tenir en place et regarde-toi !

— Ah, tu m'embêtes ! rétorqua Frédérique. Toi, tu n'as rien trouvé de mieux à faire que de tomber amoureuse du premier Arkadien venu !

Christane écarquilla les yeux.

— Amoureuse ? Tu crois que je suis amoureuse d'Amir ? C'est un ancêtre, un grand échalas avec un visage long comme un jour sans pain.

L'étonnement arrêta le va-et-vient de Frédérique durant au moins une seconde.

— Mais qu'est-ce que tu entendais alors par « attends de le voir » ?

Christane esquissa une moue.

— Je le trouve sympathique, et tellement débrouillard. Il a bricolé des piles solaires pour faire fonctionner de vieux analyseurs, des antiquités d'avant le Grand Conflit. C'est un vieux fou et je l'adore, mais si je devais tomber amoureuse...

Frédérique ne sut jamais quel Arkadien exerçait son attraction sur Christane, car, à cet instant, Korasi rentra.

— Ça n'a pas été bien long, remarqua la pilote.

Ouri est tout proche, dans une maison voisine.

— Pour le moment, c'est inutile de discuter avec lui.

Nora avait entendu la voix de Korasi, elle apparut sur le seuil de la cuisine.

— Alors ?

— Il t'envoie ceci.

Korasi tira une petite boîte de sa poche et la lui tendit. Avec un choc, Frédérique la reconnut : c'était le coffret qui contenait les doses d'amplix qui restaient après leur retour du Haut-Redan. Nora le prit d'un geste machinal.

— Quelle tête de mule, celui-là, il aurait pu les garder. Qu'est-ce qu'on fait, maintenant ?

— Ce qu'on avait prévu. Il faut que je rapporte une embarcation à Mandu, avec des provisions. Comment va Sylvio ?

— Il a de bonnes écorchures, et je préférerais qu'il se repose, mais je parie qu'il ne voudra pas rester au village. Je ne crois pas que ses blessures l'empêchent de tenir un aviron, mais il ne peut pas faire un bandage correct et encore moins nettoyer et soigner ses plaies avec une seule main.

Ils sursautèrent lorsque Christane laissa retomber sa chaise sur ses pieds et ils se tournèrent vers elle.

— Moi, je vais l'accompagner. Je suis capable de pagayer et je saurai le soigner.

— Tu n'es pas sérieuse ! protesta Frédérique. On attend des nouvelles de l'Assemblée d'un jour à l'autre, les choses vont peut-être bouger pour nous, et tu veux t'éloigner de Bourg-Paradis !

Christane quitta son siège et s'approcha d'elle.

— Frédérique, les choses vont s'arranger pour toi, et je suis très contente, mais…

Pour toi ? Pourquoi disait-elle « pour toi » ?

— … je suis incapable de rester ici à attendre, compléta la pilote. Il faut que je me rende utile.

— Tu peux te rendre utile en demeurant ici. Que fais-tu de ton nouvel ami, le vieil Amir ?

— Il se débrouillait très bien tout seul avant que j'arrive. Tu as entendu Nora : Sylvio a besoin qu'on l'accompagne.

Frédérique prit Korasi à témoin.

— Je suis sûre que Raju peut trouver quelqu'un d'autre pour accompagner Sylvio…

— Et tu sais très bien que, moi, je trouverai une autre excuse pour m'en aller. Ne dis pas de bêtise, Frédérique.

À son tour, elle se tourna vers un Korasi de plus en plus embarrassé.

— Je… émit-il.

Nora s'interposa.

— Pour le moment, personne ne va nulle part. Sylvio a besoin de repos et vous deux, de vous occuper. Allez avec Raju faire les courses pour Mandu, et qu'il ne soit plus question du départ de qui que ce soit avant demain.

◆

L'après-midi tirant à sa fin, certains commerçants s'apprêtaient à ranger leurs étals quand Frédérique, un peu à la remorque de Korasi et de Christane, atteignit la place du marché, là où se trouvait la brasserie. Méline n'y était évidemment plus, il ne pouvait quand même pas traîner toute la journée à boire de la bière, quoique Frédérique aurait aimé le décrire ainsi.

Korasi avait surtout besoin de bras pour rapporter les provisions qu'il avait commandées aux marchands le matin. Frédérique s'était chargée en grommelant du sac de pois chiches, et Christane de la farine.

— Tu vois, remarqua insidieusement Frédérique, si tu vas avec Sylvio, il va te falloir porter ces sacs jusque dans les grottes.

— Je te rappelle que, la plupart du temps, c'est Mandula et sa sœur qui se coltinent la marchandise. Avec un sac à dos et d'autres en bandoulière, je suis sûre qu'on peut en transporter pas mal.

— T'as réponse à tout, hein ?

— Tu viens juste de t'en apercevoir ?

Exaspérée, Frédérique lui tourna le dos. Elle resta plantée sous un auvent de la brasserie, à examiner les gens autour d'elle. Pas de mercenaires en vue, c'était toujours ça de gagné. À moins qu'ils soient tous dans les bois en train de tendre un guet-apens aux hommes de Rossy... Elle chassa cette pensée, s'attarda à étudier les façades, les toits. Ouri se trouvait-il dans l'une des maisons de la place ou plus près encore de chez les Henke ?

En face d'elle, un homme balayait le seuil de son atelier jonché de copeaux de bois. Sur un banc, à l'ombre, une femme ponçait avec minutie un accoudoir, élément d'un siège semblable à ceux qui meublaient la salle de l'Assemblée. Luis Delprado lui donnerait-il signe de vie bientôt ?

D'un pas machinal, Frédérique se rapprocha de l'artisane. La femme la vit venir et lui sourit. Elle souffla doucement sur la surface de bois et la caressa d'un doigt. Frédérique cherchait quelque parole aimable pour engager la conversation, quand le visage de l'artisane changea d'expression. Il se ferma, comme un volet qu'on rabat, et la femme se leva, emportant le siège à l'intérieur. Frédérique se retourna.

Méline s'était approché en silence, il se tenait juste derrière elle. Frédérique lança:

— Votre présence n'est pas très bonne pour le commerce.

Méline haussa les épaules sans se troubler.

— Elle ne dérange personne d'habitude.

Il disait vrai, sans doute. Les gens ne pouvaient fuir chaque fois qu'il apparaissait; d'ailleurs, à la brasserie, il avait été servi sans problème. C'était donc sa présence à elle, Frédérique, qui avait changé quelque chose.

Elle jeta un regard autour d'elle. Korasi et Christane étaient invisibles, probablement entrés dans un atelier, sinon Méline ne serait pas venu si près. Elle soupira.

— Qu'est-ce que vous voulez?

— Discuter de notre petite excursion à Ville de Langis…

Il en parlait comme si c'était une affaire conclue. Frédérique aurait voulu lui clouer le bec, mais rien ne lui vint à l'esprit et elle préféra se taire.

— À moins que vous choisissiez une visite à Howell… Le coordonnateur a promis à Mangeshkar, l'ingénieur que vous avez déjà eu pour passager, m'a-t-on dit, de le conduire là-bas, pour explorer les lieux, voir si certains édifices sont utilisables, ou sinon ce qu'il faudra reconstruire. Un pas de plus vers le retour des grandes compagnies minières… Rien pour plaire à vos amis de l'Assemblée, j'en ai peur. Ça risque de ralentir les négociations, vous ne pensez pas?

Frédérique eut un geste de recul.

— Pourquoi vous me dites ça?

— Je veux seulement vous aider, vous montrer où est votre intérêt.

Frédérique serra les mâchoires.

— Je sais très bien où est mon intérêt, lieutenant, je n'ai pas besoin de vous pour ça.

Méline afficha une mine désolée, puis il se pencha et murmura de sa voix mielleuse à son oreille :

— Si vous changez d'avis, vous savez où me trouver. Ma porte est toujours ouverte…

— Ah, oui ? Ce n'est pas l'impression que m'a laissée ma première visite.

— Venez prendre un verre, vous verrez que je ne suis pas bien méchant.

Sur ce, il s'éloigna en lui adressant de la main un signe d'au revoir. Frédérique regarda derrière elle Christane qui se tenait, stupéfaite, sur le seuil d'un atelier. Frédérique vit le visage inquiet de Korasi qui cherchait à voir par-dessus l'épaule de la pilote. Avec un soupir résigné, Frédérique les rejoignit.

— Qu'est-ce qu'il te voulait encore ? s'indigna Christane.

— Faire ami-amie, on dirait.

Korasi secoua la tête.

— Je n'aime pas ça. Rentrons.

◆

Malheureusement, ils n'étaient pas les seuls à revenir à la maison à cette heure de la journée : toute la famille Henke semblait s'être donné le mot pour envahir les lieux. La docteure Azzeglio dut se rendre compte de la tension qui les habitait, car elle leur proposa d'utiliser son cabinet, après le souper, s'ils souhaitaient « bavarder entre eux ». Réveillé à temps pour le repas, Sylvio paraissait tout aussi impatient de discuter avec Korasi. Jamais vaisselle ne fut lavée avec tant de promptitude. Les jeunes frères et sœurs furent ravis de se voir épargner la corvée et s'empressèrent de filer à l'extérieur, laissant toute la place aux « vieux ».

À peine la porte refermée derrière eux, Sylvio pressa Korasi d'expliquer pourquoi il avait l'air si soucieux. Frédérique rapporta les propos de Méline.

— Cette visite de Mangeshkar à Howell, répliqua Nora, c'est de la provocation.

Korasi corrigea :

— Personne n'en parle au village, je n'ai pas entendu la moindre rumeur à ce propos chez les marchands... Si Méline ne l'avait pas dit à Frédérique, qui sait si quelqu'un serait au courant ?

— Il faut transmettre l'information à Rossy ! s'exclama Sylvio.

Korasi hocha négativement la tête, en un lent mouvement pensif.

— Je n'en suis pas certain... Ça sent le piège, un piège autant pour nous que pour vous, Frédérique. Imaginons que nous prévenions Rossy et que des rebelles débarquent à Howell... Méline pourrait aussitôt vous accuser d'être à l'origine de la fuite. Après ça, quand vous voudriez jouer les victimes pour récupérer votre barge...

Nora s'affairait dans la pièce, à ranger les ingrédients qu'elle avait utilisés pour la préparation des médicaments. Christane s'était approprié le fauteuil du médecin et méditait, dans un silence assez inhabituel. Sylvio, que son bras semblait faire moins souffrir, s'agitait sur les pas de Nora.

— Ben voyons, protesta-t-il, Méline ne pourra jamais prouver que c'est Frédérique qui a transmis l'information. D'abord, elle pourrait en avoir parlé à n'importe qui au marché et la rumeur aurait fait le reste. C'est toujours comme ça que ça se passe ! Ensuite, c'est lui qui aurait l'air fou d'avoir laissé échapper l'information.

— De toute manière, trancha Nora, personne n'ira voir Rossy avant un bout de temps, et l'information sera alors probablement périmée.

Sylvio toussota.

— Non, justement.

Il s'était immobilisé au milieu de la pièce.

— Qu'est-ce que tu veux dire ? s'inquiéta Nora.

Ce fut à Korasi que Sylvio s'adressa.

— Au souper, je t'ai entendu parler de m'envoyer porter les provisions au refuge. Je veux bien, parce que ta famille est bloquée là-bas si on ne rapporte pas une barque. Mais, après, je ne reviens pas ici. Je vais rejoindre le groupe de Rossy.

Frédérique vit bien, à son expression, que Korasi s'y attendait. Il ne fit rien, toutefois, pour interrompre le jeune homme.

— J'y ai bien réfléchi, Raju, j'en ai même rêvé tout à l'heure. J'en ai assez de cette guerre, assez de la présence des étrangers qui se servent de nos dirigeants comme de marionnettes. Si Alber veut voir Ouri, tu le sais, c'est parce qu'il veut frapper un grand coup. J'ai décidé d'en être.

Frédérique avait reculé jusqu'à sentir un meuble dans son dos. Elle jeta un coup d'œil par-dessus son épaule pour s'assurer qu'elle ne risquait pas de le renverser en s'y appuyant. Il s'agissait d'une petite pharmacie vitrée. Et à l'intérieur, là, sous ses yeux, la trousse qui contenait les dernières doses d'amplix… et, en principe, l'injecteur nécessaire pour administrer la drogue.

Si Ouri avait rendu l'injecteur à Nora, comment prenait-il l'amplibéta ? Elle aurait voulu ouvrir le coffret et vérifier s'il n'y avait que les capsules d'amplix.

En face d'elle, Sylvio contemplait ses compagnons avec un regard de défi, mais ni Nora ni Korasi ne montraient le moindre désir de s'opposer à sa décision. Frédérique apostropha Christane :

— En tout cas, ça règle un problème, tu ne peux pas partir avec lui.

Christane se redressa dans son fauteuil.

— Et pourquoi je ne partirais pas avec Sylvio ?

Le jeune homme se mordit les lèvres. Il avait oublié de tenir compte de la pilote dans ses projets et, à la tête que firent Korasi et Nora, c'était manifestement leur cas, à eux aussi.

— J'en ai assez d'être une victime ou un bagage, je prends parti. Si Sylvio se joint à Rossy, je l'accompagnerai.

— Qu'est-ce que tu irais faire là ?

— Je ne veux pas vous vexer, intervint Korasi, mais Frédérique n'a pas tort, vous n'êtes pas une combattante, Christane.

— Je suis une pilote. Imaginez qu'on réussisse à s'emparer de l'hélijet ! Y a-t-il quelqu'un parmi vous qui saurait le piloter ?

Franchement ! Quelles étaient les chances de réussir un coup pareil ? Christane dut se rendre compte de l'improbabilité de la chose, car elle enchaîna :

— De toute façon, je saurai bien me rendre utile, une paire de bras n'est jamais à dédaigner.

— Tu es tombée sur la tête ! s'écria Frédérique.

Christane se planta devant elle.

— J'en ai assez de la routine, j'ai envie de vivre, pas seulement d'exister !

Frédérique croisa les bras sur sa poitrine.

— Oh, pardon, je ne savais pas que ces années en ma compagnie avaient été si ennuyeuses !

— Frédérique, ne dis pas de sottises. Ce n'est pas toi que je veux quitter, c'est le train-train quotidien. Je ne suis pas une simple transporteuse de marchandises, je…

— Tu ne voudrais quand même pas que j'abandonne le *Gagneur* ? Tu sais combien ma famille a investi dans l'achat de la licence et du vaisseau…

Elle s'interrompit, atterrée de voir le regard de Christane s'emplir de compassion.

— Justement, Frédérique, c'est le rêve de ton oncle Paul que tu as réalisé, pas le tien.

Les autres se taisaient, évidemment, et détournaient les yeux avec embarras. Frédérique avait l'impression soudain de se trouver très loin, d'assister à la discussion comme une étrangère, comme dans une mise en scène dans le Monde. Elle s'écouta protester :

— Comment tu sais que ce n'est pas mon rêve à moi ? Et puis, ma famille a investi tout son avoir, j'ai des responsabilités, moi, maintenant !

— Mais je ne te le reproche pas, Frédérique, je ne te demande pas de bouleverser ta vie, c'est la mienne que je veux vivre, c'est tout. On a passé de belles années ensemble, mais tu te doutais bien que ce n'était pas pour toujours...

Avec un étrange détachement – elle n'arrivait pas à croire que c'était elle qui prononçait ces paroles –, elle lança :

— Parlons-en de tes « toujours » ! Toi et moi, on sait ce qu'il en est, hein ? Tu n'as jamais été fichue d'aimer quelqu'un plus que trois semaines d'affilée, et tu veux me faire croire maintenant que tu vas épouser la cause des rebelles ? Dans trois jours, quand les mouches t'auront bien bouffée, tu soupireras après la quiétude du *Gagneur*, mais il sera trop tard !

Elle se tut, sidérée, et vit la même stupeur dans les yeux de Christane. Bon sang, comment en étaient-elles venues là ? Quelle querelle absurde...

Korasi dut comprendre que le moment était venu d'intervenir.

— Bon, ça suffit, c'est allé trop loin. Christane, vous êtes Cristobalienne, vous n'avez pas à risquer votre vie ni votre avenir dans notre conflit...

— Si quelques Cristobaliens de bon sens s'étaient mêlés des affaires arkadiennes, Méline et compagnie auraient été renvoyés chez nous depuis longtemps, vous le savez très bien, Raju. Et puis, sérieusement, pouvez-vous m'empêcher de m'impliquer si je choisis librement d'agir ?

Korasi jeta un bref coup d'œil désolé à Frédérique, qui se sentait maintenant incapable de prononcer un mot, avant de revenir vers Christane.

— Non.

— Alors, conclut la pilote, c'est réglé.

— Eh, protesta Sylvio, mais moi, je ne suis pas d'accord ! Pourquoi croyez-vous qu'il accepte de vous laisser partir avec moi ? Parce qu'il se dit qu'à cause de vous, je reviendrai à Bourg-Paradis au lieu de me rendre au refuge des arachnes en rentrant du Haut-Redan !

Korasi s'interposa.

— Il me semble que j'ai dit « ça suffit », Sylvio !

Il adoucit le ton.

— Je pense que nous sommes tous épuisés. Je suggère que nous allions dormir, maintenant. Nous reparlerons de tout ça demain.

Sylvio ouvrit la bouche, la referma sans mot dire. Frédérique adressa à Christane un regard lourd de rancœur, mais la pilote l'ignora. C'était vers Sylvio que son attention se portait.

Avec un étrange sentiment de déception, Frédérique crut qu'elle avait enfin compris le fin mot de l'affaire. Encore une fois, tout bêtement, Christane était prise d'une de ses stupides toquades. Elle s'intéressait à Sylvio, c'était évident.

Et quand elle redescendrait sur terre, il serait trop tard, elle aurait gâché leurs chances de reprendre le *Gagneur* !

CHAPITRE 14

L'escalier de bois émit un craquement qui sembla à Frédérique une explosion dans la nuit. Elle s'immobilisa, puis se morigéna. Merde, elle avait bien le droit d'aller pisser… même s'il y avait un pot de chambre à cet effet près de son lit. Eh bien, elle pouvait feindre une crise de somnambulisme. Et puis, de toute manière, où croyait-elle se rendre ? Elle n'en savait rien, mais elle étouffait dans la minuscule chambrette qu'elle partageait avec Nora et Christane. Tout aurait été plus facile si elle avait pu pleurer, se payer une bonne crise de larmes, histoire de prouver à Christane qu'elle n'avait pas le droit de bouleverser sa vie comme ça, sur un coup de tête.

Il n'y avait rien à prouver, bien sûr. Christane avait raison de A à Z. Frédérique s'était piégée elle-même dans les rets familiaux. Après toute l'aide qu'elle avait reçue, comment annoncer à sa mère et à oncle Paul que de jouer les convoyeurs de marchandises – et de passagers qui ne valaient guère mieux que du fret – n'était pas exactement la vie dont elle avait rêvé ? Il n'y avait pas d'aventure excitante à vivre quand on était membre de la Guilde des transporteurs. Rien que la routine à endurer, jour après jour, mois après mois, année après année, jusqu'à la retraite.

Tout de même... elle ne regrettait pas vraiment son choix. Elle et Christane avaient passé de bons moments, non ? Et si le conflit finissait par se régler, ici, sur Arkadie, peut-être y aurait-il de vrais passagers à embarquer, et peut-être Agora ne resterait-elle pas le lieu d'amarrage unique, peut-être serait-il encore possible de prendre la barge et de revenir en sol arkadien...

Elle était parvenue au bas de l'escalier. Le plancher était froid sous ses pieds nus. Pourquoi se dirigeait-elle vers la porte principale ? Parce que c'était par là que Korasi était rentré quand il était allé porter l'amplibéta à Ouri.

Ses yeux s'étaient bien habitués à l'obscurité, et elle distingua l'ombre qui se détachait du mur, se levant d'un fauteuil qui ne se trouvait pas, d'habitude, dans le couloir menant à la porte principale.

— Vous sortez, Frédérique ? murmura Korasi.

Il était trop tard pour feindre la crise de somnambulisme. Elle haussa les épaules.

— Non. Je ne sais pas.

Il lui prit doucement le coude et la guida jusque dans la cuisine où une lampe en veilleuse jetait une pâle clarté. Frédérique se détacha de lui et se dirigea vers la pompe.

— J'ai soif.

Elle se sentait la bouche anormalement sèche. Korasi resta près de la porte, appuyé au mur, bras croisés. Frédérique remplit le petit gobelet dont toute la famille se servait et but, le bas du dos appuyé contre l'évier, Korasi en face d'elle.

— Je voudrais savoir quoi vous dire, Frédérique.

— Est-ce qu'il ne veut pas me voir ou si c'est vous qui m'en empêchez ?

— Il...

Korasi hésitait. *Il ne veut pas te faire de peine. Pauvre Raju.*

— Ce n'est pas qu'il ne se soucie pas de vous, mais votre sort n'est pas entre ses mains. C'est Luis Delprado qui vous aidera maintenant. Lui, il ne peut rien.

— Oh, je me doute qu'il a d'autres soucis, comme ce conflit auquel il faut mettre fin…

Korasi poussa un soupir, profond.

— Frédérique, je ne sais pas quelle image romanesque vous vous faites de lui. Il n'est pas notre chef, il n'est pas un rebelle, il n'est qu'un citoyen respectant les décisions de l'Assemblée, rien de plus.

Elle le dévisagea en réprimant un rire incrédule.

— Alors, Méline a déployé tant d'efforts pour capturer un citoyen ordinaire, et vous, Nora et Sylvio, vous avez risqué vos vies pour monsieur Tout-le-Monde ?

Korasi écarta les bras en signe d'impuissance.

— Parce que nous l'aimons. Il produit cet effet sur ceux qui l'approchent, vous savez. Vous n'êtes pas la première…

Ouais, à commencer par ta propre fille, Kiran! Ç'aurait été méchant à dire. Elle ricana.

— Alors, Méline le cherche parce qu'il le trouve à son goût, c'est ça ? Et Ouri a rapporté deux pleins conteneurs de marchandises, au risque de sa vie, par pur égoïsme ?

— Il a simplement voulu racheter son départ, Frédérique.

Il la contempla un moment en silence, puis :

— Cessez de le chercher, vous ne le trouverez pas.

Sur ces mots, il disparut dans l'obscurité du couloir. Frédérique revint vers l'évier, elle actionna de nouveau la pompe et s'aspergea le visage, qu'elle avait étrangement froid.

Pleure, nom de Dieu, mais pleure donc !

◆

Le lendemain, cela semblait chose admise par tous, Christane quitta Bourg-Paradis. Pendant les premières heures de la matinée, Frédérique caressa l'espoir que son amie rentrerait chez les Henke, la mine piteuse mais repentie. En effet, la veille, Sylvio était allé dormir chez sa mère, à la limite du village et, au matin, il ne revint pas chercher Christane. Frédérique espéra que le jeune homme avait filé, laissant Korasi trouver quelqu'un d'autre pour convoyer les provisions de Mandula. Et même quand Korasi annonça qu'il escorterait Christane chez la veuve Tossa, Frédérique continua à croire que rien de tout cela n'était prévu et que Korasi allait bientôt être très embêté.

Mais Korasi revint seul, sans les sacs de provisions, et confirma que Sylvio et Christane remontaient ensemble la Jadière à destination du Haut-Redan.

Bah, le retour de Christane n'était qu'une question de jours. Sylvio n'irait pas rejoindre le groupe de Rossy avec la Cristobalienne, il la ramènerait d'abord à Bourg-Paradis…

En quittant la maison à son tour au matin, Maxime Henke, le père de Nora, tapota le bras de Frédérique en déclarant d'un ton qui se voulait encourageant :

— J'ai oublié de vous le dire hier au souper, mais nous avons une réunion de l'Assemblée ce soir, à huis clos. Vous verrez, les choses vont s'arranger bientôt.

Frédérique le remercia d'une grimace qui se voulait un sourire.

Bientôt ! Oh, elle pouvait parfaitement imaginer le déroulement des différentes étapes. En Union occidentale, il existait aussi une assemblée d'élus et Frédérique savait fort bien comment cela fonctionnait : d'abord, on adopterait une résolution afin de prier instamment le coordonnateur de demander à Méline de rendre les minicoms ; ensuite, un représentant de l'Assemblée irait à Ville de Langis, où le coordonnateur ne serait pas, puisqu'il se trouverait à ce moment-là à

Howell avec Mangeshkar, où le messager ne pourrait évidemment se rendre, puisqu'il faudrait respecter le protocole ; plus tard, quelqu'un finirait par transmettre le message au coordonnateur qui, de son côté, après avoir fait attendre le représentant de l'Assemblée aussi longtemps que possible, histoire de bien montrer qui était le patron ici, demanderait à Méline d'être gentil, s'il vous plaît, parce que Méline n'était pas le genre d'homme qui reçoit des ordres.

Avec de la chance, dans quelques semaines, Frédérique apprendrait que Méline – il trouverait une excuse, il n'était pas en peine d'en inventer – avait, pour une raison ou une autre, déclaré qu'il n'était hélas pas en mesure de répondre à la prière du coordonnateur.

Méline voulait contrôler le processus, c'était l'unique raison pour laquelle il avait invité Frédérique à se rendre avec lui auprès du coordonnateur. Il en serait selon son bon caprice, ou rien du tout.

Rien du tout, se répéta Frédérique en contemplant le ciel, assise sur le seuil de la porte principale de la maison des Henke.

Elle attendait Aude et Nora qui, ce matin-là, voulaient se rendre à une école où elles tenaient, chaque fois qu'elles le pouvaient, une clinique éducative, histoire d'enseigner aux enfants quelques notions de secourisme. Tout à l'heure, elles s'étaient disputées quant au matériel à apporter, et Frédérique entendait encore leurs voix bourdonner dans le cabinet de leur mère.

Le ciel au-dessus de Bourg-Paradis reflétait remarquablement bien son humeur avec cet amoncellement de lourds nuages qui l'assombrissaient. Aussi bouché que l'avenir.

La voix de Nora, elle, était claire et dégagée tandis que la jeune femme se rapprochait.

— Ce n'est pas la peine de trimballer tous ces trucs si on débarque à l'école à l'heure du lunch !

— J'arrive ! répliqua Aude d'un peu plus loin.

Frédérique s'essuya le front. Elle avait trop chaud dans la veste que Nora lui avait prêtée. Mais elle se demanda comment réagiraient ses compagnes si elle rentrait maintenant pour se changer…

Nora apparut près d'elle sur le seuil.

— Il va pleuvoir.

Non ! Je n'avais pas remarqué. Elle ne dit rien, car son inutile ironie mettrait ses compagnes encore plus mal à l'aise. Tant pis pour la veste.

— Aude ! gronda Nora.

Mais la cadette venait de s'arrêter dans le vestibule pour nouer les lanières de ses sandales.

— Tu as pris le petit sac ? demanda Nora avec un froncement de sourcils.

Pliée en deux pour attacher les lanières de cuir, Aude leva vers sa sœur son visage rougi par l'afflux de sang.

— Ah, zut.

Frédérique se leva avec un soupir.

— J'y vais.

Sans attendre une réponse, elle se glissa derrière les deux sœurs et gagna rapidement le cabinet de la docteure Azzeglio. Le petit sac était posé bien en évidence sur la pharmacie vitrée. Où se trouvait la trousse d'amplix.

Prise d'une impulsion, Frédérique ouvrit la porte de la pharmacie et s'empara du coffret. Elle voulait simplement vérifier si l'injecteur y était rangé. Elle glissa un ongle sous le fermoir, qui résista.

La voix d'Aude résonna dans le couloir :

— Tu l'as ?

Merde. Frédérique força un peu plus le fermoir. Le pas d'Aude se rapprocha.

— Frédérique ?

Ouch! Son ongle venait de casser. Pas le temps de remettre les choses en place, la jeune sœur de Nora arrivait.

— Oui, oui, je viens.

Frédérique fourra la trousse dans la poche de la veste, dont elle n'avait plus envie de se départir maintenant. Elle saisit le sac qu'elle était venue chercher et rejoignit la jeune fille au moment où celle-ci apparaissait sur le seuil du cabinet. Aude expliqua :

— Nora est partie devant. On est terriblement en retard.

Elles avancèrent à pas rapides dans les rues où pas un souffle d'air ne passait. Frédérique tâta sa poche. La présence de la trousse la brûlait. Quelle idiote elle avait été de s'en emparer ! Il faudrait qu'elle la remette en place avant que Nora s'en rende compte.

Mais pas avant de l'avoir ouverte.

L'école était une bâtisse d'avant le Grand Conflit qui se distinguait des autres par le vaste espace en terre battue qui s'étendait tout autour, où les enfants pouvaient jouer. Frédérique, qui venait d'un univers où l'école n'avait qu'une existence virtuelle, un univers où l'on était rarement mis en présence d'autres enfants ailleurs que dans le Monde, contemplait l'édifice avec un mélange de fascination et de répugnance.

Une femme d'âge mûr se tenait devant l'entrée et regardait les arrivantes avec curiosité. Frédérique, qu'Aude tentait d'entraîner en lui prenant la main, freina brusquement.

— Écoute, je ne me sens vraiment pas bien… je ne crois pas que ce soit une bonne idée de plonger parmi tous ces enfants…

Aude hésita. Son regard passa de la dame de l'école à son invitée.

— Mais ils nous attendent…

— Vas-y. Je vais retrouver mon chemin jusqu'à la maison. J'ai besoin de m'étendre un peu, j'ai mal dormi.

Comme Aude oscillait encore entre deux pôles d'incertitudes, Frédérique la poussa vers l'entrée de l'édifice.

— Ah, ne t'inquiète pas. Dis à Nora que je ne ferai pas de bêtises, je veux seulement être seule et me reposer.

C'était injuste pour Aude, une adolescente qui ne possédait pas une once de l'autorité de sa sœur. La jeune fille céda, non sans se retourner plusieurs fois durant le court trajet jusqu'à l'entrée. Frédérique resta immobile, à lui adresser des signes de se dépêcher, jusqu'à ce que la jeune fille et la femme d'âge mûr eussent disparu dans l'édifice.

Alors, elle marcha sans trop se soucier de la direction. Nora annulerait peut-être l'activité pour se lancer à sa recherche, mais Frédérique s'en fichait complètement. Elle sentait la petite boîte en métal peser dans sa poche et n'avait plus envie de l'ouvrir. Elle ne songeait même plus à découvrir la cachette d'Ouri. Elle n'était plus qu'une âme à la dérive dans les rues de Bourg-Paradis.

Elle erra de ruelle en ruelle, jusqu'à ne plus savoir où elle était. Elle ne se sentait pourtant pas perdue. Bourg-Paradis n'était pas assez vaste pour qu'on puisse s'y égarer et puis, de toute manière, si elle voulait retrouver son chemin, il lui suffisait de demander. Il y avait toutefois peu de passants, car le ciel de plus en plus lourd avait un effet dissuasif sur les éventuels promeneurs. Là où il existait un atelier ou une boutique, les volets étaient ouverts, mais aucune marchandise n'était disposée à l'extérieur, aucun artisan ne s'était installé dehors pour travailler. Frédérique vit une femme s'avancer sur le seuil de sa maison, lever le nez au ciel, puis rentrer en hochant la tête.

Presque aussitôt, la pluie se mit à tomber, de grosses gouttes lentes, obstinées, qui transformèrent en flaque la moindre ornière, le moindre creux. Frédérique fut si vite trempée qu'il lui parut futile de chercher un endroit où s'abriter. Elle s'arrêta pourtant quelques minutes, se colla le long d'un mur pour profiter de la protection toute relative d'un avant-toit.

Il aurait mieux valu qu'elle suive Aude et Nora à l'école. Maintenant, il ne lui restait plus qu'à faire ce qu'elle avait annoncé : rentrer à la maison pour essorer ses vêtements et ses cheveux. Et, pour cela, trouver ses repères, car elle ne reconnaissait pas les édifices autour d'elle.

Lorsqu'il lui sembla que l'averse diminuait, elle reprit sa marche à travers les ruelles, dans la direction approximative de la place du marché. Elle finit par y aboutir, non sans avoir été transformée en lavette. Sur la place, beaucoup de volets étaient clos et les auvents de la brasserie étaient repliés. Frédérique s'avança jusqu'à la porte, laissée grande ouverte, mais n'en franchit pas le seuil ; elle s'abrita sous la saillie du toit, hésitante. Elle percevait la chaleur et le bruit des voix qui s'échappaient de la grande salle, bien qu'il fît trop sombre à l'intérieur pour distinguer s'il y avait beaucoup de clients. Elle pouvait entrer dans le débit de boisson, au moins le temps de se réchauffer. Même si elle n'avait pas d'argent pour prendre une consommation, le tenancier ne la jetterait sûrement pas dehors. Mais s'il y avait d'autres clients, elle attirerait inévitablement l'attention, et cette perspective lui déplaisait.

Comme elle allait s'éloigner, elle perçut un bruit de pas à l'intérieur, et un client émergea de la pénombre. Encore Méline. Il portait un ciré qui le couvrait jusqu'à mi-jambe et s'apprêtait à rabattre le capuchon sur sa tête.

— Vous me cherchez ?

Frédérique eut un mouvement de recul, interloquée.

— Non.

Vraiment ? Pourquoi était-elle venue jusqu'ici, alors ? Méline esquissa une moue.

— Je pensais que vous aviez changé d'avis.

— L'Assemblée se réunit ce soir, pourquoi est-ce que je changerais d'avis ?

Il la dévisagea d'un air moqueur sans répondre. Frédérique haussa les épaules.

— Je sais que vous ne céderez pas, mais je ne peux pas, moi non plus, et vous le savez aussi.

Il renifla avec un dédain exagéré.

— Alors, tout est dit. Au revoir, ma chère.

Il rabattit son capuchon sur sa tête et passa devant elle pour s'enfoncer sous l'averse. D'un mouvement impulsif, Frédérique lui emboîta le pas.

Tout d'abord, il ne se rendit pas compte qu'elle le suivait. Il avait pris vers le nord sur ce qui était plus une route qu'une rue, car les édifices y étaient de moins en moins nombreux. Sous le dense rideau de l'averse, on ne distinguait pas la colline, là-bas, mais Frédérique savait que Méline se dirigeait vers la grande maison.

Il gravissait le sentier boueux quand il s'aperçut qu'elle se trouvait derrière lui et se retourna, surpris.

— Qu'est-ce que vous faites là ?

Elle aurait aimé lui répondre, mais elle ne comprenait pas elle-même ce qui l'avait poussée à sa suite. À la place, elle lança :

— Vous ne voyez pas que votre temps achève ? Je finirai bien par rentrer chez nous et par raconter ce que j'ai vu ici. Si ce n'est pas l'Union occidentale qui vous rapatrie de force, ce seront les Hindustani qui seront obligés de vous renvoyer quand j'aurai ameuté l'opinion publique contre vous.

Il ne parut pas le moins du monde troublé.

— C'est pour ça que j'ai bien l'intention d'en profiter jusqu'au bout.

La pluie ruisselait sur elle comme une véritable douche, mais elle ne sentait plus rien. Elle écarta les bras en un geste d'incompréhension et il eut un mouvement du menton pour désigner le village derrière elle.

— Vous auriez dû entrer dans la brasserie, mademoiselle. Vous auriez constaté la même chose que moi. Il y a très peu de jeunes hommes à Bourg-Paradis ces jours-ci.

— Qu'est-ce que vous voulez dire ?

Alors qu'elle prononçait ces paroles, elle comprit, et ses yeux s'écarquillèrent. Korasi l'avait deviné sans peine : c'était un piège que Méline avait tendu aux rebelles en répandant la rumeur d'une visite du coordonnateur à Howell. Le village s'était vidé de ses jeunes hommes, car beaucoup, comme Sylvio, allaient rejoindre le groupe d'Alber Rossy pour ce qu'ils espéraient être un combat décisif.

Méline revint sur ses pas jusqu'à elle.

— Rentrez chez les Henke, Frédérique, vous allez attraper la crève à rester sous la pluie.

— J'en ai assez... d'attendre...

Il lui entoura les épaules de son bras.

— Alors, venez.

Elle se rendit compte qu'elle tremblait de manière convulsive. Méline l'entraîna dans l'ascension de la pente glissante et, soudain, la palissade surgit devant eux avec son odeur de bois mouillé. Le sentier boueux menait à une solide porte qui était toutefois déverrouillée. Vrai qu'en plein jour, les mercenaires n'avaient pas grand-chose à craindre et verrouiller le portail aurait seulement compliqué leurs déplacements.

Méline referma derrière eux et poussa Frédérique jusqu'à la grande maison, jusqu'à la galerie couverte qui flanquait la demeure. Dès qu'elle fut à l'abri de l'averse, Frédérique mesura combien elle avait froid.

À l'intérieur, elle resta plantée dans le vestibule, hébétée, frissonnante et dégoulinante au point qu'il se formait une petite mare autour d'elle sur le carrelage. À son entrée, un homme était aussitôt venu vers

Méline, mais il s'arrêta, ébahi, en découvrant que le lieutenant avait une invitée.

— Grouille-toi, jeta Méline, apporte une serviette !

Frédérique écarta les cheveux mouillés qui lui tombaient dans le visage pour examiner les lieux. Le vestibule ouvrait sur une vaste pièce en désordre. Contre le mur du fond, sur une table longue et étroite, des armes à feu et des munitions étaient posées pêle-mêle à côté des ordinateurs. La maison devait être dotée d'une génératrice, car les appareils électriques ne manquaient pas. Le long du mur de gauche, deux fauteuils de branchement paraissaient bien incongrus dans ce monde où il n'existait aucun réseau de communication, mais, sans doute, la maison possédait un réseau interne avec une banque de mises en scène qui permettait aux Cristobaliens de rentrer chez eux au moins en imagination.

L'homme revint et lui tendit une serviette. Frédérique reconnut le sous-officier, celui qui se nommait Bugeault, un costaud qui s'efforçait de plaquer un air impassible sur son visage poupin. S'étonnait-il de la voir là ? Cependant, si Méline avait fait surveiller ses compatriotes, il n'y avait rien de surprenant à ce que Frédérique finisse par aboutir dans le camp… Son air ahuri provenait-il plutôt de l'état misérable dans lequel il découvrait la visiteuse ?

Grelottante, elle entreprit de se sécher.

— Apporte-nous… commença Méline, avant de s'interrompre. Non, laisse, on va monter.

Bugeault n'émit aucun commentaire tandis que son chef guidait l'invitée dans l'escalier étroit qui s'amorçait immédiatement à gauche du vestibule. En haut, un couloir plongé dans la pénombre proposait plusieurs portes, toutes closes. Méline désigna la première.

— Mon bureau, annonça-t-il en poussant le battant.

Une petite pièce carrée, meublée d'une table, dotée d'un seul siège. Sous la fenêtre qui laissait voir le jour gris, une commode trapue encombrée, ses tiroirs mal fermés. Une porte de communication restée ouverte montrait une salle de bain et, au-delà, une chambre à coucher dont le lit paraissait en désordre. Frédérique aperçut des vêtements éparpillés sur le sol et ne put réprimer un sourire. Pour un homme qui jouait au soldat, Méline manquait singulièrement de discipline personnelle.

Des éclats de voix montèrent soudain de l'étage au-dessous. Quelqu'un venait d'entrer et interpellait Bugeault. Frédérique chercha la source du bruit et vit, dans le coin opposé à la porte, que le plancher était percé d'une trappe fermée d'une simple grille. S'ils prêtaient attention, les hommes là en bas pouvaient entendre les paroles échangées dans cette pièce. Frédérique, quant à elle, ne percevait plus qu'un murmure. Bugeault avait probablement prévenu le nouvel arrivant de la présence d'une invitée.

Elle frissonna à nouveau, avec violence, et Méline l'emmena dans la salle de bain.

— Enlevez vos vêtements trempés, je vais vous chercher un peignoir.

Il passa dans la chambre, refermant la porte derrière lui. Frédérique eut un moment d'hésitation, à grelotter, puis elle se décida. Elle ôta la veste alourdie par la pluie, qu'elle déposa sur le bord de la baignoire, puis les sandales détrempées, et enfin, elle retira la chemise et le pantalon. Elle ne portait pas de sous-vêtements et s'enveloppa dans la serviette déjà aussi humide que le reste. Depuis la chambre, Méline entrebâilla la porte et, sans se montrer, tendit à bout de bras le peignoir promis que Frédérique s'empressa d'enfiler. La ratine de coton était rugueuse sur sa peau, mais n'importe quel vêtement sec aurait à cet instant paru merveilleusement confortable. Ainsi enveloppée des chevilles jusqu'au menton, Frédérique ouvrit la porte de la chambre. Méline s'était assis sur le lit, dont il avait en vitesse replacé les couvertures. Il avait tiré, d'un petit meuble tenant lieu de table de chevet, une bouteille d'alcool ambré dont il servit un verre, qu'il offrit à Frédérique. Elle l'accepta. L'alcool lui brûla l'intérieur et déclencha un nouveau frisson. Quand Frédérique voulut lui rendre le verre, Méline saisit sa main et la fit asseoir près de lui, sur le lit. Il entoura ses épaules de son bras.

Peut-être ne souhaitait-il rien d'autre que la réchauffer, peut-être se méprit-elle sur le geste, peut-être espérait-elle pareille méprise, elle n'en savait rien, mais son corps tout entier était tendu dans le besoin de bras autour d'elle, de la chaleur d'un corps contre le sien.

Il fut presque doux, bien plus doux qu'elle ne s'y serait attendue de la part d'un homme qui ne vivait que pour la violence. Mais il y avait de la violence dans sa propre faim à elle tandis qu'elle l'aidait à se dévêtir. Saisi de la même urgence, il la prit une première fois, là, assise sur le bord du lit, sans brutalité mais sans douceur. Ce n'est qu'ensuite qu'il entreprit de la caresser, de lui donner du plaisir, des gestes qu'elle reçut avec reconnaissance même si elle savait bien ce qui s'en venait, c'était toujours la même chose avec chaque homme qui tentait de la mener vers l'orgasme, il lui fallait feindre, soupirer d'extase pour ne pas vexer son partenaire.

Méline ne fut pas différent des autres, il s'appliqua longuement à stimuler son clitoris, des doigts et de la langue, et elle tenta de lui faire croire qu'elle y prenait plaisir, mais il ne fut pas dupe. Ce fut le « presque ça », ce moment où montait la vague, le frisson délicieux… qui s'éteignait, comme une chandelle à la mèche trop courte, à la flamme trop faible soufflée par un courant d'air.

Comme il recommençait à la caresser avec lenteur et patience, elle eut envie de lui dire: «Laisse tomber», mais il se redressa soudain sur un coude et la contempla, les paupières mi-closes, un sourire énigmatique sur les lèvres.

— Attends une seconde, murmura-t-il, j'ai ce qu'il faut.

Il fouilla dans la table de chevet et en sortit un injecteur. Frédérique recula aussitôt à l'autre extrémité du lit.

— Non !

— Il n'y a aucun danger à faible dose, voyons. Et alors, le plaisir atteint une intensité...

Elle recula encore, amorça le geste de se lever, mais il la retint.

— Non, reste, je ne te forcerai pas. Regarde, je te jure que c'est sans danger.

Il mesura sa dose et appliqua l'injecteur contre la saignée de son bras, puis déposa l'objet sur le petit meuble avant de tendre la main, un sourire extatique aux lèvres.

— Viens...

Elle obéit, dissimulant sa répugnance, se laissant caresser d'abord de façon passive. Il respirait avec bruit, haletant au moindre effleurement. Elle comprenait, maintenant, ou croyait comprendre ce qui s'était passé. Les mercenaires recouraient à la drogue eux-mêmes et, ici, aucun règlement, aucune loi n'interdisant l'amplix, ils en avaient importé d'abord pour leur propre usage. Et puis, ils étaient allés de plus en plus loin dans leur quête de plaisir... Lequel d'entre eux – Méline lui-même ? – avait eu l'idée de se servir des rebelles comme de cobayes ?

Aucun danger à faible dose, bien sûr... mais la dépendance s'installait de façon instantanée.

Avec des gestes quasi machinaux, elle se mit à son tour à le caresser, de la langue, de ses doigts, et chaque parcelle de son corps à lui était devenue érogène, il respirait de plus en plus rapidement. Son cœur devait battre à un rythme épouvantable. Elle le mena à l'orgasme, encore et encore, jusqu'à ce qu'il soupire d'épuisement, les yeux clos. Elle resta étendue près de lui, à le contempler qui somnolait, un sourire béat sur les lèvres.

Comment en était-il venu à injecter une dose mortelle à un autre être humain ? Avait-il fini par confondre les jeux de guerre auxquels il jouait dans le Monde, chez lui sur Cristobal, avec la réalité de ce monde-ci ? Et même s'il n'avait pas voulu tuer… Même à faible dose, drogue et torture combinées… Comment en était-il venu à provoquer une telle souffrance chez l'un de ses semblables, à *désirer* cette souffrance ?

Elle ne comprenait pas, mais elle n'avait jamais compris non plus ce qui poussait son oncle Luc à créer des mises en scène où violence et sexualité s'entremêlaient ; et elle ne saisissait pas davantage que les Arkadiens, si peu nombreux, en soient venus à se battre les uns contre les autres, à se blesser, à s'entre-tuer peut-être. *Il faut que cela cesse*. Comment faire entendre raison à des hommes devenus sourds ?

Avec lenteur, elle se glissa hors du lit. Dans la salle de bain, assise sur la cuvette, elle tira à elle la lourde veste encore humide. Ses vêtements n'étaient même pas secs. Depuis combien de temps se trouvait-elle avec lui ?

Dans la poche de la veste, elle prit le coffret qu'Ouri avait rendu à Nora et l'ouvrit. L'injecteur y était, avec la dernière capsule d'amplix.

Mon Dieu, sans injecteur, Ouri ne peut pas prendre l'amplibéta… Elle se raisonna. Pas de panique. Nora lui avait sans doute remis un autre injecteur. Elle ne l'aurait pas laissé sans secours. Du calme.

Ses doigts saisirent l'ampoule, la fixèrent sur la seringue qui afficha aussitôt les données. L'ampoule était pleine. Ses doigts ne tremblaient pas. Elle ne réfléchissait pas, elle ne ressentait rien.

Elle revint dans la chambre. L'injecteur pendait au bout de sa main. Si Méline avait ouvert les yeux, s'il avait crié… Mais il dormait, assouvi, confiant, un bras replié sous la tête, l'autre étendu le long de son corps. Elle s'agenouilla à côté de lui sur le lit, d'une main effleura son ventre, sa poitrine. Il frissonna de plaisir mais n'ouvrit pas les paupières. Elle appliqua l'injecteur sur sa poitrine, juste sous le sein gauche, et appuya sur la touche.

Ce n'était pas vraiment elle.

Ses mains agissaient indépendamment de sa volonté.

Du reste, elle n'avait plus de volonté. À peine une certaine curiosité. Méline deviendrait-il confus comme Ouri, aurait-il des convulsions ?

Non. Son corps tressauta sous l'effet d'un violent frisson, puis se raidit. Méline ouvrit des yeux stupéfaits. En grimaçant, il porta une main à sa poitrine, ouvrit la bouche pour crier, ou simplement pour aspirer de l'air, mais il étouffait. Ses intestins se vidèrent sous lui. Une odeur nauséabonde envahit la chambre.

Avec un râle étrange, il tenta de se lever… et retomba, inerte.

Frédérique le fixa sans ciller et vit, peu à peu, ses yeux s'éteindre.

C'était la seconde fois de sa vie qu'elle regardait mourir un homme.

Chapitre 15

Elle resta assise sur le lit à côté du corps durant un temps indéfini. Au début, elle songea qu'elle pouvait encore appeler à l'aide, qu'il n'était peut-être pas trop tard. Elle aurait pu prétendre à un accident. Mais elle était anesthésiée. Sans ressort. Sans force.

Pourquoi Ouri n'était-il pas mort, lui ? Pourquoi le frère de Sylvio, pourquoi Méline et pas Ouri ? Une question de dose ? D'endurance, peut-être. Ou de métabolisme. Méline avait-il noté quelque part les doses administrées, et à qui ? Dans ce cas, cela l'aurait sans doute intéressé de savoir combien il avait fallu d'amplix pour le tuer. Son esprit était-il là, près d'elle, à s'observer tandis que son corps refroidissait ? Si elle tendait la main devant elle, toucherait-elle son spectre ?

Elle effleura la poitrine inerte.

Si l'un des hommes, en bas, avait à parler à son chef, s'il montait, s'il entrait…

Quelle importance ?

Elle quitta pourtant le lit, retourna dans la salle de bain et enfila ses vêtements froids et humides. Elle remit l'injecteur dans son coffret, le glissa à sa place dans la poche de sa veste. Elle plia soigneusement le peignoir et le déposa sur le bord de la baignoire.

Dans le bureau, en se dirigeant vers la porte, elle jeta un coup d'œil machinal autour d'elle, à la table de travail, à la commode dont les tiroirs béaient. Aucun bruit ne filtrait par la trappe. Les pieds de Frédérique n'en produisirent pas non plus tandis qu'elle s'approchait du meuble ouvert. Dans le tiroir du haut, à droite, elle aperçut l'éclat métallique d'un bracelet minicom. Elle hésita. Les sensations revenaient avec le froid qui lui perçait les os. Si elle ne se dépêchait pas, elle allait s'effondrer et ne plus pouvoir bouger.

Elle faillit tout abandonner. À cet instant, elle se souciait bien peu de son propre sort, et encore moins du *Gagneur*. Mais Christane... Christane pouvait changer d'avis et souhaiter, un jour, rentrer sur Cristobal.

Christane n'avait tué personne.

Pas encore.

Elle tendit la main – ses doigts tremblaient –, la glissa par l'ouverture sans toucher au tiroir, saisit un bracelet, le passa machinalement à son poignet. Le second apparut en dessous. Le minicom d'Ouri ensuite. Elle les prit aussi, les rangea dans ses poches. Au fond, c'était mieux comme ça. Si on l'arrêtait, les hommes croiraient qu'elle avait éliminé Méline pour reprendre les terminaux. Tellement plus simple. Rien à expliquer. Meurtre prémédité : elle avait apporté la drogue avec elle.

Les mercenaires la tueraient.

Elle referma la porte du bureau derrière elle et descendit l'escalier à pas lents. En bas, elle vit Bugeault assis devant l'un des ordinateurs. Il était seul. Il la regarda, puis reporta son attention sur l'appareil devant lui.

Sans un mot, elle sortit.

Dehors, l'averse avait cessé, mais l'air était encore si chargé d'humidité que le monde semblait baigner dans une sorte de brume grisâtre. Comme l'autre jour au bord de la rivière souterraine, Frédérique avait l'impression de respirer de l'eau.

Elle atteignit la lourde porte qui perçait la barricade. À tout moment, elle était certaine d'entendre Bugeault pousser un cri d'alerte, Bugeault ou un autre des hommes de Méline. Ils débouleraient de la maison, lui tomberaient dessus, se saisiraient d'elle. C'était une juste conclusion au crime qu'elle avait commis. Mais non, rien.

Elle referma soigneusement la solide porte derrière elle. Le sentier boueux était toujours aussi glissant, elle se concentra sur ses pieds dans la descente, un pas après l'autre, comme s'il n'existait aucun camp de mercenaires, comme si aucune palissade, aucun mur ne se dressait dans son dos. Lorsque le terrain devint plus plat, elle accéléra un peu le rythme, mais elle ne courut pas. Courir n'aurait servi à rien.

Quelle heure était-il, combien de temps avait-elle passé dans la chambre de Méline ? Aucune idée. Son corps lui disait qu'il était trop tard pour tenter de retrouver l'école où les filles s'étaient rendues ce matin. Son corps, oui, son corps le savait. Faim. Pas mangé depuis un moment. D'accord. La maison, alors.

« Rentrez chez les Henke, Frédérique », avait dit Méline ce matin. La maison n'était pas un refuge. Les mercenaires la chercheraient là en premier. Elle les vit, en pensée, encercler la maison, défoncer la porte, arrêter toute la famille. *Ô, Dieu*. Où aller, dans ce cas ? À l'Assemblée, demander asile à Luis Delprado ? Comment un membre de l'Assemblée pourrait-il se compromettre en la cachant ? Il faudrait qu'il ordonne son arrestation. Et ce serait une parodie de justice : combien de temps mettraient Bugeault et ses hommes pour parvenir jusqu'à elle et lui régler son compte ?

Ah, elle tenait donc à la vie, finalement.

Elle n'avait quand même pas le choix, il fallait qu'elle prévienne les autres, pour qu'ils disparaissent. Ou qu'ils trouvent une situation de repli, une stratégie de défense.

Elle déboucha devant la maison, étonnée de ne pas s'être égarée en chemin. Son corps continuait à agir indépendamment d'elle, et de façon bien plus efficace que si elle avait tenté de réfléchir. *Brave petit.*

Elle contourna la maison en jetant des coups d'œil éperdus autour d'elle, se faufila par la porte de derrière. Elle allait crier « Y a quelqu'un ? », mais aperçut Aude dans la cuisine, qui sursauta en la voyant surgir.

— Frédérique, on t'a cherchée partout !

— Chut, écoute…

Frédérique s'était approchée, sans cesser de regarder autour d'elle, guettant le bruit des bottes, le moindre signe de poursuite. Elle tendit la main pour saisir celle d'Aude qui recula, effrayée.

— Qu'est-ce qu'il y a ?

— Prends ça, chuchota Frédérique, donne-le à Nora ou à Korasi, c'est pour Christane. Je ne peux pas rester…

Aude recula encore, les bras croisés sur sa poitrine, refusant les objets tendus. Refluant soudain dans le couloir, la jeune fille s'enfuit en criant :

— Nora !

Frédérique vit son propre reflet dans le miroir au-dessus du lavabo. Elle était livide, elle avait les yeux hagards. L'air d'une folle.

Des pas précipités. Nora survint, pendant que sa sœur attendait avec anxiété dans le couloir. Personne d'autre n'avait répondu à l'appel. Tant mieux, elle n'aurait pas à s'expliquer devant toute la famille, mais Nora devrait faire vite pour prévenir les siens.

Elle lui tendit le bracelet et le minicom qu'Aude avait refusés.

— Tiens, c'est pour Christane. Il faut que je parte, je vous mets en danger en restant ici.

Nora accepta les objets offerts, les déposa sur le comptoir et saisit Frédérique aux épaules.

— Qu'est-ce qui s'est passé, Frédérique, pourquoi dois-tu partir ?

Le ton calme eut un effet apaisant. Frédérique ferma les yeux, soupira.

— Méline est mort. Ils savent que j'habite ici, toute ta famille est menacée, à cause de moi.

Elle ouvrit les paupières, regarda Nora en face.

— Je suis désolée, je n'ai pas pensé à vous, pas réfléchi que je vous plaçais tous dans une terrible situation... Il faut que vous partiez, Korasi et toi, et que tes parents trouvent un endroit sûr, peut-être à l'Assemblée. Je ne crois pas que les mercenaires s'en prendront à eux devant l'Assemblée, mais ils seront vraiment furieux.

Les mains de Nora accentuèrent leur pression.

— Tu as tué Méline? Mais comment...?

Tu m'as fourni l'arme, pauvre fille. Elle secoua la tête.

— Tu ne veux pas le savoir. Il faut que je parte. Dis-moi où je peux aller. Ça presse. À cause de l'odeur, ils ne mettront pas longtemps à découvrir le corps et ils sauront tout de suite où me chercher.

Nora prit une profonde inspiration, puis elle se décida. Elle jeta un regard vers sa sœur, demeurée dans le couloir.

— Aude, tu as entendu? Cours prévenir papa et maman.

Sa sœur ne se le fit pas dire deux fois.

Nora reprit le bracelet et le minicom d'Ouri, les glissa dans sa poche, puis elle saisit la main de Frédérique, la serra.

— Viens...

Elle mena Frédérique à la porte arrière. Dehors, le temps s'était encore assombri, il s'était remis à pleuvoir, une pluie légère et obstinée qui atténuait le contour des choses. Frédérique accueillit le manteau de la pluie avec soulagement, car il la dissimulerait, pour un temps.

Nora n'avait pas lâché sa main, elle la tirait en avant dans une ruelle étroite. Frédérique ne connaissait pas suffisamment le quartier pour savoir où l'Arkadienne l'entraînait. Bourg-Paradis était devenu un univers liquide où la réalité s'effaçait. Frédérique eut un bref aperçu d'un bâtiment bas, tout en longueur, l'odeur un peu sucrée du bois humide lui monta aux narines. Derrière Nora, elle plongea dans un intérieur obscur, des fenêtres aux volets clos, un dedans à peine plus sec que le dehors, mais elles étaient tellement trempées, toutes les deux, elles apportaient la liquéfaction entre ces murs auparavant solides. Tout allait fondre, se transformer en flaques molles, molles comme…

Elle trébucha, Nora la soutint, la traîna machinalement dans une petite chambre sans lumière. Frédérique sentit la sèche rugosité d'une couverture sous ses doigts, un matelas mince, cela sentait la poussière et le moisi, et elle sombra. Elle percevait les sons de très loin, comme dans une bulle d'air sous l'eau, loin, loin au fond de la rivière. Le monde était rivière.

Une voix rauque murmurait.

— Pourquoi l'as-tu amenée ici, ce n'est pas…

Elle perdit le fil. Des paroles chuchotées. Le ton. Urgence. Danger. Elle parvint à se redresser, à émerger du flot qui l'emportait, le temps de déclarer d'une voix très nette:

— Howell. Korasi avait raison. C'est un piège.

Et elle retomba. Silence.

◆

Doux, le silence. Feutré. Presque chaud. Sec. Des couvertures sèches. Plus de vêtements sur son corps, que les couvertures. Était-elle de retour dans le lit de Méline? Alors, elle n'avait pas commis cet acte. Le monde était neuf. Une seconde chance.

— Frédérique, réveille-toi. Il faut partir.

Elle ne voulait pas reprendre conscience. Elle ne voulait pas que le monde existe à nouveau, pas s'il était toujours pareil, si rien n'avait été effacé.

Des mains, une poigne solide, la soulevèrent, l'assirent sur le lit. Un tissu passa sur ses épaules, son dos. Quelqu'un soulevait son bras, manipulait son poignet pour glisser sa main dans une manche.

— Aide-moi, il faut t'habiller.

Elle reprit contact avec la réalité. Ouri. Qui s'efforçait maladroitement de lui passer une chemise. D'un mouvement brusque, quasi offusqué, elle s'empara du vêtement et l'enfila.

— Tiens.

Elle tendit la main, toucha un second vêtement. Un pantalon. C'était lui qui l'avait déshabillée et mise au lit ? Étrange retour à la conscience, par petites touches. Sèches. Des petites touches sèches. C'était bon de ne plus avoir l'impression de se noyer dans l'air. Mais on s'en allait. Dehors. Dans la pluie.

— Où… on… va ?

Sa bouche semblait engourdie, comme si elle tenait une bonne cuite.

— Loin, en forêt.

Il n'essayait même pas de la rassurer en parlant d'un endroit sûr, d'un abri. Elle aurait voulu dire encore qu'elle était désolée, demander des nouvelles. Les mercenaires avaient-ils déboulé dans le village comme elle le craignait, avaient-ils arrêté ou blessé des gens, s'en étaient-ils pris aux Henke ? Ce n'était pas le temps des questions, elle le savait bien. Et puis, parler était trop difficile. Rien que l'effort de se mettre sur pied la laissa haletante, épuisée.

Il s'accroupit devant elle, lui enfila ses sandales. Elle frissonna. Les chaussures étaient trempées. Pas le choix.

Elle se mit à rire, soudain. Quelle ironie ! Depuis son arrivée à Bourg-Paradis, elle cherchait à revoir Ouri. Et là, il se tenait à ses pieds…

Il se redressa d'un mouvement brusque, la saisit aux épaules.

— Frédérique, c'est sérieux. Si on pouvait rester ici, crois-moi, je ne te forcerais pas à partir. Mais on n'a pas le choix. Dis-moi seulement : est-ce que tu peux le faire ?

Marcher sans bruit, se faufiler d'ombre en ombre, échapper aux chasseurs, alors qu'elle se sentait si faible, tellement à la dérive… Mais Ouri disait vrai : ils n'avaient pas le choix. Elle acquiesça d'un signe de tête. Il insista :

— Tu *peux*, mais le *veux*-tu ?

La question, le regard grave qui la scrutait, cela eut pour effet de la ranimer, comme si ses pieds reprenaient enfin contact avec le sol, comme si la réalité redevenait tangible.

— Oui.

Il la dévisagea en silence encore un moment, puis il se détourna. Il passa deux sacs en bandoulière, un pour chaque épaule. Elle aurait voulu protester, assurer qu'elle pouvait assumer un fardeau, mais elle savait bien que c'était faux, qu'il lui faudrait consacrer toute son énergie à ne pas trébucher, à ne pas donner l'alerte, à ne pas les faire tuer.

Comme Nora tout à l'heure, il lui prit la main. Sa paume était tiède et sèche. Il l'entraîna derrière lui dans l'étroit couloir obscur. À la sortie, il s'arrêta, le temps de vérifier si le chemin était libre. Il entrouvrit à peine la porte, juste assez pour jeter un coup d'œil au dehors, juste assez pour qu'un adulte peu corpulent se faufile dans la ruelle. Il referma la porte derrière eux tout doucement, sans bruit, puis il emmena Frédérique.

La nuit était tombée. Il ne pleuvait plus et un brouillard très dense enveloppait toute chose, un voile pâle qui leur servirait de manteau, mais qui pouvait également les trahir, car ils ne verraient pas les obstacles avant de tomber sur eux.

Ils progressaient en aveugles, à la fois prudents et pressés. Frédérique, à la remorque de son guide, évitait les flaques, car elle craignait le simple bruit des éclaboussures ; elle posait chaque fois son pied avec précaution. De toute manière, ils avançaient par à-coups, de mur en mur. Ils s'arrêtaient, écoutaient, repartaient.

À un moment, ils entendirent des voix assourdies par le brouillard, des hommes qui s'interpellaient. Les fuyards restèrent figés, respirant à peine, car le son paraissait terriblement proche, et pourtant étouffé. Et si la brume se déchirait, et si soudain ils se trouvaient dévoilés, comme nus aux yeux de leurs poursuivants? Mais les hommes qui les cherchaient utilisaient sûrement des lampes torches, alors que Frédérique ne distinguait pas la moindre lueur.

Enfin, Ouri se décolla du mur et l'entraîna en avant. Arrivait-il seulement à se situer dans cette purée de pois? Il avait quitté Arkadie depuis déjà deux ans, il avait eu amplement le temps d'oublier la configuration des lieux. Ces ruelles semblaient un véritable labyrinthe.

Ils continuèrent ainsi, encore et encore, sous le double manteau de la brume et de la nuit. Finalement, les murs devinrent plus rares, de plus en plus éloignés, et les pauses entre chaque avancée se prolongèrent. Et puis, il n'y eut plus que les hautes tiges de blé, mur bien fragile devant eux, si fragile qu'Ouri s'y enfonça, et Frédérique derrière lui. Les tiges pliaient sous leur pas, les voyageurs laissaient une profonde trace dans le champ trempé.

Tout à coup, une lueur apparut, carré de clarté dans une grande ombre. Des bâtiments de ferme, une fenêtre éclairée. Ouri poussa Frédérique plus loin. Il s'arrêta à l'abri d'un autre mur, tout noir, très haut. Une grange. Il chuchota:

— On a pris au sud. Ils ne devraient pas trouver notre piste tout de suite.

Il parlait sans doute plus pour se rassurer lui-même, car Frédérique n'écoutait pas vraiment. Ou plutôt, oui, elle écoutait le murmure de sa voix, pas ses paroles.

Un bêlement derrière le mur. Dans la grange, on percevait leur présence. Les fermiers entendraient-ils, sortiraient-ils dans la brume pour chasser les intrus?

Mais la brume, soudain, se déchira dans un bruissement : la pluie, de nouveau, les grosses gouttes froides d'une averse bien serrée. Ouri émit une sorte de soupir, et il se lança de nouveau en avant.

Ils empruntèrent quelque temps une route déserte ou, à tout le moins, un chemin relativement aplani, creusé d'ornières remplies d'eau. Un rempart gigantesque s'élevait sur leur droite. Les arbres. Bifurquant tout à coup, Ouri se décida à traverser vers le couvert de la forêt.

Ils s'engouffrèrent sous le toit des branches. Le feuillage formait un abri tout relatif, car parfois une trombe s'abattait sur eux, lâchée par des rameaux alourdis. Ouri avait ralenti le rythme, il cherchait les passages les plus dégagés, évitant de casser des branches, de laisser des traces. La pluie glacée était pourtant une bénédiction, car, avant le jour, elle aurait effacé l'empreinte de leurs pas sur la route. Si les épis dans le champ ne se redressaient pas avant que des yeux inamicaux les aperçoivent, du moins n'indiqueraient-ils qu'une direction générale, vers la forêt, la vaste, la dense forêt arkadienne.

Maintenant qu'elle était cachée au regard, Frédérique ressentait plus intensément la fatigue, la lourdeur de ses membres. Il fallait toutefois tenir bon, continuer, ne pas trébucher, ne pas imprimer sa marque sur la forêt protectrice. Toute sa pensée se concentra sur les pas, encore un, encore, et encore.

Quand Ouri s'arrêta enfin, elle ne s'en rendit compte qu'en le heurtant. Il la retint, car elle vacillait. Il renversa la tête vers l'arrière, et elle crut qu'il désirait simplement rafraîchir son visage sous la pluie. Elle l'imita. C'était bon. Au bout d'un moment, il chuchota :

— Est-ce que tu sais grimper aux arbres ?

Elle ne s'était pas livrée à ce genre d'activité depuis son enfance et, de toute façon, ce qui poussait sur la propriété de sa famille, c'étaient des arbres fruitiers qui pouvaient sembler de taille respectable à une petite fille mais qui auraient paru ridiculement petits ici, dans la forêt arkadienne. Les troncs les plus proches, là où elle se tenait avec Ouri, étaient si imposants qu'en les enlaçant, les bras de plusieurs adultes ne pouvaient en faire le tour. Leur cime était si lointaine que les branches les plus basses étaient mortes, ce qui avait permis aux fuyards, d'ailleurs, de se frayer un chemin sans trop de difficulté.

Mais, bon, la question d'Ouri n'avait pas pour but de lui tirer un récit de son enfance et encore moins des réflexions sur la forêt arkadienne. Frédérique haussa les épaules :

— Je suppose.

Ouri continua à avancer, le nez en l'air, les mains tâtant les troncs. Enfin, il murmura :

— Si je te soulève, tu peux attraper une branche basse ? Attention de ne pas t'agripper à une branche morte, elle ne supporterait pas ton poids.

Frédérique resta d'abord immobile, incapable de bouger. Ouri tendit ses mains en coupe, à mi-cuisse ; elle y posa un pied et, avec un ahanement, il la souleva d'un coup. Elle avait dressé les mains au-dessus de sa tête et attrapa une grosse branche bien feuillue. L'écorce était rugueuse sous ses paumes, mais, malgré tout, elle sentit ses mains glisser et resserra sa prise. Elle se hissa en gigotant, avec maladresse, un coude d'abord, puis une jambe, et se retrouva assise à califourchon sur la branche.

— Ne reste pas là, lui intima Ouri, grimpe !

Heureusement, ses mains trouvèrent une autre prise, elle s'accrocha et parvint à se redresser. Les branches s'étageaient de proche en proche et, même si la pluie avait rendu la surface glissante, il était presque facile de gravir cette échelle naturelle. Elle monta, sans chercher à voir où cela la menait, jusqu'à ce qu'elle sente un frémissement dans les ramures, l'effet du poids d'Ouri qui grimpait à son tour. Elle s'arrêta pour l'attendre, collée au tronc, les yeux fermés, et sursauta quand la main d'Ouri lui toucha la jambe.

— Monte encore.

Elle obéit et découvrit qu'un peu plus haut, le tronc se divisait en deux sections. Ses branches dressées comme des bras en prière formaient une sorte de creux, un berceau qui sentait le bois mouillé et les feuilles mortes. Un étroit berceau de branches… suspendu à combien de mètres dans les airs ?

Elle s'inséra dans le creux, bientôt suivie d'Ouri qui se coula contre elle, qui lui entoura la taille de son bras.

— N'aie pas peur. On ne peut pas tomber, tu vois, on est coincés.

C'était vrai. Ouri n'avait même pas ôté les sacs qu'il portait, et il tenta de les disposer de son mieux pour ne pas rendre leur position encore plus inconfortable, mais c'était difficile de remuer ne serait-ce que le petit doigt.

Frédérique ne dit rien, serrée contre la poitrine de son compagnon, le visage dans son cou. Si seulement la pluie pouvait cesser, ainsi tassés l'un contre l'autre, ils se tiendraient chaud. Pour le moment, elle était si trempée, si épuisée, qu'elle grelottait au point de claquer des dents.

Ouri referma ses bras autour d'elle pour mieux l'envelopper. Malgré l'épuisement, Frédérique s'était raidie, attentive à ce que ressentait son corps, à la chaleureuse présence d'Ouri si proche, enfin.

Cette nuit, il ne pouvait pas l'abandonner ni la fuir. Elle pouvait le questionner, si elle le souhaitait… et elle s'en trouvait étrangement intimidée. Maintenant qu'il était là, toutes les questions qu'elle s'était posées à son sujet semblaient bien futiles.

Pourquoi ne pouvait-elle se laisser aller contre lui ? Elle frissonna. Ouri remua.

— Ça ira ?

— Méline te prenait pour un Cristobalien, un espion chinois.

Il ne répliqua pas, et elle crut qu'il ne dirait rien. Elle ferma les yeux, même si elle ne pensait pas qu'elle parviendrait à dormir dans cette position précaire. Trop de pensées se bousculaient en elle, comme si son cerveau effectuait une sorte de rattrapage après avoir été engourdi durant des heures, au moment du… de son geste, et ensuite, durant toute leur fuite.

Elle s'efforça de respirer avec lenteur, au même rythme que la forêt. Les bruits nocturnes semblaient lointains, étouffés par la pluie. Il y avait le soupir du vent dans les feuilles, et un petit bruit d'égouttement. Une sorte de top-top, aussi, comme le martèlement de gouttes plus grosses sur une branche.

La voix d'Ouri souffla :

— Pourquoi tu as fait *ça* ?

Lui aussi semblait incapable d'utiliser le mot exact. Tuer. Assassiner. *Un meurtre. J'ai commis un meurtre.*

— Je ne sais pas.

C'était l'exacte vérité. Elle n'avait pas prévu ce qui était arrivé. Ne l'avait pas voulu. Elle se souvenait à peine des gestes faits.

— Peut-être parce qu'il a voulu me droguer à l'amplix… ça m'a choquée. Il ne voyait pas de problème à se piquer, pour lui, c'était anodin, alors qu'il a causé tant de mal à tant de gens avec ça… J'avais apporté avec moi l'injecteur et l'ampoule que tu avais remis à Nora… ne me demande pas pourquoi.

Elle ne lui dirait pas qu'elle s'inquiétait pour lui, qu'elle ne songeait qu'à lui. Elle avait perçu son tressaillement à la mention de la drogue. Elle ajouta :

— Après, j'ai pensé qu'il pouvait bien être son propre cobaye pour une fois.

Lentement, il relâcha l'air de ses poumons, comme s'il avait retenu son souffle tandis qu'elle parlait. Elle attendit une remarque, ou bien une autre question, mais il resta silencieux.

— Méline m'a aussi dit... que c'est toi qui étais allé vers eux la première fois, que tu avais consommé de l'amplix volontairement.

Il ne répondit pas tout de suite, et elle crut encore qu'il se tairait. Pourtant, au bout d'un moment, il demanda :

— Tu as vu ma mère ?

Elle pencha un peu la tête vers l'arrière pour le regarder, mais elle ne distinguait pas l'expression de son visage dans le noir.

— Oui.

— Elle t'a parlé de l'émeute, de l'incendie ?

Elle ne saisissait pas où il voulait en venir, mais elle acquiesça d'un signe de tête, mouvement qu'il perçut puisqu'il reprit :

— Elle t'a dit que j'y avais participé ?

— Tu avais neuf ans !

— J'étais avec les énervés, les fortes têtes. Ça m'amusait. J'ai lancé un cocktail Molotov. Je suis l'un de ceux qui ont mis le feu. Alors, quand j'ai vu ma mère, après...

Elle se serra plus étroitement contre lui.

— Tu n'étais qu'un enfant.

— J'étais assez grand pour savoir que ce que j'avais fait était mal.

— Et ton frère ?

Il tressaillit.

— Ma mère t'a parlé de Sacha ?

— Elle m'a seulement dit qu'elle l'avait perdu, comme elle a perdu son mari.

— Oui.

Elle le sentait troublé, hésitant. Elle aurait voulu ravaler ses paroles de tout à l'heure, retourner en arrière et ne pas parler de l'amplix, ne pas lancer Ouri dans ces confidences qui le laissaient tout tremblant contre elle.

Il s'était tu, elle ne saurait jamais pourquoi la remarque de Méline sur l'amplix avait amené Ouri à parler de sa mère… Cependant, elle pouvait établir le lien elle-même. Un enfant rongé par la culpabilité qui arrive au seuil de l'adolescence… Il avait cherché à oublier, à s'étourdir comme il le pouvait. Quelle substance avait-il dénichée, en premier lieu, pour « geler » ses émotions ? Et quand les mercenaires étaient débarqués… La drogue apportée par les étrangers avait sans doute été très attirante. Cela expliquait même le « différend » entre lui et Rossy : Ouri avait espionné les mercenaires, mais Rossy n'avait pas accordé foi aux informations que rapportait un jeune drogué…

Et Ouri s'en était sorti, il avait fait ce qu'il fallait, ce qu'un chef, un héros aurait fait : il s'était exilé sur Cristobal, était allé en désintoxication, puis il était revenu en apportant l'amplibéta pour aider les autres Arkadiens rendus dépendants par les mercenaires.

Méline avait gâché tout cela. Il avait suffi d'une seule dose pour qu'Ouri replonge dans la dépendance. Il avait failli en mourir. L'exil, les mois d'effort en désintox, tout ça n'avait servi à rien. Et maintenant, à cause d'elle, Ouri devait se présenter devant Rossy… et il était toujours un drogué.

Elle comprenait sa tristesse et son amertume, et elle ne lui demanderait plus rien.

Dans la nuit froide et humide, il ne resta plus que le vent, la pluie, leurs souffles entremêlés, leurs poitrines qui se soulevaient et s'abaissaient en un seul mouvement, un seul corps.

Chapitre 16

Elle ouvrit les yeux dans une mer de blancheur.

Le jour était levé – des oiseaux l'attestaient, qui croassaient dans le lointain –, mais le soleil demeurait caché. Un lourd voile de brouillard effaçait le monde, à peine effiloché par endroits là où une branche parvenait à le percer. Même les feuilles, qui formaient un vaste auvent végétal encore humide des averses de la nuit, s'effaçaient dans la chape de brume. Frédérique remua les mains et les pieds, pour chasser le désagréable picotement qui l'envahissait. Elle avait envie d'uriner et une désagréable odeur de tissu mouillé l'enveloppait avec le brouillard. Mais force était de constater qu'elle avait dormi. Combien de temps ?

Elle se rendit compte qu'Ouri l'observait entre ses cils.

— Tu es réveillé ?

Il murmura :

— Il va falloir bouger prudemment. On est engourdis.

Le brouillard, à tout le moins, offrait un avantage : comme elle ne pouvait voir en bas, Frédérique ne risquait pas d'éprouver le vertige. Ouri la repoussa un peu pour se redresser, s'étirer, replacer les deux sacs qu'il portait toujours en bandoulière. Puis, agrippant l'une des branches maîtresses, il se dégagea du creux, non sans une grimace de douleur. Frédérique ouvrit la bouche, la referma sans rien dire. Ni sollicitude ni encouragement ne seraient d'une grande utilité. Elle profita plutôt de l'espace dont elle disposait après son départ pour remuer les bras et les jambes avant de se risquer à son tour dans la descente.

Sous ses paumes moites, l'arbre lui parut soudain vivant, un géant qui retenait son souffle tandis que d'insignifiantes créatures y ayant niché pour la nuit se faufilaient entre ses branches. La forêt manifestait son éveil à travers les chants d'oiseaux, sifflements obstinés qui répondaient aux croassements étouffés.

Elle sut qu'elle avait atteint les branches les plus basses quand elle entendit Ouri :

— C'est bon, tu y es. Saute.

Elle se laissa pendre un instant dans le vide, étirant la pointe de ses pieds dans l'espoir absurde de toucher le sol. Finalement, elle lâcha prise et atterrit en douceur sur un plancher de mousse encore spongieux des eaux de la veille.

Ouri avait, de ses mains, creusé dans la mousse un trou peu profond où ils se soulagèrent pudiquement à tour de rôle. Ils recouvrirent leurs traces. Si les mercenaires comptaient dans leurs rangs quelques habitués de la survie en forêt, cela ne tromperait guère un pisteur, mais encore fallait-il que la chasse se rende jusqu'ici.

Ils se permirent chacun quelques gorgées à la gourde, puis Ouri sépara le pain et le fromage qu'il avait apportés. Il faudrait se contenter de ce frugal petit-déjeuner pour le moment. Peut-être plus loin, là où la forêt devenait moins dense, dénicheraient-ils des baies ou des plantes comestibles.

— On a une longue route devant nous ? demanda Frédérique.

Ouri haussa les épaules, laconique.

— On a fait un grand détour.

— Et où on va ?

— Au refuge des arachnes.

Sylvio avait mentionné cet endroit. Les arachnes étaient des oiseaux arkadiens, Frédérique le savait. Le « refuge des arachnes » était donc un lieu en forêt, sans doute fréquenté par ces volatiles. Le campement des hommes d'Alber Rossy... qu'Ouri avait refusé de rencontrer et à qui, à cause d'elle, il se voyait maintenant obligé de réclamer aide et protection.

— Je suis désolée, souffla-t-elle.

Nouveau haussement d'épaules.

Ils progressèrent comme la veille, en prenant garde de casser la moindre branche, cherchant leur chemin là où le sol ferme ne conserverait pas l'empreinte de leurs chaussures. La forêt s'animait autour d'eux de cris que Frédérique eût été bien en peine d'identifier. Parfois, elle percevait un mouvement vif dans les branches au-dessus d'elle et, levant la tête, elle ne voyait qu'un éclat gris-brun, la queue touffue d'un fourreuil. Les insectes, eux, se montraient bien moins timides et ne se gênaient pas pour harceler les marcheurs.

Puis, un cri horrible s'éleva dans l'air humide, une sorte de crissement tellement strident que Frédérique en grinça des dents. On aurait dit le bruit d'une puissante poulie de métal complètement rouillée. Frédérique s'était figée sur place. Il lui sembla que le cri avait déchiré le tissu même de la brume, qui s'effilocha d'un coup. Là-haut, au-dessus des arbres, le soleil parut soudain, si éclatant que ses rayons se faufilèrent entre les branches, à travers les feuilles, jusqu'à elle.

Ouri rejoignit sa compagne.

— On appelle cet oiseau le tournevent, parce que son cri est si aigre qu'on dit qu'il fait virer le vent.

Frédérique hocha la tête d'un air dubitatif. L'oiseau avait crié parce qu'il avait senti le vent changer, et non le contraire, mais elle n'allait pas mettre en doute les légendes arkadiennes. Et puis elle vit le sourire qu'Ouri tentait de dissimuler. Allons, il se moquait d'elle, et elle était trop heureuse de se laisser taquiner par lui pour émettre le moindre reproche.

Si seulement le cri du tournevent pouvait chasser les mouches !

Plus loin, un oiseau gris de bonne envergure s'éleva brusquement d'un arbre dans un grand froissement d'ailes, et il poussa à nouveau ce cri grinçant, moins puissant que la première fois mais suffisamment strident pour forcer Frédérique à rentrer la tête entre les épaules. Elle n'osait imaginer ce que donnerait un concert de tout un groupe de ces oiseaux ; de quoi rendre fou, certes.

Quoi qu'il en fût, leur progression n'était pas facilitée par la chaleur qui régnait maintenant sous les arbres et Frédérique avait bien d'autres soucis que le chant des oiseaux arkadiens.

La matinée n'était pas très avancée quand ils atteignirent la Jadière. Ouri expliqua brièvement qu'ils se trouvaient bien plus au sud que l'endroit où ils avaient traversé à leur arrivée à Bourg-Paradis. À cette hauteur, la rivière décrivait son dernier grand méandre avant d'entreprendre sa descente vers l'océan, là-bas dans le sud. Plus loin, le courant devenait plus rapide et il serait trop dangereux de s'y jeter sans une embarcation. Ils n'avaient pas le choix de franchir le cours d'eau ici, dans le courant plus calme, mais la proximité du village augmentait le risque d'être vus par d'éventuels pêcheurs.

Ils restèrent tapis dans l'ombre des fourrés un long moment à épier le moindre mouvement. Ils avaient bien peu de chances de surprendre les mercenaires qui auraient été lancés sur leur piste, car des guetteurs postés avant leur arrivée ne trahiraient pas aussi stupidement leur présence. Les fuyards, eux, ne pouvaient attendre la tombée du jour avant de bouger.

Ils se glissèrent dans l'eau à l'abri d'un bosquet et nagèrent. Des arbres se penchaient bas sur la rive opposée, comme des pèlerins venus y boire. Ouri et Frédérique sortirent de l'onde sous la protection des branches et restèrent encore une fois immobiles un long moment avant de se remettre en mouvement. Ouri profita de la pause pour tirer d'un des sacs un petit injecteur et programmer sa dose d'amplibéta. Frédérique ne put voir combien il lui restait des quatre minuscules ampoules envoyées par Alber Rossy, mais elle se doutait bien qu'il ne s'accordait que le minimum nécessaire.

Lorsqu'ils se remirent en route, Frédérique se rendit compte qu'ils avaient rejoint le marécage traversé à l'aller et qui s'étendait sur la rive est de la Jadière. La forêt était constituée d'arbres très anciens au tronc énorme, dotés de larges racines qui émergeaient du sol spongieux comme les pales d'une roue écrasée par leur poids. Leurs branches supérieures se couvraient d'une sorte de tissu végétal vaporeux, tel un châle qu'une géante aurait jeté sur la forêt, un châle aux nuances vert-de-gris, qui assombrissait l'atmosphère. Les arbres étaient des cornolis, indiqua Ouri, et l'espèce de tissu végétal qui les couvrait se nommait l'orlane. Cette dernière produisait une sève résineuse qui rendait sa surface collante telle une toile d'araignée où les insectes restaient prisonniers. Le ton doctoral employé par Ouri contenait un vague reproche, comme si Frédérique aurait dû savoir tout cela déjà.

Il ne poussait rien aux pieds des cornolis sinon de la mousse et il régnait une vague odeur de moisi. De nombreuses mares, dissimulées sous le couvert moussu, tendaient un traquenard au marcheur imprudent. Il fallait tâter le sol et s'assurer de sa fermeté avant d'avancer, cela accompagné du bourdonnement incessant des moustiques et d'un tas d'autres bestioles. L'orlane était peut-être un piège à insectes, ça ne rendait pas la forêt moins infestée.

Et puis, soudain, de grands oiseaux pourpres s'envolèrent en poussant un cri aigu, moins strident que celui des tournevents, mais pas vraiment plus harmonieux. Frédérique devina leur présence plus qu'elle ne les vit au brusque battement d'ailes qui troubla l'air au-dessus de sa tête et agita le voile végétal. Elle n'avait distingué qu'un éclair rouge vif, mais elle comprenait maintenant pourquoi Ouri lui avait reproché son ignorance : même si l'on savait peu de chose d'Arkadie dans les sphères du Monde où Frédérique avait évolué, on connaissait cet oiseau surnommé le merle rouge, l'arachne qui se nourrissait, telle une araignée, des insectes restés prisonniers de la toile végétale qui parasitait les cornolis.

Les arachnes… Le refuge des arachnes ?

Frédérique demanda avec espoir :

— Est-ce qu'on est arrivés ?

Ouri secoua négativement la tête, l'air navré.

— Le camp de Rossy change souvent d'endroit, pour éviter que quelqu'un révèle son emplacement. Il y a des années, c'était dans ces marais, et le nom est resté. On est encore à plus d'un jour de marche.

— Alors, allons-y, soupira Frédérique.

Ouri n'en avait pas terminé avec son rôle de professeur. Comme Frédérique peinait à sortir son pied droit enfoncé dans le sol spongieux, Ouri lui saisit le bras et désigna quelque chose sous le couvert fangeux des cornolis. Frédérique suivit la direction indiquée et demeura interdite. Là-bas, une orlane avait pris un bien étrange insecte dans sa toile, une proie trop énorme pour le bec des arachnes. La mousse et le tissu végétal enveloppaient la carcasse d'un engin doté d'un bras articulé qui se tenait, tel un parasite métallique, levé contre le tronc d'un arbre. La cabine semblait en partie écrasée, et le seul pneu encore visible n'était plus qu'un moignon caoutchouteux.

Qu'est-ce qui avait mené cet engin dans le marais ? Son opérateur avait-il tenté de fuir au début du conflit ?

Ou bien la machinerie avait-elle été volée par un imbécile qui avait cru la dissimuler dans les marais? Quoi qu'il en fût, l'appareil s'était embourbé dans le sol trop mou et, prisonnier du marécage, il achevait de rouiller dans l'incessant bourdonnement des insectes.

Ouri n'émit aucun commentaire et Frédérique ne lui demanda pas s'il connaissait l'étrange concours de circonstances qui avait amené ce gros insecte dans la toile d'un cornoli. Elle ne tenait pas vraiment à le savoir, c'était déjà bien assez effrayant d'imaginer qu'on pouvait rester à jamais prisonnier des marécages.

La pénible progression ne dura pas très longtemps, car le marais n'occupait qu'un étroit territoire entre la Jadière et la chaîne du Redan, qui n'était plus que de basses collines, ici, des collines qui reprendraient un peu d'altitude plus au sud. Toutefois, la végétation sur leur flanc était aussi rare que là-bas dans le nord, et Ouri annonça qu'ils ne les franchiraient pas en pleine clarté. Du reste, l'après-midi tirait à sa fin, le crépuscule s'annonçait déjà.

Ils dénichèrent un bosquet en terrain sec et s'y reposèrent. Ouri partagea avec sa compagne un autre morceau de pain et de la viande séchée qu'ils mastiquèrent péniblement, économisant l'eau.

Étendue contre Ouri dans l'herbe rêche sous le bosquet, Frédérique demanda:

— Tu ne veux pas... remonter vers le nord?

Ils auraient pu chercher refuge auprès des femmes de la famille Korasi, auprès de la mère d'Ouri. Les rebelles se risqueraient-ils dans les grottes, même pour mettre la main sur la meurtrière de leur chef?

Ouri secoua négativement la tête.

— Il faut que je voie Rossy.

C'était vrai, il fallait encore prévenir les rebelles de ne pas tenter une attaque à Howell, où la soi-disant visite du coordonnateur était un piège.

Frédérique s'endormit. Ouri la réveilla à la nuit tombée. Le ciel était toujours dégagé et, en s'extirpant du bosquet, Frédérique aperçut des myriades d'étoiles qui y scintillaient.

Ils gravirent le flanc de la colline. Il est plus difficile de ne pas laisser de trace quand on doit trouver son chemin à tâtons dans l'obscurité et Frédérique suivait Ouri de son mieux. Par moments, elle jugeait toutes ces précautions futiles. Elle n'avait pas entendu ni vu l'hélijet depuis le jour de son arrivée sur Arkadie et, même s'il était indéniable que les mercenaires devaient s'être lancés à sa recherche, l'éloignement rendait le danger un peu irréel.

Le danger véritable, c'était la nuit, c'étaient les cailloux qui se détachaient et roulaient sous ses pieds dans la pente abrupte, tandis qu'elle descendait le flanc est du Bas-Redan, c'était la créature inconnue qui détalait soudain devant elle, lui causant une telle frayeur qu'elle croyait que son cœur allait cesser de battre.

Ouri lui prit la main, sa paume tiède offrait un contact rassurant.

Bientôt, Frédérique perçut le murmure d'un ruisseau, qu'ils atteignirent peu après. Ce n'était pas encore le couvert de la forêt, mais ils firent une nouvelle pause pour se rafraîchir. Ouri remplit la gourde et ils se remirent en route.

Frédérique fut infiniment soulagée quand ils pénétrèrent enfin sous les arbres. Elle se serait aussitôt arrêtée, mais Ouri l'entraîna encore plus loin, plus profondément dans la forêt, avant d'admettre que, oui, ils seraient à l'abri pour terminer la nuit.

◆

Il y avait des yeux qui l'observaient, deux billes de couleur claire qui exprimaient autant la curiosité que la prudence. Le museau gris pâle, presque pointu, était froncé, et d'ailleurs la créature se grattait la tête avec une patte longue et mince dotée de griffes noires acérées. Elle se tenait sur ses pattes de derrière, juchée sur une grosse branche morte tombée au sol. Le corps longiligne, à peu près de la taille d'un avant-bras adulte, paraissait souple, fait pour ramper et se faufiler dans un trou tout autant que pour courir.

Frédérique cligna des yeux. Il lui semblait vraiment que la créature lui rendait son regard. Elle se redressa sur un coude et, en une fraction de seconde, la petite bête disparut derrière l'arbre près duquel elle s'était tenue. Frédérique acheva de s'asseoir et bâilla.

Le jour se levait à peine, les rayons du soleil se discernaient à l'horizon, entre les plus basses branches des arbres. Ouri dormait encore mais, quand Frédérique se leva, il ouvrit les yeux à son tour et se redressa.

— Qu'est-ce que tu fabriques ?

Frédérique contournait le vieil arbre noueux derrière lequel la créature avait disparu. Elle décrivit leur visiteur et Ouri expliqua :

— Un lourat. Il vit probablement dans un trou quelque part dans le tronc. S'il nous restait un long trajet à faire, j'essaierais de le piéger, ça nous fournirait un vrai repas.

Frédérique le dévisagea d'un air outragé. Le lourat avait veillé sur son sommeil, c'était en quelque sorte une présence amicale, bienfaisante… Ouri ajouta, avec un sourire en coin :

— Tu en penserais moins de bien s'il nous avait piqué nos provisions. D'ailleurs…

Il vida le sac qui lui avait servi d'oreiller. Il ne restait pas grand-chose, et il partagea ce peu en parts égales. Frédérique mâcha son morceau de viande séchée en se demandant ce que goûtait la chair de lourat. Sans regret, toutefois, car, après tout, dans le nom de la petite bête, il y avait le mot « rat ».

En début d'après-midi, ils pénétrèrent dans une zone de végétation très dense. Les arbres y étaient gigantesques, certains avaient une écorce plissée qui évoquait la peau de vieillards. Beaucoup de branches basses étaient mortes, mais les cimes s'épanouissaient. Les ramures en éventail formaient un écran entre la lumière du soleil et le sol, où poussait une végétation rare, constituée surtout de plantes grimpantes qui, en s'élevant le long des troncs, allaient quérir la lumière où elle régnait.

Après quelques pas dans l'ombre, Ouri s'arrêta pour émettre un long sifflement aigu qui évoquait celui des arachnes rencontrés la veille. Il resta un moment à l'écoute, le visage anxieux. Frédérique ne perçut aucune réponse. Ouri se remit en marche, et elle le suivit sans un mot. Ils progressèrent avec peine entre les branches enchevêtrées auxquelles s'accrochaient les tiges des espèces de lianes qui avaient envahi la partie inférieure de la forêt.

Ouri avançait le nez en l'air, il cherchait quelque chose. Un indice de la présence des rebelles, peut-être ? Et si les hommes d'Alber Rossy avaient tous quitté leur refuge, s'ils étaient en train de se battre dans l'est, à Howell, pendant qu'Ouri et Frédérique tentaient de les rejoindre ici, en vain ?

Mais Ouri ne semblait nullement inquiet. Il s'arrêta près d'un tronc au diamètre impressionnant, jeta un regard entendu vers Frédérique, pour l'inciter à l'imiter, puis il se mit à grimper. Frédérique l'observa un moment avant de se décider à le suivre. C'était plus facile qu'elle ne s'y attendait, même si la fatigue et le manque de nourriture l'affaiblissaient. Les replis de l'écorce offraient de multiples prises, ils faisaient même saillie à certains endroits. Avec les lianes qui entouraient le tronc, l'escalade était à la portée même d'une Cristobalienne épuisée.

Frédérique monta, concentrée sur les gestes à faire, la prise à trouver, l'endroit où placer le pied, une lente progression qui la hissa sous le couvert des feuilles, jusqu'à la main qu'Ouri lui tendait depuis une grosse branche sur laquelle il était juché. Frédérique s'installa près de lui, haletante.

À cette hauteur, un peu de lumière filtrait entre les rameaux, loin au-dessus d'eux, alors que le sol n'était déjà plus visible en dessous, noyé dans la pénombre. Les grimpeurs se tenaient dans une sorte d'entre-monde, un océan de verdure qui s'étendait autour d'eux presque à l'infini. Des branches s'enchevêtraient d'un arbre à l'autre, en un réseau si serré qu'il évoquait la structure d'une passerelle, si l'on pouvait concevoir une passerelle à la forme ondulante et courbée.

Avec des gestes prudents, Ouri se glissa sur cet étroit pont naturel et gagna l'arbre voisin, où un nouveau passage s'offrait vers l'arbre suivant. Frédérique imita son guide en s'agrippant à tout ce qui semblait offrir une prise solide. Ils suivirent ainsi, durant un bon moment, ce sentier aérien. Frédérique s'efforçait de considérer les plus grosses branches comme des poutres et, en effet, il lui sembla bientôt que des tiges mortes avaient été tressées autour des branches vivantes pour rendre la progression plus aisée. À quelques reprises, Ouri poussa son sifflement d'arachne et, à un certain moment, Frédérique crut entendre une réponse.

Elle progressait en ne regardant que ses pieds quand elle se rendit compte qu'Ouri s'était arrêté. Ils se trouvaient au milieu d'un passage et Frédérique, les doigts serrés autour d'une branche, n'aimait pas du tout sentir la passerelle osciller sous leur poids combiné. Pourquoi Ouri n'avançait-il plus ? Elle jeta un coup d'œil vers l'avant, par-dessus l'épaule de son compagnon.

L'arbre vers lequel ils se dirigeaient possédait un tronc immense. Et, dans le creux de ce tronc, il y avait ce que Frédérique confondit d'abord avec une sculpture représentant la silhouette d'un homme accroupi, tenant un fusil en travers de ses genoux. Puis, la « statue » cligna des paupières, dissipant l'illusion. Les vêtements couleur d'écorce et de feuilles, la peau teintée de vert: l'homme se fondait dans le décor. Même le métal de son arme avait été terni de façon à ne pas trahir sa présence. Il bougea, d'un geste lent, montrant la passerelle à sa droite d'un signe de tête, mais il ne quitta pas son poste ni n'adressa la parole aux visiteurs.

Frédérique suivit Ouri dans la direction indiquée, sans pouvoir détacher son regard du guetteur, qui le lui rendit sans broncher.

La passerelle sur laquelle ils s'engagèrent ploya sous leur poids. Elle était plus longue que toutes celles qu'ils avaient traversées, et probablement conçue de manière à pouvoir être détruite à la moindre alerte. Bientôt, ils parvinrent à une sorte de palan, un plancher formé de tiges tressées tendues entre les troncs de plusieurs arbres rapprochés. Le feuillage abondant faisait office de toit et créait l'illusion qu'on entrait dans une salle végétale. Une demi-douzaine d'hommes se tenaient là, accroupis dans la même pose que le guetteur, tous vêtus et maquillés de vert, et tous armés.

Aucun mot de bienvenue ne fut prononcé. Ouri s'arrêta en face de ce muet comité d'accueil. Il s'accroupit à son tour, l'air las, les épaules affaissées, et c'était là une attitude soumise. Non sans une certaine répugnance, Frédérique s'installa près de lui. Son regard balaya le groupe en face d'elle, pendant qu'elle cherchait à deviner lequel de ces hommes était Alber Rossy, s'il se trouvait parmi eux. Elle paria pour l'homme placé au centre, dont l'attitude avait quelque chose de hautain, de dominateur. Il avait le teint très brun, les cheveux grisonnants, et dégageait une impression de force contenue. Il désigna Frédérique de la main et posa une question dans la langue commune. Ouri répondit d'un ton tout aussi interrogateur. Le rebelle fronça les sourcils. Frédérique demanda:

— Qu'est-ce qui se passe ?

— Rossy me demandait pourquoi je t'ai emmenée avec moi. Ils ne sont pas au courant, aucun messager n'est venu depuis que les derniers combattants sont arrivés.

Les derniers combattants. Méline ne s'était pas trompé : lorsque la rumeur d'une visite du coordonnateur à Howell s'était répandue, le village s'était vidé de ses hommes les plus décidés, alléchés par la perspective de lancer un assaut décisif. Frédérique se tourna vers Alber Rossy :

— Le coordonnateur n'ira pas à Howell, sa soi-disant visite là-bas est un piège pour vous y attirer.

Ouri traduisit. Le regard de Rossy se posa sur elle, et il sembla à Frédérique que le chef des rebelles la soupesait tandis qu'il parlait. Ouri soupira :

— Il dit que, pour lui, il s'agit plutôt d'un rendez-vous. Méline a fixé le lieu, Howell, et il attend que Rossy et ses hommes fixent le moment.

Ouri continua dans la langue commune, à l'adresse de Rossy. Frédérique ne saisit que le nom de Méline. Ouri annonçait sans doute la mort du mercenaire, car les hommes accroupis de part et d'autre de Rossy échangèrent des regards étonnés et quelques murmures. Leur chef parut à peine troublé. L'homme assis à sa droite, sans doute le plus âgé du groupe, demanda d'une voix calme :

— Comment est-ce arrivé ?

Frédérique baissa les yeux sous le regard franc du vieil homme.

— Je lui ai injecté une dose mortelle d'amplix.

Le vieil homme traduisit pour ses compagnons. Nouveaux murmures. Levant les yeux, Frédérique perçut l'excitation de ses interlocuteurs. Rossy leva une main pour imposer le silence à ses hommes, à qui il s'adressa d'un ton intransigeant. Le vieil homme expliqua :

— Cela ne change rien pour nous, cela retardera seulement notre action, et encore... Nos adversaires seront d'autant plus pressés de se battre.

Frédérique se redressa, incrédule.

— Mais vous n'allez pas provoquer ce combat maintenant ? Pour le moment, vous avez le beau rôle, vous êtes les victimes de ces mercenaires, ce sont eux qui ont amené la violence sur Arkadie. Je m'apprête à rentrer chez moi, et j'ai l'intention de faire beaucoup de bruit pour obliger les autorités à rapatrier les hommes de Méline. Ce n'est qu'une question de temps...

Rossy écouta les propos transmis par son compagnon, puis il se redressa à son tour pour toiser l'étrangère. Les rebelles approuvèrent ses propos, que le vieil homme transmit lorsque le calme fut rétabli :

— Une question de temps, oui, mais de combien de temps encore ? Même si vous réussissez à ameuter l'opinion publique sur Cristobal, combien de mois faudra-t-il avant qu'une décision soit prise, avant qu'on ordonne à ces hommes de rentrer chez eux ? Cela n'a que trop duré. Nous allons reprendre le contrôle de notre planète, de nos ressources naturelles, et régler cette question une bonne fois pour toutes.

Lorsque son interprète se tut, Rossy parla à Ouri d'un ton dur, défiant son interlocuteur du regard. Autour du chef, quelques-uns des hommes paraissaient surpris, mais personne n'intervint – et personne ne se donna la peine de traduire pour Frédérique. Le défi silencieux dura un moment, puis Ouri murmura quelque chose et les traits de Rossy se durcirent. Les mots que le chef prononça alors en langue commune avaient un ton définitif. Frédérique suivit l'échange en écarquillant les yeux, comme si cela pouvait l'aider à saisir le sens des propos.

Ouri jeta simplement à voix basse :

— Viens, il faut qu'on se retire.

Chapitre 17

Frédérique avait craint que le « il faut qu'on se retire » de Ouri signifiait qu'ils devaient repartir aussitôt et reprendre leur fuite à travers la forêt sans eau, sans nourriture ni repos. Mais on conduisit les visiteurs, d'arbre en arbre, jusqu'à une plate-forme de taille modeste. En plus de l'abri du feuillage épais, une toile grossière était tendue pour former une sorte de tente, meublée en tout et pour tout d'une grande paillasse. À peine leur guide les y avait-il abandonnés qu'un autre homme arrivait, portant des provisions et de l'eau.

Ils se restaurèrent avec reconnaissance mais en silence. Ce n'étaient pourtant pas les questions qui manquaient ! Quelles paroles avaient échangées Ouri et le chef des rebelles, quel était encore ce « différend » qui, visiblement, les opposait ? Est-ce que Rossy, mécontent de la venue de la Cristobalienne, voulait livrer la meurtrière de Méline aux mercenaires ? Ou bien était-ce la présence d'Ouri qui était jugée indésirable – et, si oui, pourquoi ?

Tout ce qu'elle savait avec certitude, c'était que Rossy et ses hommes étaient bien décidés à livrer combat.

En gagnant cette plate-forme, Frédérique avait vu les multiples passerelles qui partaient dans toutes les directions et, même si les rebelles parlaient peu, et toujours à voix basse, elle percevait leur présence comme un bruissement semblable au chant du vent dans les feuilles. Combien d'hommes étaient réunis ici, combien d'autres plates-formes cachaient combien de tentes, combien de combattants ? Les hommes de Rossy étaient-ils suffisamment nombreux pour former une véritable force de frappe contre les mercenaires ? Ils possédaient des armes, Frédérique avait vu les fusils, mais en quelle quantité ? Cela suffirait-il contre les Cristobaliens ?

Et puis, ces hommes n'étaient pas des soldats, ils étaient les descendants de paisibles techniciens et mineurs, devenus par la force des choses des artisans et des cultivateurs. Savaient-ils seulement utiliser les armes qu'ils avaient volées aux mercenaires ?

Et pourquoi aucun messager n'était-il venu de Bourg-Paradis annoncer la mort de Méline ? Les mercenaires avaient-ils frappé si fort que personne n'avait pu s'échapper ? Mais Bourg-Paradis n'était-il pas un territoire neutre ?

Tant et tant de questions parmi lesquelles la plus poignante concernait Christane : avait-elle, avec Sylvio, atteint le refuge des arachnes ?

Cette dernière question, à tout le moins, obtint réponse rapidement. Tandis qu'Ouri et Frédérique mangeaient, leurs amis apparurent sur l'une des passerelles menant à leur abri. Christane embrassa Frédérique dans une étreinte brève mais féroce, puis elle la repoussa pour l'examiner.

— Est-ce que c'est vrai ce qu'on raconte ? Méline est mort… et c'est toi qui… ?

Frédérique l'admit avec un haussement d'épaules indifférent.

— Frédérique ! s'exclama Christane, consternée.

D'un arbre proche, des oiseaux s'envolèrent en protestant. Christane plaqua ses mains sur sa bouche.

Même si son exclamation avait été poussée d'un ton normal, cela avait claqué comme un cri dans le quasi-silence de la forêt.

Jusqu'à maintenant, Frédérique n'avait pas ressenti le besoin de justifier son geste. Comment l'aurait-elle pu ? Elle ignorait elle-même ce qui l'avait motivé. Mais le regard de Christane pesait sur elle, accusateur.

— Il a voulu m'injecter de l'amplix, à moi ! Il n'avait aucun remords, il se foutait totalement de tout le mal qu'il a fait avec cette drogue !

Sylvio tendit la main et lui serra le bras. Par compassion ou pour la remercier d'avoir vengé son frère ? Le jeune visage maquillé de vert montrait surtout une farouche détermination. Avec un soupir, Ouri tira à lui l'un de ses sacs et en sortit le minicom qu'il avait brandi, à bord du *Gagneur*, en guise de détonateur pour sa soi-disant bombe (y avait-il seulement eu un réel danger ou n'était-ce qu'un bluff ?) et qui, surtout, avait servi à guider les conteneurs dans leur cachette. Il le remit à Sylvio.

— J'ai oublié de donner ça à Alber. S'il veut utiliser les conteneurs, il en aura besoin.

Christane avait tressailli à la vue du mini-terminal. Elle vit que Frédérique portait son bracelet et tout son corps se tendit en direction d'Ouri qui sortit le second bracelet de son sac. Christane s'en empara, le glissa à son poignet avec un air extatique et le contempla comme s'il s'agissait du plus rare, du plus précieux des bijoux. Frédérique ne put s'empêcher de sourire. Malgré toutes ses déclarations sur le poids de la routine, sur son désir de transformer son existence, Christane ne rêvait qu'à une chose, elle aussi : retrouver la quiétude du *Gagneur* et rentrer à la maison.

Non ?

La pilote se tourna vers Sylvio.

— Tu te rends compte ? On peut reprendre la barge et transporter des renforts à Howell en moins de deux !

Sylvio montra plus de retenue. Il risqua un coup d'œil vers Frédérique, qui dévisageait son ex-associée avec stupeur.

— Tu n'es pas sérieuse ?

Elle l'était manifestement.

— Frédérique, on a une chance de mettre fin à ce conflit…

— La barge n'est pas armée, ce n'est pas un engin de guerre ! Comment peux-tu vouloir t'en servir de cette façon !

La pilote la toisa avec mépris.

— Et toi, es-tu en train de dire que ce n'était pas un acte de guerre, ce que tu as fait, et donc que tu as tué un homme de sang-froid ?

C'était injuste ! Plus tard, elle regretterait sûrement ses paroles… Mais, pour le moment, Christane Kurtz n'avait plus rien de la jeune femme agréable à vivre, amoureuse de l'amour et toujours prête à rire. Les traits de son visage étaient tendus, dépouillés de leur beauté.

Frédérique avait compté sur ces retrouvailles pour recouvrer une partie de son ancienne vie, de son ancienne réalité, et remettre son univers à l'endroit. Or, la Christane Kurtz qui avait partagé cette ancienne réalité n'existait plus, et le monde n'avait désormais plus aucun sens.

Ouri intervint d'une voix calme.

— Quels que soient vos projets, encore faut-il *d'abord* reprendre la barge. Méline et son successeur ne l'auront pas laissée sans surveillance, surtout maintenant. Ensuite, si nous réussissons, le premier objectif doit être de ramener Frédérique à son vaisseau.

Oh, Ouri.

Il ignorait les règles de la Guilde, bien entendu, il croyait que Frédérique pouvait simplement se pointer là-haut, en orbite, rembarquer dans le *Gagneur* et filer sans demander son reste… Un vaisseau abandonné, qui n'avait répondu aux appels répétés d'Agora que par un signal automatique, avait assurément été arraisonné maintenant. Les commandes verrouillées n'avaient pas empêché la police de la Guilde de le remorquer jusqu'à la station... Il y aurait des comptes à rendre, à tout le moins des explications à donner.

Christane ne l'ignorait pas, elle qui fixa sur Frédérique un regard lui intimant d'expliquer ces détails à Ouri. Frédérique ne dit rien. Au bout d'un moment, Christane déclara avec froideur :

— Pour reprendre la barge, il faudra des hommes armés, que Rossy devra détacher de son groupe. Il demandera quelque chose en échange.

— Sans doute, soupira Ouri.

La voix de Christane se fit plus conciliante :

— Les choses ici sont différentes de ce que vous pensiez, toi et Korasi. Explique-lui, Sylvio.

Le jeune homme obtempéra, embarrassé.

— Il y a eu des échanges d'informations entre Méline et Rossy. Ne me demande pas qui a servi de messager, je l'ignore, mais c'est comme ça que Méline a su, pour ton retour.

Ouri eut un geste de la main pour montrer qu'il y attachait peu d'importance, et Sylvio poursuivit :

— Le prétexte de la visite du coordonnateur à Howell, ce n'était vraiment pas un piège, Ouri, c'était plutôt une sorte de signal... Ça signifiait que Méline était prêt à accepter un affrontement.

Frédérique se redressa malgré elle. « J'ai bien l'intention d'en profiter jusqu'au bout », avait répliqué le mercenaire quand elle lui avait déclaré que son temps achevait. Cela entrait dans le jeu tel qu'il le concevait, bien sûr : un vrai combat, une vraie bataille comme dans une vraie guerre, les hommes face à face. Une boucherie.

— Mais, protesta Ouri, les Cristobaliens sont mieux armés que nous. Alber ne va quand même pas envoyer ses hommes au massacre !

— Toute la question est là, dans l'équilibre des forces, énonça Sylvio. Avec l'hélijet et les camions, Méline... enfin, les mercenaires peuvent se déplacer plus rapidement que nous, ils peuvent attendre de voir combien d'hommes Alber envoie à Howell, et, s'ils jugent que nous sommes trop nombreux, ils n'ont qu'à ne pas se montrer. C'est pour ça qu'Alber hésite encore. S'il envoie trop d'hommes, les mercenaires peuvent tout aussi bien les laisser se rendre gentiment jusqu'à Howell et, pendant que le gros de nos forces est là-bas, débarquer ici et attaquer le campement.

— Tu vois l'importance de la barge, insista Christane.

Frédérique eut l'impression que la pilote s'adressait à elle, mais Christane regardait Ouri.

— Avec un moyen de transport rapide, continua la pilote, Alber peut envoyer un nombre plus modeste de combattants pour attirer les mercenaires à Howell... puis nous débarquons avec des renforts pour nous assurer de la victoire.

De la *victoire* ! Frédérique n'en revenait pas. Dire qu'on lui reprochait d'avoir commis un crime, alors qu'on se rengorgeait d'une tuerie à venir !

En vérité, elle avait assassiné Méline en vain. Elle avait vu en lui le principal obstacle à la fin du conflit. Quelle bêtise ! Ces hommes étaient tous les mêmes, interchangeables quel que soit le camp auquel ils appartenaient. Et Christane était comme eux.

— Je comprends, admit Ouri, mais ça ne nous empêche pas de mettre Frédérique à l'abri là-haut.

Cette fois, le regard de Christane se porta sur elle.

— Dis-lui, Frée.

Elle était le centre de leur attention, maintenant, une attention qui pesait sur elle, qui lui écrasait les épaules.

— C'est trop tard, Ouri. Le *Gagneur* est resté abandonné trop longtemps, il aura été remorqué jusqu'à

Agora. Si je veux le reprendre, il faudra fournir des explications... Si j'étais retournée dans Agora en victime d'un acte de piraterie, cela se serait arrangé sans trop de problèmes... Mais maintenant que j'ai commis un crime... on exigera que je subisse la justice arkadienne avant de me rendre mon vaisseau.

Il la contempla en silence un moment, puis:

— Alors, raison de plus pour mettre fin à ce conflit.

◆

Frédérique fut admise à la réunion où Christane exposa à Rossy et à son état-major son désir de reprendre la barge. Dans son discours en français, la pilote usa du conditionnel, évitant de dicter sa conduite au chef des rebelles. Frédérique ne pouvait évidemment juger de la qualité de la traduction que fit Sylvio, mais il était évident que la perspective de disposer d'un engin volant, en plus du camion déjà acquis, plaisait à Alber Rossy. Même non armée, la barge retirait aux mercenaires l'avantage de la rapidité.

Frédérique était bien sûr restée en retrait. Elle fut toutefois étonnée de voir qu'Ouri demeurait à ses côtés, en dehors du cercle des décideurs. Elle aurait dû s'en réjouir, elle en éprouvait un chagrin diffus. Pourquoi ne prenait-il pas sa place parmi les siens ?

Elle se sentait à nouveau déconnectée de la réalité, comme elle l'avait été après le meurtre de Méline. Lorsque Christane disait « la barge », cela ne renvoyait à rien d'autre qu'une abstraction, comme le *Gagneur* qui était, désormais, hors de portée.

Car, à supposer que les Arkadiens se débarrassent des mercenaires, cela ne changeait rien à la situation de Frédérique: elle avait commis un crime. L'Assemblée n'aurait d'autre choix que la juger et la condamner. Sans doute, étant donné les circonstances, la cour se montrerait-elle clémente. Peut-être, après une peine légère, Frédérique pourrait-elle réclamer le *Gagneur*… Mais il y aurait alors des mois de location de dock à payer. Et probablement une amende ? De toute manière, les Hindustani de la station Agora ne seraient pas très heureux de voir les nationalistes prendre le pouvoir sur Arkadie. Des délais et des montagnes d'ennuis en perspective… Des frais administratifs. Elle devrait se résoudre à vendre sa licence et le vaisseau pour se tirer de ce mauvais pas…

Était-ce un si grand mal ou, au fond d'elle-même, ne souhaitait-elle pas échapper, elle aussi, à sa monotone existence ?

Maman, oncle Paul…

Comme la maison était loin.

◆

Ils avancèrent aussi longtemps qu'ils le purent sur le chemin des arbres et Frédérique fut impressionnée par la distance qu'ils parcoururent ainsi. Ensuite, pendant un certain temps, ils continuèrent à passer d'arbre en arbre par l'enchevêtrement naturel des branches. Puis, la densité de la forêt diminuant, ils descendirent au sol et se frayèrent un chemin dans les taillis.

Alber Rossy avait paru tellement sûr que les mercenaires seraient au courant du déplacement de ses hommes et, surtout, du nombre de combattants qu'il mettrait dans la balance… L'explication était peut-être bien simple : si les Hindustani disposaient de satellites de surveillance, ils pouvaient suivre les mouvements des rebelles et relayer l'information aux mercenaires. Si c'était le cas, alors, toute cette complexe installation du camp dans les arbres, ces passerelles au-dessus du sol, cette avancée prudente et silencieuse… tout cela s'avérait futile. D'accord, pas totalement, car le refuge dans les arbres n'était pas facile à attaquer, même pour l'hélijet…

Et puis, il fallait l'admettre, ce sentier dans les arbres présentait moins d'obstacles que le sol de la forêt.

Le groupe que Rossy avait détaché pour récupérer la barge comptait une trentaine d'hommes, qui tous portaient un fusil en bandoulière. Un groupe plus nombreux, et aussi bien équipé, était parti en direction d'Howell. Toutes ces armes... Frédérique doutait que les rebelles aient pu se les procurer en les volant, même lors d'attaques réussies comme celle qui avait permis la libération d'Ouri. Malgré les dénégations de ce dernier, peut-être n'y avait-il pas eu que du « matériel agricole » dans les conteneurs que le *Gagneur* avait transportés...

Enfin, vraiment, quelle importance la provenance de ces armes ?

Frédérique avait craint qu'on ne décide de la laisser derrière au moment du départ. Il avait été convenu que les deux groupes de combattants se mettraient en marche de concert, dans l'espoir que les mercenaires diviseraient eux aussi leurs forces en deux. Le successeur de Méline – on s'entendait pour supposer que ce serait Bugeault – ne lâcherait sûrement pas la barge sans offrir une solide résistance. Et, à moins de carrément refuser le combat, il ne laisserait pas non plus les rebelles débarquer les premiers à Howell pour s'emparer des meilleures positions.

Lors des réunions ayant précédé leur départ, Frédérique n'avait pas prêté attention à ce que Sylvio rapportait des discussions sur la stratégie. Ses échanges passionnés avec Christane ennuyaient Frédérique prodigieusement. Elle trouvait à la fois drôle et lassant que son esprit soit si préoccupé de toutes ces questions, maintenant. Peut-être parce qu'elle n'avait rien d'autre à faire que penser. Au milieu de tous ces hommes décidés, elle n'avait qu'à suivre le mouvement, se reposer quand on lui en donnait l'occasion, se remettre en marche quand on le lui ordonnait, rester silencieuse et laisser le moins de traces possibles de son passage… Une vie de robot. Qui lui convenait assez bien pour le moment.

Ouri avait décrit à ses compagnons la cachette de la barge, dissimulée sur les bords d'une clairière, dans les bois situés au sud de la route qui reliait Bourg-Paradis à Howell. C'était d'ailleurs la même voie qui se rendait, plus à l'est, jusqu'à Ville de Langis. Le groupe chargé de récupérer l'appareil suivait donc un chemin parallèle aux collines du Redan. Il ne bifurquerait vers l'est qu'une fois passé au sud de la route.

Les hommes ne forçaient pas le rythme, mais ils avançaient de manière régulière, sans faiblir, et Frédérique n'eut bientôt plus la force même de penser. Quand Mirnès, le rebelle qui menait leur groupe, ordonna de s'arrêter pour la nuit, Frédérique se roula en boule sans un mot contre le dos d'Ouri et s'endormit presque instantanément. Il lui sembla avoir à peine fermé les yeux lorsque son compagnon la réveilla et, d'ailleurs, la noirceur régnait toujours sous les arbres. Bref petit-déjeuner, puis c'était reparti.

Peu après l'aube, ils atteignirent la route. Mirnès les avait divisés en petits groupes pour traverser. Si leur approche avait été signalée, si les mercenaires connaissaient leur présence, la route était l'endroit idéal pour un guet-apens. Lorsque le premier groupe passa, Frédérique ferma les yeux dans l'attente de tirs. Qui ne vinrent pas. Ou les mercenaires n'avaient pas été renseignés, ou ils attendaient plutôt les rebelles à proximité de la barge.

Pendant qu'elle traversait la route à son tour, Frédérique sentit son cœur battre à un rythme fou, désordonné. *Qu'est-ce que tu fiches là, pauvre folle ?* La voix dans sa tête ressemblait de plus en plus à celle de sa mère.

Ils franchirent les derniers kilomètres en redoublant de prudence.

Il y eut un ultime conciliabule lorsqu'ils rejoignirent les guetteurs que Rossy avait laissés dans la région, pour étudier la surveillance établie par les mercenaires. D'après ce que Frédérique comprit, au dire de Cardin, chef des guetteurs, les mercenaires n'étaient qu'une dizaine d'hommes, disposés dans deux caches placées de part et d'autre de la barge. Leur vue était dégagée du côté de la clairière, mais réduite du côté de la forêt. Il semblait plus logique d'attaquer de ce côté, qui permettait une approche discrète ; pourtant, Cardin était d'avis qu'un assaut simultané était préférable. Les armes des rebelles étant suffisamment précises même à distance, on pouvait placer les meilleurs tireurs à l'abri des arbres, à la limite de la clairière, et envoyer un groupe contourner par les bois pour prendre les mercenaires à revers. De plus, les mercenaires n'avaient monté qu'une barricade végétale pour se protéger, et ils n'étaient armés que de fusils.

Ainsi fut donc décidé. Les rebelles se divisèrent en deux groupes – ou, plutôt, en trois, car Ouri et Christane resteraient derrière, pour protéger Frédérique (!). Christane en garde du corps, c'était franchement ridicule, mais Frédérique n'avait pas le cœur à rire.

Avec son escorte, elle s'installa dans un creux formé par des arbres morts, abattus sans doute par la foudre. Leurs troncs étaient couverts de mousse, et des plantes enchevêtrées offraient un camouflage suffisant.

Frédérique avait accepté de remettre son bracelet minicom à Sylvio. Mirnès semblait considérer que la fréquentation des Cristobaliennes avait rendu le jeune homme apte à maîtriser la technologie étrangère (Rossy ayant gardé le minicom d'Ouri, il ne restait que ceux des Cristobaliennes pour leur groupe). De toute façon, il fallait donner à Christane un interlocuteur parlant français. En effet, Christane devait « réveiller » la barge et la déverrouiller à distance dès que

Sylvio le lui indiquerait, c'est-à-dire lorsque les rebelles prendraient le dessus dans l'attaque.

En souhaitant que l'attaque en question n'abîme pas la barge au point de la rendre incapable de voler… Ce serait bien le comble.

Sylvio était fier de son rôle. Frédérique espéra qu'il vive assez longtemps pour s'en vanter.

Il s'écoula ensuite un délai interminable, le temps pour le contingent envoyé par les bois de contourner la clairière, celui pour les tireurs d'élite de s'installer dans les meilleures positions… jusqu'à ce qu'un des mercenaires, qui avait quitté son poste pour une obscure raison, tombe par hasard sur l'un des tireurs.

L'échange de coups de feu éclata, sec et brutal. Frédérique se recroquevilla sur elle-même, les mains sur les oreilles. Ça ne l'empêchait pas de percevoir le claquement des armes ni, lui sembla-t-il, les cris de douleur poussés par les blessés. Peut-être aurait-il mieux valu regarder, mais elle était maintenant incapable de bouger.

Un contact glacé sur son poignet. Elle sursauta avec violence. C'était Ouri, qui s'efforçait de l'entraîner avec lui :

— Viens, cours !

Frédérique le suivit, affolée. Le combat n'était pas terminé, les coups de feu claquaient encore, des hommes fonçaient dans la clairière en criant. Frédérique vit soudain la silhouette d'un véhicule bouger sous les arbres, et elle crut pendant un instant que les mercenaires déplaçaient la barge, qu'ils s'en étaient emparés même sans le minicom nécessaire pour déverrouiller l'engin. Ce n'était pourtant pas dans la direction de ce véhicule qu'Ouri l'entraînait, et l'engin se déplaçait au sol. Un camion ? Les mercenaires fuyaient-ils ou bien recevaient-ils des renforts ? Désorientée, Frédérique buta sur un corps étendu. Ouri la tira en avant et elle enjamba l'homme sans savoir s'il était blessé ou mort. Elle vit que Christane courait aussi, là devant, courbée en deux. Frédérique aperçut une nouvelle masse, une forme métallique cachée sous des branches: la barge!

La porte béait. Christane accéléra, s'y engouffra, et Frédérique à sa suite, toujours propulsée en avant par la main d'Ouri. Christane traversa le sas comme une flèche et se jeta dans son fauteuil de pilotage, mais Frédérique n'atteignit pas son siège, elle se laissa tomber contre la paroi, le souffle court. La porte s'était déjà refermée, tandis que les doigts de Christane s'activaient sur les commandes.

Frédérique resta accroupie sur le plancher, les bras serrés autour de sa poitrine dans laquelle ses poumons étaient en feu. Elle ressentait une douleur affreuse à la gorge et, lorsque la barge bougea enfin, elle se rendit compte non sans stupeur qu'elle sanglotait.

Chapitre 18

Le pare-brise était obstrué par les branches qui avaient servi à camoufler l'appareil. Christane imprima une légère poussée et Frédérique sentit le plancher vibrer sous elle. Le propulseur peinait à dépêtrer la barge de son camouflage.

Et si les mercenaires avaient ancré l'appareil au sol, justement pour éviter une telle fuite ? Frédérique se redressa sur les genoux, une main appuyée au plancher, l'autre essuyant ses larmes sur ses joues. Elle ne dit rien, cependant. Christane connaissait son affaire et ce n'était pas le moment de la distraire par des questions ou des conseils.

Il y eut un raclement sur la coque et, soudain, la barge effectua un bond en avant, aussitôt refréné par Christane. Frédérique retomba contre la paroi, se redressa de nouveau, se mit sur pied cette fois en se retenant au dossier d'un fauteuil. Oh, elle avait eu le même geste, elle s'en souvenait, quand ils descendaient vers Arkadie, et Ouri l'avait assommée. Ouri, d'ailleurs, s'était assis sur le même strapontin qu'à l'aller.

En bas, dans la clairière, des hommes s'agitaient toujours, les mercenaires vêtus de kaki, les rebelles couleur forêt. La lumière l'éblouissait, le sol était une tache claire, de vert et de gris mêlés, soulignés d'un peu de brun. Là ! la forme noire d'un camion aperçue par intermittence entre les arbres… Christane rétablit l'assiette de la barge, puis elle décrivit un arc-de-cercle pour revenir au-dessus de la clairière. Le minicom à son poignet émettait des sons confus, craquements de branches et claquements de coups de feu, puis la voix haletante de Sylvio cria :

— C'est OK, descendez, c'est OK !

Christane accusa réception du message, puis elle refit un tour pour étudier le meilleur site d'atterrissage dans la clairière. La barge se posa doucement, avec le choc léger de ses patins sur le sol. Ouri se leva aussitôt.

— Restez-là, vous deux.

Elles n'obéirent pas, bien entendu, et se heurtèrent, épaule contre épaule, en arrivant à la sortie du sas. Christane repoussa Frédérique vers l'intérieur.

— Il faut que quelqu'un garde la barge, on ne va pas risquer de la perdre maintenant ! Au moindre signe de danger, tu décolles.

La pilote sauta dans l'herbe. Mécontente, Frédérique se tint sur le seuil, les poings sur les hanches. Elle aurait voulu suivre Christane et Ouri, mais elle savait bien que la pilote avait raison : on ne pouvait abandonner l'appareil sans surveillance, alors qu'il était prêt au décollage. De l'arrière, Frédérique ne voyait pas grand-chose. Elle referma la porte extérieure du sas et regagna la cabine.

À une dizaine de mètres de ce côté, les rebelles alignaient des corps sur le sol – leurs morts ? –, tandis qu'Ouri se penchait sur certains d'entre eux – des blessés ? Frédérique aurait souhaité que Nora soit présente et qu'elle porte secours à ces hommes. Avec un frisson, elle se rendit compte qu'elle ignorait toujours ce qu'il était advenu de ses hôtes, les Henke, après son départ. Et Korasi ? Avait-il été arrêté ou avait-il regagné le refuge de sa famille ? S'il lui était arrivé quelque chose par sa faute, Frédérique ne se le pardonnerait jamais… Car comment affronter Mandula et ses filles ensuite ?

Dehors, le chaos s'ordonnait. Mirnès désigna deux hommes et ceux-ci soulevèrent aussitôt un corps pour le transporter en direction de la barge. Frédérique se précipita vers le sas pour rouvrir la porte – elle aurait pu actionner la commande du sas depuis son poste à l'avant, mais elle était incapable de rester à l'écart alors que des gens souffraient –, puis elle se pencha sur la trappe de la soute. C'était le seul espace suffisamment vaste pour y étendre les blessés, mais ça n'avait rien de confortable.

Les deux brancardiers entrèrent à pas prudents. L'homme qu'ils portaient geignait faiblement. Frédérique leur montra la soute.

— Je suis désolée, il n'y a pas d'autre endroit.

De toute manière, sans la barge, ils auraient été obligés d'abandonner les blessés sur place, alors… Pendant que les rebelles ressortaient, Frédérique se glissa dans la soute près de l'homme qu'ils y avaient étendu. Il saignait abondamment d'une blessure à l'épaule. Dans un vif examen mental, Frédérique passa en revue l'équipement de la barge et n'y trouva rien qui pouvait servir à fabriquer des bandages. Elle déchira la chemise de l'homme, roula une boule de tissu qu'elle pressa sur la blessure. Comme les brancardiers improvisés arrivaient avec un nouveau chargement, Frédérique prit la main de son premier blessé, la posa sur le tissu et exhorta l'homme à exercer une pression ferme – en espérant qu'il comprenne ce qu'elle lui signifiait.

Le nouveau venu était dans un état bien pire, il avait été atteint à l'abdomen et se vidait de son sang. Frédérique tenta quand même de le panser, mais d'autres brancardiers survenaient avec un troisième… puis un quatrième… puis un cinquième…

Elle se déplaça d'homme en homme dans un cauchemar ensanglanté. Elle ne pouvait rien pour eux.

Ils étaient si jeunes et la regardaient avec espoir et terreur, comme si elle pouvait les soigner. Elle comprenait l'amertume ressentie par Nora : comment accepter l'impuissance, comment voir des hommes passer de la vie à la mort ? Et tout ce sang qui formait des flaques sur le plancher de la soute…

Ouri vint la sortir de ce mauvais rêve en lui ordonnant de remonter dans la cabine. Frédérique protesta mollement, mais Ouri lui montra que les brancardiers la remplaceraient auprès de leurs camarades.

Il y avait trois autres blessés légers, en haut, assis sur le plancher, le dos appuyé à la paroi. Sylvio ne se trouvait pas à bord et Frédérique craignit soudain que le jeune homme compte au nombre des morts.

— Non, non, la rassura Ouri, il est chargé des communications avec la barge, maintenant, il faut qu'il reste avec Mirnès.

Comme Frédérique le regardait sans comprendre, il expliqua :

— On va déposer les blessés à proximité de Bourg-Paradis, puis on revient en vitesse chercher ceux qui sont en état de combattre.

Frédérique s'assit par terre. Encore une fois, ses vêtements étaient imbibés du sang d'un inconnu, et elle ignorait quand elle aurait la possibilité d'en effacer les traces.

◆

À peine l'appareil toucha-t-il le sol dans un vaste champ qu'un des hommes valides en sauta pour courir à l'hôpital chercher des secours. Frédérique ne quitta pas la barge, elle redescendit dans la soute pour aider les brancardiers à évacuer les blessés. Quand elle remonta, elle reconnut la maison qui s'élevait au bout du champ : c'était celle de la veuve Tossa, la mère de Sylvio. Elle espéra que quelqu'un rassurerait la mère en lui disant que son fils était vivant.

Les rebelles valides déposèrent leurs compagnons blessés dans l'herbe, à l'ombre d'un arbre. Pas le temps d'attendre l'arrivée des secours médicaux. Nora se précipiterait peut-être sur les lieux, si sa mère la faisait prévenir… trop tard pour voir l'appareil décoller. Et trop tard, très certainement, pour au moins deux de ces hommes.

Comme en écho aux pensées de sa propriétaire, la barge exhala un soupir quand le sas se referma, puis l'appareil s'ébranla en silence avec une secousse. Les champs, la Jadière, le Redan défilèrent sous son ventre, puis Christane amorça la descente vers le lieu de rendez-vous. Les hommes qui avaient accompagné les blessés sortirent, aux aguets, leurs armes pointées. À cette heure de la journée, après tous ces mouvements, les mercenaires étaient assurément au courant des allées et venues des rebelles. À tout le moins, ce n'était pas le bruit – infime – du système antigravité de la barge qui signalerait sa présence à l'adversaire, mais si les mercenaires savaient que l'engin avait été repris, ils surveilleraient leur espace aérien.

Toutefois, aucune attaque ne survint. Il semblait bien que Bugeault avait accepté le combat : il attendait Rossy et ses hommes à Howell, déclara Mirnès. Ce dernier, grâce au minicom porté par Sylvio, était entré en contact avec son chef qui, lui, avait confié le terminal d'Ouri à l'un de ses hommes, lequel avait confirmé que les mercenaires avaient déjà pris position sur le site de l'ancien astroport. Même si l'endroit avait été en bonne partie détruit autrefois par des attentats colonistes et par l'écrasement d'un vaisseau de transport, une tour de contrôle était restée debout, donnant aux mercenaires un poste de tir en surplomb dont il serait difficile de s'emparer. De plus, les ruines des hangars tout autour offraient bien des lieux d'embuscade, mais aussi, pour les rebelles, bien des cachettes et des positions de repli quand ils passeraient à l'attaque.

Rossy avait donné ses ordres: le groupe de Mirnès étant trop nombreux pour être transporté à Howell en un seul voyage, il serait scindé en deux; chaque sous-groupe s'était vu attribuer un lieu de débarquement à chaque extrémité du terrain de l'ancien astroport.

Il fut entendu que Frédérique et Ouri quitteraient la barge pour laisser toute la place au premier contingent. Cela convenait à Frédérique: elle ressentait le besoin irrépressible de voir Sylvio, de se rassurer à la contemplation d'un visage connu, jeune et vivant. Avec Ouri, ils s'installèrent à l'écart du second contingent dont les membres piaffaient d'impatience, et avalèrent leur ration en silence.

Du reste, Frédérique n'avait pas échangé une parole avec qui que ce fût depuis que la barge avait embarqué les blessés. Elle avait l'impression de baigner encore dans un flot de sang. Assise à l'ombre protectrice d'un arbre, entre les deux hommes qui partageaient son silence, elle se demanda pour la première fois ce que ressentaient les autres autour d'elle. Le jeune visage de Sylvio était blême, ses traits tendus. Avant son départ de Bourg-Paradis, il avait exprimé la farouche détermination de combattre avec les hommes de Rossy. Et maintenant qu'il avait vu mourir des compagnons, sa volonté avait-elle fléchi ou s'était-elle endurcie? Mais Sylvio, malgré son jeune âge, avait sûrement assisté à d'autres combats; il avait, à tout le moins, participé à l'attaque du convoi pour libérer Ouri.

Et Ouri? Son visage semblait fermé, comme si son esprit s'était réfugié derrière des volets clos. À quoi songeait-il, quelle pensée l'entraînait si loin? Méline le soupçonnait d'être un espion cristobalien. Korasi avait dit de lui qu'il n'était qu'un Arkadien ordinaire. Frédérique avait cru à bien des reprises avoir enfin compris qui il était, ou ce qu'il était. Il l'avait tenue à distance, puis était devenu si protecteur… Le froid et le feu. Il resterait toujours un étranger, en fin de compte.

Quant à Christane… Malgré les dures paroles que la pilote lui avait lancées au refuge des arachnes, Frédérique ne connaissait personne au monde mieux que Christane, il n'y avait personne dont elle était plus proche. Christane, tout comme Sylvio, avait cherché le combat, mais elle avait vécu une existence si protégée jusqu'à maintenant… La pilote avait dû souffrir encore plus que Sylvio à la vue des blessés et des morts.

La guerre, la maudite guerre. Si seulement la mort de Méline avait pu y mettre fin, Frédérique n'aurait eu aucun remords. Si elle ne l'avait pas tué… D'accord, cet affrontement sanglant n'aurait pas eu lieu, car les rebelles n'auraient pu reprendre la barge sans les minicoms. Toutefois, Alber Rossy aurait quand même fini par mener ses hommes au combat. Les événements se seraient déroulés de façon différente, mais, au bout du compte, le nombre de morts aurait-il été moindre ? Ceux qui étaient morts aujourd'hui *devaient* peut-être mourir.

Quelle bêtise ! Pourquoi cherches-tu encore à te justifier ?

L'envie de pleurer formait de nouveau une boule dans sa gorge. Elle la ravala, tandis que, près d'elle, Sylvio, alerté par le minicom, annonçait le retour de la barge.

◆

Howell s'était élevé au bord d'une rivière impétueuse entourée de forêt, mais son ancien astroport, lui, avait été situé à l'écart des lieux d'habitation. Jadis, la zone d'exploitation minière, la ZEM, s'étendait jusqu'aux abords de la ville, vaste région ravagée par la coupe à blanc, car le bois avait servi à la construction des logements pour les travailleurs. Au fil des décennies, la nature avait repris ses droits ici comme autour de

Bourg-Paradis, mais il restait au cœur de l'ancienne ZEM un territoire où rien n'avait repoussé. Frédérique ne se souvenait plus qui lui avait parlé de la ZEM, le père de Nora ou l'un de ses frères. Elle n'était pas supposée voir cette zone, la barge ne devait pas se rendre si loin dans le sud.

Elle s'était assise sur le plancher, près de Sylvio, laissant son fauteüil à Mirnès tandis qu'Ouri s'était réinstallé sur le premier strapontin. Ces places étaient les meilleures car, à part bien sûr le siège de la pilote, elles offraient une vue dégagée sur le territoire que survolait la barge. Frédérique avait préféré se tenir près des hommes, à respirer l'odeur de leur excitation, de leur nervosité ou de leur peur. L'un s'efforçait d'avoir l'air calme, la tête appuyée contre la paroi, les yeux clos, mais les traits de son visage restaient crispés. Un autre examinait son arme d'un air dubitatif, comme s'il la voyait pour la première fois. Quel entraînement avaient subi ces jeunes hommes, que connaissaient-ils du maniement des armes qu'on leur avait confiées, depuis combien de temps savaient-ils tirer ? Mirnès, par la bouche de Sylvio, avait qualifié certains d'entre eux de « tireurs d'élite », tout à l'heure... à quel point l'étaient-ils ?

Au moment où l'appareil amorçait sa descente en rase-mottes à l'approche de l'ancien astroport, Frédérique entendit Christane pousser un juron. Elle s'étira pour regarder à travers le pare-brise et aperçut un objet qu'elle aurait confondu avec un gros insecte si l'exclamation de Christane ne l'avait alertée. L'hélijet. Maintenant qu'il avait mesuré la force des rebelles, Bugeault envoyait sans doute tous les hommes dont il disposait en renfort. Pourtant, la trajectoire suivie par l'appareil le menait tout droit vers la barge. Les mercenaires n'allaient pas... attaquer ?

Le soleil sur son déclin se reflétait de manière aveuglante sur le cockpit de l'hélijet qui semblait vraiment foncer vers la barge. Une tentative d'intimidation, peut-être ? Quoi qu'il en fût, c'était une manœuvre sacrément dangereuse.

Les hommes près de Frédérique poussèrent un cri de stupeur et d'angoisse quand la barge effectua un brusque mouvement pour s'écarter de sa trajectoire. Christane jura encore :

— Nom de dieu, qu'est-ce qu'il veut, ce salaud ?

— Nous couper la route, rétorqua Ouri.

Aussi lourdement chargée, la barge manquait de souplesse. L'hélijet les avait dépassés, mais il les avait rasés de très près et il amorçait déjà un demi-tour pour revenir vers eux. Christane parvint à prendre un peu d'altitude et, surtout, de la distance. La barge s'éloigna vers le sud et, alors que l'engin virait, Frédérique aperçut la vaste étendue rocheuse de la ZEM, tache ocre, comme une plaie non cicatrisée dans la peau d'Arkadie. Cette image lui rappela soudain Natalia Ourianova qui avait été, elle, défigurée par le feu, par la guerre.

Et son fils, que les actes de Frédérique avaient tiré de son inaction, ordonnait maintenant de sa voix calme :

— Christane, pose-toi. (À Mirnès :) Prête-moi un fusil, je vais tenter quelque chose.

Le chef du contingent hésita une fraction de seconde, puis il transmit l'ordre à ses hommes. Deux de ses « tireurs d'élite », Herno et Campbel, iraient avec Ouri.

Frédérique se mit sur pied et se dirigea en titubant vers le sas, prête à ouvrir la porte dès que la barge toucherait le sol. Il aurait fallu plus de temps à Christane pour dénicher une surface vraiment plane ; elle se risqua sur un vaste pan de rocher nu, un peu incliné. L'atterrissage manqua de douceur et Frédérique heurta la paroi avec un choc douloureux, mais elle reprit son équilibre et, très vite, la porte extérieure s'écarta. Ouri et son escorte sortirent en courant. Elle les suivit, pour les observer depuis le seuil.

Ouri et les hommes de Mirnès se jetèrent derrière un tas de roches, leurs armes dérisoires pointées vers l'hélijet. Ouri lança des ordres à ses compagnons, sans doute pour leur intimer de retenir leur tir. L'hélijet approchait à grande vitesse.

L'appareil était tout près, maintenant, au point que Frédérique distinguait le visage moustachu du pilote et celui, intrigué, de son compagnon d'équipage.

Ouri cria. Les armes des trois rebelles tirèrent de concert.

Frédérique vit sauter des éclats brillants tout en haut du cockpit, elle vit la stupéfaction sur le visage des mercenaires. D'un tir précis, Ouri et ses compagnons avaient atteint des parties vitales de l'appareil. Frédérique vit l'hélijet qui tanguait soudain, qui penchait périlleusement vers les rochers et que le pilote redressait à la dernière seconde. L'appareil passa en dansant au-dessus des rebelles, rasa les rochers. Pendant un moment, Frédérique crut que le pilote de l'hélijet parviendrait à lui faire reprendre de l'altitude, mais l'engin finit par toucher le sol de manière brutale, dans un grand fracas de métal.

Herno et Campbel bondirent sur leurs pieds et poussèrent un cri de triomphe.

— Rentrez, vite ! leur intima Ouri.

Là-bas, deux hommes avaient sauté de la carcasse de l'hélijet et tiraient déjà en direction des rebelles.

Ouri et ses hommes se jetèrent dans le sas tandis que la barge décollait avec un indéniable enthousiasme. À bord, les rebelles se congratulèrent. Ouri rendit son arme à Sylvio avec, sur le visage, ce sourire triste que Frédérique lui connaissait. Mirnès lança à Sylvio un ordre d'un ton sec. C'était le moment de contacter Rossy, semblait-il. Tout en manipulant le minicom, Sylvio laissa une main sur le fusil, comme s'il craignait que l'un de ses compagnons ne s'empare de l'une des armes qui avaient descendu l'hélijet. Hélas, sa joie s'effaça presque aussitôt. Il répéta « Duca, Duca ! », le nom de son vis-à-vis auprès d'Alber Rossy, et son visage se crispa sous l'effort de comprendre les sons émis par le petit terminal. Mirnès s'impatienta. Frédérique n'avait nul besoin de parler la langue commune pour comprendre que Sylvio n'arrivait pas à établir le contact.

Elle quitta sa place d'un mouvement décidé. Avec force gestes, elle obligea Mirnès à libérer le fauteuil du copilote afin qu'elle puisse accéder au communicateur de la barge. Le petit écouteur, dans son oreille, émit une confusion de bruits – coups de feu, cris? Elle changea de fréquence, ne trouva d'abord rien d'autre qu'un terrible silence, puis une voix éclata soudain dans son oreille, si fort qu'elle sursauta. «Gosselin, tu m'entends? » Avec une grimace de douleur, Frédérique se tourna vers Sylvio:

— Gosselin, c'est l'un de vos hommes?

— Non.

Elle avait capté les communications des mercenaires.

— Mets sur haut-parleur, lui intima Christane.

Les rebelles, regroupés autour de son fauteuil, écoutèrent avec des froncements de sourcils l'homme haletant qui criait en français, au milieu des claquements secs et des éclats de voix: « Ils sont dans le hangar douze, dans le hangar douze! »

Le combat avait commencé, c'était manifeste maintenant qu'ils approchaient de l'ancien astroport. Ce qui avait été une tour de contrôle, et qui n'était plus qu'une structure métallique surmontée d'une sorte de mirador, était enveloppé d'un voile de fumée. Quelque chose brûlait dans un chariot appuyé contre l'un des piliers de la tour, mais la fumée n'empêchait pas les hommes postés à l'intérieur de tirer sur ceux qui auraient tenté d'approcher en bas – les canons de leurs armes dépassaient des fenêtres cassées. On voyait un corps vêtu de vert, un seul, silhouette minuscule et pitoyable étalée de tout son long au milieu du grand espace dégagé qui s'étendait aux pieds de la tour. Les bâtiments les plus proches étaient effectivement des hangars en ruine, certains à moitié écroulés, d'autres qui semblaient relativement en bon état.

L'astroport d'Howell ne différait pas beaucoup de celui que Frédérique connaissait à Kozuma, et elle chercha des yeux les chiffres peints en gros caractères sur les toits qui tenaient encore. Elle repéra le hangar numéro sept, puis le neuf, et compta les édifices pour déterminer lequel aurait dû porter le numéro douze. Elle ne se trompait pas: des hommes en beige convergeaient vers ce hangar, ils progressaient avec prudence en longeant les murs d'un bâtiment voisin.

Frédérique les montra du doigt. La barge vira doucement et descendit, descendit... Il faudrait agir vite, car les tireurs de la tour pourraient causer pas mal de dégâts quand ils prendraient l'appareil pour cible.

Mirnès était déjà prêt et ses hommes avec lui. Accroupis, ils se préparaient à jaillir de la barge dès l'atterrissage. Nulle parole n'était plus nécessaire. D'ailleurs, la menace avait été comprise par les mercenaires en haut de la tour, qui pointèrent leurs armes en direction des arrivants. Christane repositionna la barge pour présenter le nez aux tireurs – la partie avant du fuselage et le hublot étaient renforcés pour résister à l'entrée dans l'atmosphère, les tirs des mercenaires risquaient d'y provoquer moins de dégâts qu'à l'arrière.

Encore une fois, les hommes bondirent hors de l'appareil, puis zigzaguèrent pour éviter les tirs jusqu'à trouver l'abri d'un mur, et déjà la barge quittait le sol et amorçait sa lente remontée.

Frédérique avait repris son poste au communicateur, d'où fusaient les cris d'alarme des mercenaires, coincés entre les rebelles postés dans le hangar douze et les renforts fraîchement débarqués.

Maintenant allégée, la barge s'élevait à une altitude qui la plaçait hors de portée des tireurs de la tour.

Christane se détendit dans son fauteuil, le visage levé vers Ouri, qui se tenait appuyé contre le dossier du siège de la copilote.

— Et maintenant ?

Ouri ne répondit pas, il écoutait les voix affolées qui émanaient du haut-parleur.

— On pourrait évacuer les blessés vers Bourg-Paradis, comme tout à l'heure... insista Christane.

Avec un soupir, Frédérique chercha la fréquence qu'utilisaient les rebelles. Sans doute le minicom dévolu à Rossy était-il en panne, s'il n'avait pas été perdu, piétiné peut-être, car Frédérique n'obtint aucun signe de vie de ce côté. Elle tenta de joindre Sylvio, qui mit un temps fou à répondre. Mirnès et ses hommes avaient atteint le hangar, où ils avaient retrouvé un petit groupe de combattants fort décimé.

— Les autres sont plus nombreux qu'on croyait, expliqua Sylvio d'une voix hachée. Des gars prétendent que des loyalistes se sont joints aux mercenaires, mais on n'a rien pour le confirmer.

— Écoute, Christane propose d'évacuer les blessés, mais il faudrait nous indiquer un lieu de rendez-vous, et si vous pouviez essayer de les regrouper...

Les bruits de fond augmentèrent soudain.

— Pas tout de suite, haleta Sylvio, Mirnès dit d'attendre. On essaie de se rendre de l'autre...

Le jeune homme s'interrompit, alors qu'une pétarade éclatait dans le communicateur.

— Sylvio, qu'est-ce qui se passe ?

Des cris ; une voix lointaine lança un ordre au milieu du crépitement des fusils.

— Sylvio ?

Frédérique crut percevoir un geignement de douleur, puis plus rien, jusqu'au cri d'Ouri qui retentit derrière elle :

— Christane, ne fais pas ça ! Remonte !

La pilote n'écoutait pas. Les traits de son visage avaient recouvré la rigidité qu'elle montrait durant les jours qui avaient précédé le combat. Elle regardait droit devant elle, tandis que la barge infléchissait sa course vers la surface. Ouri s'agrippait au dossier du siège de la pilote et Frédérique se revit à sa place, quand ils étaient descendus vers Arkadie la première fois, tous les trois. Aujourd'hui, c'était Ouri qui protestait. Il n'obtenait pas plus de résultat que Frédérique avant lui, mais il se résigna plus vite qu'elle.

La tour et son panache de fumée grossissaient à vue d'œil de l'autre côté du pare-brise. Au dernier instant, la barge fit un écart pour éviter l'obstacle et Christane vira, elle survola les hangars en ruine, vira de nouveau.

— Là ! s'écria Ouri.

Christane amorçait déjà sa descente. Ils se posèrent en cahotant dans un jaillissement de poussière, à proximité des hangars et donc en vue de la tour, mais un monceau de débris offrait une protection relative ou, à tout le moins, gênerait le tir des mercenaires postés là-haut.

Les rebelles les avaient-ils vus arriver ? Il sembla à Frédérique qu'une éternité s'écoulait avant que des hommes sortent en titubant, se soutenant les uns les autres. Comme les premiers atteignaient la barge, d'autres apparurent qui portaient des corps inertes. Une quinzaine d'hommes en tout s'engouffrèrent dans l'appareil. Frédérique craignit que Christane s'obstine à vouloir rester au sol, et même qu'elle se mette à la recherche de Sylvio, mais dès qu'elle jugea la barge suffisamment chargée, la pilote décolla.

— Allons au bord de la rivière, ordonna Ouri en montrant une direction.

Christane lui jeta un regard étonné.

— Tu ne veux pas ramener les blessés à Bourg-Paradis ?

Ouri secoua négativement la tête et Christane ne s'obstina pas. Lorsque le cours d'eau annoncé par

Ouri apparut, elle le suivit en quête d'un endroit qui serait assez dégagé pour y atterrir.

Pendant ce temps, dans la cabine régnait la plus grande confusion. Les hommes qui étaient arrivés sur leurs jambes s'étaient jetés au sol en embarquant, tandis que ceux qui jouaient les brancardiers avaient posé leur fardeau là où ils le pouvaient. Une quinzaine de passagers… vivants ou non.

Frédérique circula tant bien que mal entre les blessés. Elle ne reconnaissait aucun de ces visages aux traits tordus par la souffrance, couverts de sueur et de sang. Elle atteignit les derniers entrés, près du sas : un homme à genoux se penchait sur un autre. Frédérique se laissa choir près d'eux.

Sylvio la regardait sans la voir, ses traits figés en une expression stupéfaite.

— C'est fini, Frédérique, confirma l'homme agenouillé près du mort.

Frédérique sursauta. C'était un Asiatique assez âgé, s'il fallait en croire la quantité de fils gris dans sa chevelure, les fines rides au coin de ses yeux noirs et, surtout, la lassitude qui marquait son visage. Il se laissa détailler sans se troubler.

— Oncle Yiren ? balbutia Frédérique, incrédule.

Chapitre 19

Le jour amorçait son déclin tandis que la barge longeait le cours impétueux de la rivière. Tant que l'appareil avait été en vol, le soleil avait éclairé l'intérieur du cockpit, mais, lorsqu'il se posa, la lumière fut soudain oblitérée par les arbres qui s'élevaient tout près, et ce fut comme si une chape d'ombre tombait sur l'univers.

Pendant un instant, Frédérique eut l'impression que le temps s'était figé. Il y avait le corps de Sylvio étendu devant elle, oncle Yiren qui avait fermé les yeux du jeune mort, les geignements des blessés derrière eux et la voix de Christane à l'avant de l'appareil.

— Merde, je ne m'étais pas rendu compte qu'on avait autant de blessés…

Oncle Yiren l'entendit. Avec un soupir, il se redressa pour se diriger vers un autre corps étendu sur le plancher. Frédérique, quant à elle, abaissa le regard vers le corps devant elle. Mon Dieu, il faudrait rentrer à Bourg-Paradis annoncer la mauvaise nouvelle à la mère du jeune homme, une veuve qui avait déjà perdu un fils et son mari, une femme âgée qui serait seule, si seule au monde…

Pas tout à fait, elle avait encore la famille de… Nora. Mon Dieu, il faudrait le dire à Nora.

— *Dàifu* ! appela une voix faible.

Frédérique se tourna en direction de la voix. *Dàifu*. Le docteur chinois des rebelles. Celui qui avait réconforté Natalia Ourianova, qui avait tenté de la soulager, sinon de la guérir…

L'un des meilleurs neurochirurgiens du Zhongguò vivait ici, sur Arkadie ? Depuis combien d'années ? Frédérique essaya de se rappeler la dernière fois qu'elle avait vu l'oncle Yiren ou, à tout le moins, la dernière fois que l'oncle Pierre avait évoqué la présence de son ami auprès de lui…

Yiren possédait un voilier majestueux avec lequel il effectuait aussi souvent que possible la traversée du delta qui séparait le Zhongguò de l'Union occidentale. Quand Frédérique était enfant, il venait passer tous ses congés à La Brahé, chez son ami Pierre Laganière. Plus qu'un ami, en vérité. Oncle Yiren était considéré comme un membre de la famille. Et puis, un jour, Frédérique ne savait plus quand, Pierre avait cessé de raconter les visites du Chinois.

Elle l'observa en silence tandis qu'il s'affairait auprès des blessés. Les rebelles mesuraient-ils la chance qu'ils avaient d'être soignés par une telle sommité ? Probablement pas.

Ouri le rejoignit et posa une main sur l'épaule du médecin accroupi près d'un blessé. En réponse, Yiren leva la tête et lui adressa un regard empreint de gravité. Ils se connaissaient, évidemment.

Bien des choses s'expliquaient… Lors du dernier contact que Frédérique avait eu avec sa famille, bien avant que le *Gagneur* soit bloqué au dock de la station Lien, sa mère lui avait annoncé le décès de monsieur Guan, le père d'oncle Yiren. La nouvelle n'avait guère troublé Frédérique, qui ne connaissait pas le vieil homme. Mais elle comprenait maintenant pourquoi Ouri avait perdu son principal appui au Zhongguò pendant qu'il était sur Cristobal. À l'origine, oncle Yiren avait sûrement recommandé Ouri à sa famille, à son père surtout, un influent haut fonctionnaire. Avec le décès de monsieur Guan, la situation avait changé, Ouri avait senti qu'il valait mieux quitter le Zhongguò pour l'Union occidentale…

Et c'était Yiren, bien sûr, qui avait parlé du *Gagneur* à Ouri. Voilà pourquoi l'Arkadien avait cherché à entrer en contact avec un membre de l'équipage du vaisseau. Normal qu'il soit tombé sur Christane, car Frédérique ne se rendait pas souvent dans le Monde. Si ç'avait été elle qui l'avait rencontré la première, les choses auraient-elles été différentes ? Ouri lui aurait-il avoué *qui* l'avait ainsi recommandée pour ce voyage vers Arkadie ?

Oncle Yiren savait-il à l'avance qu'Ouri allait entraîner sa quasi-nièce dans pareille aventure ?

Yiren était-il seulement au courant du décès de monsieur Guan ?

Christane venait de rejoindre Ouri. Elle s'arrêta à la hauteur du médecin, qu'Ouri lui présenta. Christane salua poliment le Chinois. Son nom ne lui dirait sans doute rien. Frédérique avait souvent mentionné l'oncle Yiren, mais Ouri l'appelait *Dàifu*, comme tous les rebelles à bord. *Toi et tes oncles*. Christane trouverait sûrement la situation très drôle quand Frédérique la lui expliquerait. Plus tard.

Pour le moment, la pilote fronçait les sourcils en approchant de Frédérique et du corps allongé sur le plancher. Elle non plus ne le reconnut pas tout de suite. Peut-être avait-elle espéré elle aussi qu'il n'était pas à bord, qu'il se trouvait encore avec ses compagnons, et toujours en vie. Christane se laissa choir à son tour près du cadavre, avec un gémissement de douleur.

— Non, non…

Elle toucha la main du jeune mort, caressa son front. Frédérique resta silencieuse. Ouri les rejoignit, il se pencha sur la pilote pour lui entourer les épaules de son bras, mais Christane le repoussa avec violence.

— Ne me touche pas !

Elle se recroquevilla sur elle-même. Frédérique se mit sur pied et s'efforça d'entraîner Ouri avec elle.

— Viens, laisse-la.

Les épaules de Christane tressautaient sous la force des sanglots, mais elle pleurait sans bruit, le visage caché dans les mains.

— Viens, répéta Frédérique.

Elle ouvrit le sas, ils sortirent dans la nuit tombante. Le chant des insectes, le murmure de la rivière en contrebas, tous ces bruits paisibles et doux paraissaient indécents après le tumulte des combats et les gémissements des blessés. Frédérique en fut étrangement ébranlée. Elle resta un moment immobile, debout dans l'herbe de la petite prairie où ils s'étaient posés. Ouri se tenait derrière elle, elle percevait son souffle un peu saccadé. Elle murmura :

— Qu'est-ce qu'on va faire ?

◆

Ils établirent un campement sur les lieux, une tâche que Frédérique accomplit avec reconnaissance, car la nécessité d'agir plaçait tout le reste entre parenthèses.

D'abord, Ouri avait choisi un homme pour accompagner Christane à Bourg-Paradis chercher du matériel de première nécessité et y déposer les corps des défunts. Au début, Christane avait refusé de reprendre les commandes de l'appareil, et Ouri lui avait parlé durement. Il fallait aider les survivants avant de pleurer les morts. La barge rapporterait des choses essentielles, telles des provisions et des fournitures médicales.

Frédérique avait pensé qu'on aurait plutôt évacué les blessés sur Bourg-Paradis, mais Ouri lui avait jeté un regard las.

— Installer des blessés nous prendrait tous les bras disponibles et nous obligerait à passer trop de temps sur place. Et tu as vraiment envie qu'on nous voie là-bas, toi et moi ?

Elle avait presque oublié qu'elle risquait l'arrestation pour meurtre... De toute manière, si elle se fichait de son propre sort, elle se préoccupait de celui d'Ouri.

— Et puis, avait ajouté ce dernier, tu sais, ce qu'on appelle « hôpital » ici ne ressemble pas exactement à ce que vous avez sur Cristobal. Ils doivent être débordés, là-bas, rien qu'avec les hommes qu'on leur a amenés tout à l'heure. Je pense que nos blessés ne seront pas plus mal ici, avec *Dàifu* pour les soigner.

Pendant que la barge s'était éloignée, Ouri avait rassemblé les hommes valides, c'est-à-dire les blessés légers, et distribué les ordres. Il avait envoyé le plus habile chasseur en quête d'un souper et confié à un autre le soin de dénicher des petits fruits, des baies, s'il en trouvait dans le coin. On avait récupéré de la barge, avant son départ, ce qui pouvait servir de contenant pour puiser l'eau à la rivière. On avait ramassé du bois sec, aligné des pierres et dégagé un espace circulaire pour allumer un feu. On avait construit un abri tapissé de feuillage pour les deux cas graves que Yiren voulait éviter de bouger. Les moins mal en point soutenaient ceux qui avaient perdu beaucoup de sang ou qui avaient de la difficulté à se déplacer seuls.

Pendant ce temps, qui aidait les mercenaires à soigner leurs blessés et à ensevelir leurs morts ? Frédérique s'étonna de s'en inquiéter.

Hervé, l'homme envoyé à la chasse, était revenu avec deux petites bêtes à fourrure que Frédérique préféra ne pas examiner de trop près. Elle se rappelait le lourat curieux qui l'avait observée à son réveil, quelques jours auparavant. La créature s'était montrée amicale et sans crainte. Un souvenir agréable. Elle laissa au chasseur la tâche d'écorcher le gibier et alla plutôt rejoindre le jeune Antoni, envoyé à la cueillette.

La nuit était profonde lorsque les hommes purent enfin s'installer de façon confortable, manger un morceau et se reposer. Frédérique se rendit compte qu'elle n'avait pas vu Ouri depuis un moment. Elle le chercha des yeux et finit par l'apercevoir. Il était avec oncle Yiren près de l'abri des cas graves.

De loin, leurs silhouettes évoquaient bizarrement une image du livre avec lequel la mère de Frédérique lui expliquait, quand elle était petite, les enseignements de Jésus. La scène montrait un homme agenouillé devant un prêtre. Ce dernier posait une main compatissante sur l'épaule du pécheur, qui se tenait tête baissée en signe de contrition.

Ouri était accroupi ou, plutôt, à demi redressé sur un genou, Yiren lui touchait l'épaule et l'une des mains d'Ouri était posée sur celle de *Dàifu*. Leur attitude était vraiment celle du pécheur repenti face à son confesseur, et Frédérique se demanda ce qu'Ouri pouvait bien avoir à confesser à Yiren – la mort de monsieur Guan ? Mais, dans ce cas, c'eût été Ouri qui aurait offert sa compassion à Yiren, et non l'inverse.

Elle trouvait franchement étrange de voir réunis ces deux hommes, l'un issu de son enfance, et qu'elle aimait bien, l'autre nouvellement apparu dans sa vie, et qu'elle aimait... passionnément ? Douloureusement. Ce qu'elle ressentait pour Ouri était comme une déchirure, une blessure dans son âme.

Et eux, qu'est-ce qui les liait ?

Elle s'approcha, aussi près qu'elle le pouvait sans qu'ils se rendent compte de sa présence. Elle entendit la voix d'Ouri.

— Tu m'avais promis, tu *dois* tenir ta promesse.

— Et toi, la tienne.

Alors, ce n'était pas la contrition du pécheur, mais une supplique ? Sans doute avait-elle mal entendu, elle devenait vraiment indiscrète, elle n'avait pas le droit.

Avec un soupir, Frédérique se détourna. Elle descendit à la rivière, se jucha sur un rocher en surplomb du cours d'eau. Sur l'autre rive, de hauts arbres se balançaient dans la brise, leur bruissement rendu inaudible par le murmure obstiné de la rivière. Le flot sombre, agité, reflétait pourtant l'éclat d'une myriade d'étoiles qui scintillaient dans le ciel sans nuages. Une nuit magnifique. D'une beauté à pleurer.

Au bout d'un moment, un froissement dans l'herbe lui fit tourner la tête. Elle espérait Ouri, c'était Yiren. Il se pencha, s'installa sur le rocher, une épaule contre la sienne.

— Comment vas-tu, *zhínu* ?

Elle chuchota : « Bien » – que dire d'autre ? Elle était venue contre son gré sur Arkadie, mais ensuite, il s'était produit tant de choses… qu'elle n'avait pas envie de raconter. La colère et la rancœur qu'elle avait entretenues au début de son séjour paraissaient lointaines et futiles.

Elle demanda : « Et toi ? » Il semblait si fatigué. Il eut un léger haussement d'épaules et Frédérique remua à l'unisson.

— C'est difficile quand on essaie de soigner les gens avec aussi peu de moyens…

— Est-ce que quelqu'un t'a dit, pour ton père ?

— Ouri m'a fait prévenir avant même son retour.

— Je suis désolée.

— Oh, tu sais, je suis parti depuis si longtemps de chez moi…

Frédérique ne se rappelait pas si la mère de Yiren était toujours vivante. Elle n'osa pas le demander.

— Pourquoi ? Je veux dire, pourquoi es-tu parti, pourquoi es-tu venu ici ?

— Pour être utile.

Il hésita, puis il eut un nouveau mouvement d'épaules.

— Peut-être que c'était devenu trop facile chez moi.

— C'est toi qui as envoyé Ouri me chercher ?

Elle le sentit qui raidissait le dos.

— Je lui ai parlé de toi parce que j'espérais avoir des nouvelles de ta famille… je ne pensais pas qu'il te ramènerait !

Des nouvelles de ta famille. Elle pencha la tête pour appuyer le front contre son épaule.

— Tu ne demandes pas des nouvelles de Pierre ?

Il se raidit encore, puis relâcha ses muscles avec un soupir.

— Tu me l'aurais déjà dit s'il n'allait pas bien.

Elle resta silencieuse. En réalité, elle n'avait pas eu de nouvelles de son oncle Pierre depuis un moment. Elle ne s'était jamais beaucoup préoccupée de lui. Il y avait quelque chose de dur en Pierre Laganière, une intransigeance, peut-être une carapace contre d'anciennes blessures, elle n'en savait rien. Il œuvrait au loin, où il dirigeait la clinique qu'il avait héritée de ses grands-parents Watanabe. Enfant, elle avait aimé aller en vacances à La Brahé, passer du temps à jouer sur la plage, explorer le voilier d'oncle Yiren, se gaver de glaces chez le marchand ambulant qui stationnait souvent près de la clinique… L'oncle Pierre ne participait jamais aux réjouissances, elle le connaissait comme un homme sévère, enfermé dans son bureau et dans son rôle d'administrateur. Autrefois, il avait aimé la médecine d'urgence, mais la clinique lui prenait désormais tout son temps.

Cela, elle s'en rendait compte soudain, expliquait peut-être en partie la présence de *Dàifu* sur Arkadie…

Elle leva les yeux vers le ciel, laissant son regard se perdre dans l'infini. Elle ne savait pas grand-chose de sa famille, en fin de compte. Eux, c'étaient des *vieux*, des adultes, et elle ne s'était jamais souciée que de ses propres désirs, de ses propres rêves, de sa propre vie. Elle s'était bien aperçue, quelques années auparavant, que sa mère n'était pas *si* âgée, mais elle s'était toujours bien peu inquiété de savoir si Marthe

Laganière avait été heureuse, si elle l'était maintenant, avec sa fille au loin, et alors que tant de membres de sa famille avaient disparu…

Oncle Yiren changea de position, il se redressa et entoura d'un bras les épaules de sa *zhínu*.

— Je me souviens d'avoir observé les étoiles sur la plage, un soir, avec ton père, à La Brahé.

C'était vrai, oncle Yiren avait connu son père. Frédérique, elle, avait oublié.

— Je n'avais pas pensé à lui depuis longtemps, murmura-t-elle.

Puis, elle ajouta, un ton plus bas :

— Mais l'autre jour, j'ai vu mourir un homme, et ça m'a rappelé…

Elle s'interrompit, incapable de poursuivre. *La mort*. Une mort qu'elle avait infligée. Pouvait-elle avouer une chose pareille à l'oncle Yiren ?

Il resserra son étreinte autour de ses épaules, mais il ne souffla mot, et Frédérique se laissa aller contre lui, comme une enfant épuisée par une longue, trop longue journée.

La barge revint au milieu de la nuit. Frédérique n'avait pu s'empêcher d'espérer en voir débarquer une aide inattendue, Nora peut-être. Il n'y avait personne d'autre que Christane et Davit, l'homme qui était parti avec elle. Ils déchargèrent la barge sans un mot, puis, avec leurs compagnons, s'efforcèrent de donner un peu de réconfort aux blessés. *Dàifu*, lui, s'occupait des cas graves.

Plus tard, Christane raconta qu'elle avait rencontré un Luis Delprado furieux et désemparé. Bourg-Paradis était sens dessus dessous, la population entière bouleversée par les combats sanglants dont on n'avait reçu que les échos apportés par le premier contingent de blessés.

Si elle avait rendu visite à la mère de Sylvio, elle n'en dit rien.

◆

Un murmure de voix la tira du sommeil tandis que le camp s'éveillait. Le soleil se hissait tout juste au-dessus du sommet des arbres sur la rive opposée, il jetait un rai de clarté sur la rivière, puis sur l'herbe froissée où brillaient des perles de rosée. Une belle journée qui commençait. Une belle journée... pour recenser les blessés et enterrer les morts.

Frédérique s'assit d'un coup. Est-ce que les combats avaient repris ? Ailleurs, quelque part sous ce ciel clair, des tirs gâchaient-ils la pureté du jour naissant ?

Près d'elle, un homme tenta de se lever avec une grimace de douleur. Frédérique le soutint et il s'éloigna, sans doute pour se soulager derrière les buissons. Frédérique s'étira, regarda autour d'elle. Pas trace d'Ouri, de Christane ni de *Dàifu*. Lui, ce n'était pas difficile de deviner qu'il avait passé la nuit près de ses deux patients dans leur abri. Frédérique y jeta un coup d'œil. Oncle Yiren dormait, recroquevillé sur lui-même pour se réchauffer. Il n'y avait plus qu'un patient étendu sur une couche de fortune composée des couvertures apportées par Christane, auxquelles s'ajoutaient les manteaux de ceux qui n'en avaient plus besoin.

Frédérique se dirigea vers la barge. Quelques blessés légers s'étaient installés dans la cabine, durant la nuit, et somnolaient encore.

Dans le cockpit, Christane était enfoncée dans son fauteuil de pilotage, la mine renfrognée. Ouri était assis devant le communicateur.

Ils la regardèrent approcher en silence. Elle s'arrêta entre leurs sièges. Christane eut un mouvement du menton à l'adresse d'Ouri, qui détourna les yeux. Au bout d'un moment, toutefois, il chuchota à l'adresse de Frédérique :

— Alber Rossy est mort. Mirnès rassemble les hommes. Il est enragé. Il croit qu'il y avait des loyalistes avec *eux*. Il parle d'attaquer Ville de Langis.

— Il faut l'en empêcher, il y a sûrement quelque chose qu'on peut faire.

— Il n'y a *rien* à faire, rétorqua Christane. Ça ne finira jamais.

Frédérique contempla la pilote avec effarement. Christane semblait transformée en une boule de noirceur et de colère, Frédérique ne l'avait jamais vue ainsi. Ouri reprit pourtant :

— Nous irons à Ville de Langis.

— Je t'ai dit que ça ne sert à rien, répliqua Christane, Frédérique ne pourra pas récupérer le *Gagneur*.

Frédérique eut un mouvement de recul. Quel rapport entre Ville de Langis et la récupération de son vaisseau ?

— On doit voir le coordonnateur, expliqua Ouri.

Bien sûr, le prévenir, peut-être même le protéger au cas où Mirnès tenterait de mettre son projet fou à exécution… Elle se pencha sur Christane.

— Je ne peux peut-être pas récupérer le *Gagneur*, mais *toi*, oui ! Si on t'accuse de piraterie, ou de complicité avec Ouri, tu n'as qu'à tout me mettre sur le dos. Tu peux recouvrer le *Gagneur* en mon nom, ma licence le permet, et ma famille ne t'en empêchera pas. Tu peux rentrer chez nous et alerter l'opinion publique comme j'en avais l'intention, tu peux nous aider, Chris !

La pilote se redressa et cracha avec hargne :

— Ben oui, et le temps que ça prendra, vous serez tous morts !

Frédérique ouvrit la bouche, la referma sans trouver de réplique appropriée. Ce fut Ouri qui répondit :

— Non. Le conflit sera réglé avant que tu partes, Christane.

La pilote reçut l'annonce avec scepticisme ; Frédérique, avec espoir.

— Comment tu comptes réussir ça ?

Il resta un moment les lèvres scellées, puis il se redressa :

— Partons tout de suite, avant que Mirnès n'envenime les choses.

— Et les blessés ? objecta Christane.

— Vous pourriez nous déposer au dispensaire de Ville de Langis, j'ai un confrère hindustani là-bas, le docteur Bhushnan.

Frédérique sursauta. Elle n'avait entendu aucun bruit de pas, oncle Yiren s'était approché en silence. Il se tenait appuyé contre la paroi et paraissait encore plus las que la veille.

Ouri se tourna vers lui, ils se dévisagèrent en silence. Ouri avait son sourire triste qui ne soulevait qu'un coin de sa bouche. Et, chose curieuse, ce sourire trouvait son écho chez oncle Yiren.

— Je tiens ma promesse, dit Ouri.

— Et je tiendrai la mienne, répondit *Dàifu*.

Le ton de sa voix était si étrange… Frédérique se sentit parcourue par un long frisson.

Troisième partie

La proie

Chapitre 20

La barge avait volé un moment en rase-mottes au-dessus de la rivière – la Yaska, avait indiqué Ouri (encore une rivière qu'il aurait fallu qualifier de fleuve, puisqu'elle se jetait dans la mer) – avant de bifurquer vers le sud et la ZEM, la grande étendue caillouteuse et désertique que longeait la route menant à Ville de Langis.

Plus tôt dans la matinée, Ouri avait rassemblé les hommes pour leur parler de son projet, et ils avaient presque tous accepté de se joindre à lui, tous, sauf deux blessés légers qui choisirent de rester là un moment et de tenter plus tard de retourner à Bourg-Paradis par leurs propres moyens. Frédérique comprenait leur motivation, car ce qui les attendait à Ville de Langis représentait une grande inconnue… et la nette possibilité d'un nouvel affrontement. Elle avait demandé à oncle Yiren s'il ne préférait pas, lui aussi, demeurer avec ses blessés dans le campement au bord de la rivière, mais il avait secoué la tête.

Quant à l'homme qui était mort durant la nuit, on ne lui avait pas demandé son avis ; il suivrait les autres… dans la soute. Frédérique avait exprimé le vœu muet qu'on puisse bientôt remettre son corps à sa famille, ou qu'on parvienne à un endroit où l'on pourrait lui offrir une sépulture. Sinon, la barge, déjà imprégnée d'odeurs de mort et de sang, allait sentir encore plus mauvais.

Elle n'avait pas exprimé ces pensées, bien entendu. Du reste, à elle non plus, personne n'avait demandé son avis.

Ils avaient d'abord mangé les provisions rapportées par Christane et Davit, car, tant qu'à se lancer dans l'inconnu, autant y aller le ventre plein. C'était seulement après ce petit-déjeuner de fortune que la barge avait quitté le campement, peut-être pour son dernier vol.

Davit, Hervé et le jeune Antoni, les hommes valides qui participaient à l'entreprise, étaient assis par terre, près du sas, leur équipement étalé devant eux: trois fusils et deux lampes torches.

Maintenant, le soleil atteignait son zénith, jetant sa clarté presque blanche sur l'étendue caillouteuse de la ZEM qui s'étalait sous le ventre de la barge. L'appareil devait décrire une large courbe au-dessus de ce désert pour aller prendre Ville de Langis à revers. On volerait jusqu'à la mer, puis on reviendrait par le sud-ouest, de façon à éviter d'être repérés.

Frédérique avait repris le fauteuil du copilote et balayait de façon machinale les diverses fréquences au communicateur. Elle avait retrouvé son bracelet minicom sur Sylvio. Le minuscule terminal était toujours en état de fonctionner et Frédérique l'avait passé à son poignet par réflexe, non sans souhaiter qu'il lui porte meilleure chance qu'à Sylvio. Elle songeait à Nora, à Korasi. Elle se demandait s'ils connaissaient déjà la mauvaise nouvelle. Christane avait rencontré Delprado, lors de son expédition à Bourg-Paradis, mais elle n'avait pas mentionné Korasi. Frédérique espérait qu'il était retourné auprès des siens avant le début de l'affrontement.

Elle imaginait trop bien le chagrin de Nora. Quant à Korasi... Mais sans doute auraient-ils tous deux bien d'autres morts à pleurer, car Sylvio n'était pas le seul jeune homme de leur connaissance à s'être joints aux combattants d'Alber Rossy. De feu Alber Rossy. Que de morts...

La trajectoire de la barge venait de la ramener à proximité de la route qui longeait la ZEM, un simple chemin de terre battue sur lequel les camions ne pouvaient aller à très grande vitesse. Pourtant, un nuage de poussière s'en élevait, là-bas... Frédérique se redressa pour observer, à travers le pare-brise, le véhicule qui roulait dans la même direction qu'eux, vers Ville de Langis. S'il était voué au transport des marchandises en provenance d'Agora, pourquoi était-il peint couleur kaki, comme les camions des mercenaires ?

Christane avait aperçu le véhicule, elle aussi. Elle appela :

— Ouri ! On a de la compagnie.

Il vint regarder par-dessus leurs épaules.

— On va plus vite qu'eux, de toute façon. Rien à craindre.

Il regagna son strapontin. Frédérique jeta un coup d'œil vers Christane, qui fronça les sourcils, puis la pilote haussa les épaules. Frédérique se rencogna dans son siège.

Pourquoi Ouri n'avait-il pas voulu expliquer en détail ses intentions, que comptait-il *faire* exactement une fois parvenu chez les loyalistes ? Si la présence de ce camion l'inquiétait aussi peu, c'était peut-être parce qu'il s'attendait à le voir là. Après tout, cette nuit et ce matin encore, il avait passé des heures à écouter les échanges de communication entre les mercenaires...

C'était agaçant de sentir remonter, en arrière-pensée, les soupçons que Méline avait instillés en elle. Si Ouri n'était pas Arkadien, comme Méline le prétendait... Pourtant, même un agent des Chinois se serait inquiété de la présence de ce camion sur la route. À moins, encore une fois, de savoir qui conduisait le véhicule, ce qu'il transportait et quelle était sa destination.

Et si Ouri avait *déjà* négocié avec les mercenaires ?

Que leur avait-il promis en échange de la paix ? L'immunité ? Ou peut-être... de leur livrer la meurtrière de Méline ?

Frédérique crispa les mains sur les accoudoirs de son fauteuil.

Mais elle passerait en justice, elle le savait, elle l'admettait, elle était prête à payer pour son crime.

Aux mains des mercenaires ?

Ce ne serait pas exactement la même chose qu'être jugée par un tribunal arkadien et condamnée à la réclusion dans une prison sous la juridiction de l'Assemblée. N'est-ce pas ?

Elle était prête à beaucoup de sacrifices pour que cesse le conflit qui ravageait Arkadie, mais pas celui de sa propre vie.

Ce matin, lorsqu'il avait présenté son plan à ses hommes, Ouri n'avait pas caché les risques qu'ils couraient.

— On risque surtout d'être repérés avant d'avoir pu faire quoi que ce soit... avait souligné Hervé.

— Tu passes ton temps le nez en l'air, à scruter le ciel, toi ? avait rétorqué Ouri. Ils ne nous entendront pas venir et on arrivera du côté de la mer.

— Mais si on va au dispensaire, ils sauront qu'on est dans les parages.

— On ira au dispensaire après avoir déposé votre équipe, avait expliqué oncle Yiren.

— Comment, s'était étonné Hervé, vous ne venez pas avec nous, *Dàifu* ?

Yiren avait répondu, le regard fixé sur Ouri.

— Moi, c'est plus tard que je jouerai mon rôle. Quand tout sera terminé. Pas avant.

Et Ouri avait encore eu son sourire sans joie.

La barge amorça une longue courbe, puis le hublot avant ne montra plus que la mer, sa surface d'un bleu foncé scintillant sous les rayons du soleil. Leur objectif se situait près du port, là où la Yaska se jetait dans la mer. On y verrait un quai, avait annoncé Ouri, des hangars, des entrepôts, car c'était le point d'amarrage des cargos qui rapportaient le minerai de Sarnabelle.

Le quai était constitué d'une longue jetée en béton. Aucun navire n'y était amarré. À partir de là, de gros hangars de tôle s'égrenaient en chapelet en direction de la « ville », dont on apercevait les maisons au loin. En fait, l'agglomération semblait se limiter à cela : une rue tout en longueur qui s'étirait sur une bonne distance, bordée de chaque côté par des constructions rectangulaires aux couleurs ternes. Parfois, une bâtisse de plus grandes dimensions brisait la régularité de l'alignement.

— Essaie d'approcher par l'arrière des hangars et pose-toi dès que tu peux.

Christane acquiesça.

La barge amorça sa descente, tandis que Christane étudiait les lieux. Le terrain derrière les constructions de tôle semblait relativement plan ; il était plongé dans l'ombre.

Ouri répéta à la pilote les instructions qu'il lui avait données le matin.

— Tu redécolles dès qu'on est descendus, *Dàifu* te guidera vers le dispensaire. Si on te contacte par le communicateur, tu dis que tu effectues un transport médical d'urgence.

Christane répliqua avec agacement.

— Oui, mais en cas de pépin, vous m'appelez...

Frédérique montra son minicom, qu'elle avait passé à son poignet. Ouri posa une main sur l'épaule de la pilote.

— On n'aura pas besoin de t'appeler, tout ira bien.

Christane se contenta d'émettre un grognement.

— Hervé, Davit, Antoni... lança Ouri.

Les hommes étaient déjà en position près de la sortie. Le visage du plus jeune exprimait une détermination farouche que Frédérique aurait jugé comique en d'autres circonstances.

La barge se posa en silence et en douceur. Le sas s'ouvrit et le groupe bondit à l'extérieur. Aussitôt, comme il avait été convenu, ils s'éloignèrent de l'appareil tout en demeurant dans l'ombre du bâtiment, le dos collé au mur. Les trois rebelles armés tenaient leur fusil dressé devant eux.

La barge repartit sans bruit, propulsée par son système antigrav, pendant que les cinq membres de l'expédition se tenaient immobiles, aux aguets. Le silence n'était pas total: des mouches bourdonnaient autour des rebelles (ils étaient déjà repérés par ces bestioles, en tout cas), tandis que d'autres insectes plus lointains faisaient entendre leur cri-cri. Mais on ne percevait aucun signe d'activité humaine.

D'un geste, Ouri intima à ses hommes de le suivre. Ils rasèrent les murs à l'arrière des hangars, passant de l'ombre d'un bâtiment à un autre, sans voir signe de vie ni entendre le moindre bruit. Pourtant, l'endroit n'était pas à l'abandon, l'extraction avait repris dans l'archipel de Sarnabelle. C'était une chance inouïe qu'aucun cargo ne fût à quai ce jour-là. Il devait pourtant y avoir des travailleurs dans ces hangars, même quand aucun cargo n'était présent. Lorsqu'ils traversaient un espace dégagé entre les bâtiments, Frédérique apercevait de la machinerie stationnée dans ce qu'on pouvait qualifier de rue.

Elle songea soudain que c'était peut-être l'heure du lunch, tout bêtement. Dans ce cas, les travailleurs allaient revenir. Il fallait rester sur ses gardes.

Ils étaient parvenus derrière le troisième hangar lorsqu'ils entendirent soudain des appels, puis des éclats de voix. Ils se tinrent immobiles, collés au mur. Seul Ouri avança jusqu'au coin du bâtiment. Il se pencha pour jeter un coup d'œil vers la rue, puis se recula doucement, avec un geste de la main pour intimer aux autres de ne pas bouger. Des hommes discutaient à l'avant du hangar. À cette distance, on ne pouvait distinguer leurs paroles, mais il semblait à Frédérique que le ton indiquait de l'excitation et une certaine urgence. Et puis, d'autres bruits couvrirent le son des voix : claquement d'une portière, grondement sourd d'un moteur à hydrogène. Frédérique, qui avait penché la tête pour regarder vers la rue, aperçut un camion se mettre en branle et disparaître hors de sa vue.

Le moteur gronda encore, puis le bruit s'éloigna en direction de la ville. Au bout d'un moment, le silence revenu, les rebelles chuchotèrent dans le dos de Frédérique, puis Hervé s'adressa à Ouri :

— Est-ce qu'ils parlaient du dispensaire ?

Ouri répondit par un signe d'ignorance. C'était toutefois très probable : la barge, en atterrissant près du dispensaire, venait peut-être de créer une diversion.

Ouri leur fit signe de reprendre leur progression le long des hangars.

Ils avaient atteint le cinquième bâtiment lorsque Ouri donna de nouveau l'ordre muet de s'arrêter. Cette fois encore, il s'avança jusqu'au coin du bâtiment et regarda en direction de la rue, puis il indiqua au groupe de le suivre.

Ils se tenaient dans l'ombre depuis si longtemps que, lorsqu'ils atteignirent le coin du bâtiment à l'avant, Frédérique fut presque aveuglée par la lumière du soleil. Elle s'arrêta derrière Hervé qui la précédait – Davit et le jeune Antoni suivaient. Elle se tenait si près du rebelle qu'elle percevait sa respiration oppressée et sentait l'odeur de la sueur sur ses vêtements.

Ouri leur intima d'attendre et il se risqua pour la première fois à découvert. Frédérique ferma les yeux, en attente du cri qui donnerait l'alerte, mais rien ne vint, que la poussée de Davit dans son dos quand il lui fallut se remettre en mouvement. Ouri avait ouvert la petite porte du hangar, par laquelle ils se faufilèrent dans un mouvement rapide.

Le bâtiment abritait des appareils en réparation; on voyait beaucoup de pièces détachées et des outils sur de hautes étagères en métal, et un énorme pneu collé contre un mur. Ouri se glissa parmi divers obstacles vers le mur du fond. Une salle avait été aménagée dans ce coin-là – un bureau, comprit Frédérique à la vue de l'ordinateur qui reposait sur une table.

Dans le renfoncement créé par le petit bureau, des pièces de métal étaient dressées contre le mur, des tuyaux et des morceaux de tôle. Dans l'ombre de ce fatras, Frédérique distingua une porte. Cette ouverture était totalement incongrue: elle se découpait dans le mur du fond. Les rebelles auraient dû l'apercevoir du dehors quand ils étaient derrière le hangar… Non, elle devait ouvrir sur un grand placard, car la configuration du bureau, tout à côté, permettait de conclure que ce mur ne donnait pas directement sur l'extérieur.

La rouille au bas du panneau en métal et la peinture qui s'écaillait sur la poignée indiquaient que cette porte ne servait pas souvent. Quand Ouri tenta de tourner la poignée, elle grinça. Il poussa, mais la porte ne s'écarta que de quelques centimètres. Hervé joignit ses efforts aux siens et, bientôt, ils purent s'introduire dans l'ouverture.

Derrière s'étendait un couloir étroit qui descendait en pente raide, bas de plafond, au béton suintant d'humidité. Les plaques lumineuses, sur les murs, s'éclairèrent après quelques clignotements à l'effet hypnotique. À voir la quantité de poussière qui couvrait le plancher et à sentir l'odeur de moisissure qui s'en élevait, Frédérique conclut que l'endroit n'était vraiment pas très fréquenté, ou ne l'avait pas été depuis longtemps.

Quand l'une des plaques lumineuses au-dessus d'elle s'éteignit avec une sorte de crépitement, Frédérique comprit pourquoi Ouri avait insisté pour apporter des torches. Elle n'alluma toutefois pas la sienne, car il restait assez de lumière pour distinguer où l'on mettait les pieds.

Lorsqu'ils furent tous passés dans le couloir, Hervé et Davit se jetèrent sur le panneau de métal pour le repousser en place. Frédérique écouta la fermeture s'enclencher avec un claquement qu'elle jugea sinistre.

— Où sommes-nous ? demanda-t-elle.

Ses compagnons sursautèrent. Elle n'avait pourtant pas parlé très fort, mais sa voix avait résonné sous la voûte en béton.

— Dans un tunnel…

D'un air exaspéré, elle dévisagea Ouri qui compléta :

— … qui conduisait à l'origine à un autre hangar… à l'emplacement duquel a été construite une maison où nous trouverons quelqu'un avec qui négocier.

Il la défiait, son regard disant : *Allez, pose-la, ta question !* Frédérique soupira.

— Et comment tu sais cela ?

— J'ai passé les premières années de ma vie à Ville de Langis. Les hangars étaient mon terrain de jeux, quand j'étais enfant.

Ni Hervé ni Davit ne semblaient étonnés ou choqués d'entendre qu'Ouri était fils de loyaliste. Seul Antoni paraissait troublé – plus ahuri qu'autre chose, d'ailleurs. Natalia Ourianova n'avait pas mentionné l'endroit où elle vivait à l'époque de l'incendie qui l'avait laissée handicapée. Mais elle n'avait pas révélé grand-chose de son passé, de toute façon…

— Et qui va-t-on trouver au bout, avec qui va-t-on négocier ?

Ouri hésita.

— Ça, je ne peux en être sûr, on le saura sur place.

Frédérique sentit à nouveau l'étreinte du doute. À l'autre bout du tunnel, seraient-ils attendus par des mercenaires ? trahis par Ouri, arrêtés ou abattus ?

Et si elle posait une question directe, Ouri répondrait-il ?

— Est-ce que tu as communiqué avec les mercenaires ?

Cette fois, l'hésitation d'Ouri dura plus longtemps.

— Oui.

Les trois rebelles réagirent avec vivacité.

— Ils savent qu'on arrive, ils nous attendent ? demanda Hervé d'un ton froid.

— Non. Je leur ai seulement dit qu'ils devaient venir à Ville de Langis aujourd'hui. Je ne leur ai pas dit qui je suis, je n'ai même pas mentionné qu'ils auraient la surprise de nous rencontrer.

Le camion qu'ils avaient aperçu sur la route, bien sûr… et qui devait maintenant être arrivé à destination… ou qui s'était précipité au dispensaire, en croyant que la « surprise » était la barge. Christane, Yiren, les blessés… seraient-ils la cible des mercenaires ?

— Tu n'as pas peur qu'ils tirent sur la barge ?

— C'est pour ça que j'ai dit à Christane de se présenter comme un transport médical d'urgence.

Comme si les mercenaires allaient interroger la pilote de la barge avant de faire feu ! Frédérique se força au calme.

— Alors, ils ne nous attendent pas au bout de ce tunnel…

— J'espère bien que non.

Elle insista :

— Mais ce tunnel est connu des habitants de la maison située à l'autre bout ?

— Oui. On peut espérer, comme personne ne nous a vus entrer dans le hangar, qu'ils n'iront pas imaginer que nous pouvons passer par là.

— Et si c'était le cas, c'est pour ça qu'on est là, intervint Hervé.

Les trois rebelles montraient des mines résolues. Peut-être cherchaient-ils à se rassurer eux-mêmes. Quoi qu'il en fût, ce n'était pas le moment de discuter.

Ils descendirent la pente du couloir d'un pas prudent. Le sol en béton était recouvert ici aussi d'une bonne couche de poussière. Le tunnel suivait une courbe à peine perceptible, mais Frédérique ne possédait pas un sens de l'orientation assez développé pour être certaine qu'ils allaient bien en direction des habitations.

Ils avaient parcouru plusieurs centaines de mètres, estima-t-elle, lorsque le tunnel remonta. À cette extrémité, les plaques lumineuses ne fonctionnaient plus du tout. Frédérique alluma la lampe qu'elle portait et la leva, éclairant du coup la sortie aussi rouillée que sa jumelle.

Ils se rassemblèrent près du panneau. Ouri lança un regard entendu à ses hommes. Hervé acquiesça. Ils étaient prêts à tout.

— Frédérique, la torche... chuchota Ouri.

Elle l'éteignit.

Cette fois, il fallait tirer et non pousser la porte, et Ouri ne parvint d'abord pas à bouger le panneau de plus de quelques centimètres. Aucune lumière ne passant par l'interstice, il insista. Cette fois encore, Hervé se joignit à lui et ils halèrent jusqu'à ouvrir suffisamment pour livrer passage à un homme adulte. Frédérique et ses compagnons tendirent le cou pour examiner les lieux.

La pièce qui s'offrait à leurs regards se trouvait en sous-sol, comme en témoignait la faible lumière du jour tombant depuis le haut d'un escalier qui montait, tout au fond. C'était une sorte de débarras encombré de cartons, un bric-à-brac d'objets et de meubles usés ou abîmés, peut-être entreposés là en attente de réparation ou de recyclage.

Hervé échangea un regard avec Ouri, puis il prit la direction des opérations. Par gestes, il intima à Davit d'aller se poster au bas de l'escalier.

Davit traversa avec prudence le bric-à-brac, évitant les nombreux obstacles sur sa route. Quand il atteignit l'escalier, Frédérique le vit étirer le cou, puis il se tourna vers l'entrée du tunnel sans doute pour signaler que la voie était libre…

Et, soudain, un cri retentit à l'étage au-dessus et Davit recula avec précipitation. Ouri bondit dans sa direction.

— Non, fonce, sinon on sera piégés !

Frédérique suivit le mouvement. Elle eut conscience que, derrière elle, Hervé poussait la porte avec force pour la refermer. Antoni, lui, se trouvait à la même hauteur que la Cristobalienne. Il trébucha sur un obstacle et faillit s'étaler. Hervé les avait déjà rejoints, il soutint son jeune compagnon.

Là, devant, Davit avait grimpé l'escalier en poussant un hurlement, sans doute pour obliger la personne qui l'avait aperçu à reculer. À tout le moins, cette personne n'était pas armée, sinon il y aurait déjà eu échange de tirs.

Frédérique se heurta à Ouri, qui s'était arrêté au bas des marches. Elles s'élevaient au milieu d'un couloir étroit sur lequel donnaient deux portes closes. Hervé tenta de les ouvrir et elles résistèrent. Verrouillées. Il fallait monter.

En haut des marches, Davit avait mis un genou au sol, il balayait les alentours de son arme pointée.

D'un geste vif, Ouri se tourna vers Frédérique et la saisit aux cheveux. Elle cria autant de surprise que de douleur.

— Ne tirez pas ! lança Ouri d'une voix puissante à l'intention des éventuels opposants. Nous avons un otage !

Il entreprit de traîner Frédérique avec lui dans l'escalier. Elle aurait voulu protester, mais rien d'autre ne sortait de sa bouche que des onomatopées indistinctes. Elle avait l'impression que sa tignasse allait être arrachée et de grosses larmes de souffrance coulaient sur ses joues.

Davit jeta vers eux un regard ébahi, puis il s'écarta pour permettre à Ouri et à son « otage » de se tenir près de lui en haut de l'escalier. Ouri s'accroupit et tira sans ménagement Frédérique auprès de lui. Elle tomba à genoux, ses mains s'enfoncèrent dans un moelleux tapis. Hervé était monté lui aussi à toute vitesse. Il se posta, avec Davit, de part et d'autre du couloir.

En haut, le corridor était plus spacieux, percé lui aussi de quelques portes. Mais, surtout, il se prolongeait plus loin, après un coude. Et c'était en direction de ce tournant que Davit et Hervé se déplaçaient maintenant. Ouri força Frédérique à se lever, puis il la poussa devant lui.

Comme ils parvenaient au coude du couloir, Frédérique entendit soudain le bruit d'une porte qui s'ouvrait derrière elle dans le couloir ; une exclamation de stupeur fusa.

Ouri en resta lui-même si surpris qu'il relâcha son étreinte. Frédérique put tourner la tête et voir l'homme qui se tenait à la porte, attiré par le brouhaha mais trop abruti pour être resté caché derrière l'huis clos.

Frédérique reconnut Mangeshkar, l'ingénieur de la Howell-Devi qu'elle avait eu pour passager sur le *Gagneur*. Derrière lui, Frédérique put apercevoir brièvement l'ameublement d'une chambre.

Hervé avait déjà réagi, bien sûr, et s'était saisi de ce second otage providentiel – un véritable otage, cette fois. Mangeshkar n'opposa aucune résistance et Hervé put le traîner avec lui.

— Tu pourrais me lâcher… grogna Frédérique à l'adresse d'Ouri.

Il répondit par un « chut » impérieux. Frédérique tourna la tête vers l'ingénieur, que Hervé avait poussé à sa hauteur.

— Monsieur Mangeshkar, c'est moi, commandante Laganière, du *Gagneur*...

Ce n'était vraiment ni le lieu ni l'heure pour une conversation. Ouri, qui avait lâché ses pauvres cheveux pour lui prendre le bras, la secoua avec rudesse.

— Silence !

Il força ses otages à avancer au-delà du tournant, et Frédérique put découvrir le bout du couloir, les personnes qui s'y étaient regroupées (qui ne semblaient pas trop menaçantes) et celles qui s'apprêtaient à pénétrer dans la maison (et qui montraient une allure beaucoup plus combative).

Le couloir menait à l'entrée de la maison, dont la porte était grande ouverte. À l'intérieur on comptait quatre personnes, une femme d'âge mûr et trois hommes, parmi lesquels deux mercenaires reconnaissables à leur tenue kaki... et au fait qu'ils étaient armés. Ils ne pointaient pas leur fusil vers les envahisseurs mais vers le sol – vers le moelleux tapis qui, Frédérique s'en rendait compte maintenant que ses yeux n'étaient plus aveuglés par les larmes, sortait tout droit d'une manufacture hindustani. Cependant, les mercenaires devaient cette attitude non belliqueuse à la présence de la femme qui se tenait entre eux deux : elle avait posé une main sur le canon de l'arme de chaque côté et c'était elle qui maintenait les fusils baissés.

À l'extérieur, on voyait le camion des mercenaires stationné dans la rue et entouré d'une grappe d'hommes qui, heureusement, semblaient hésiter quant à la conduite à tenir.

Ouri désigna l'un des mercenaires dans le couloir.

— Toi, sors et dis-leur que s'ils cherchent à entrer, nous tuerons l'ingénieur. Et ramène Edmond Bugeault, dis-lui que son « rendez-vous » est arrivé.

La femme qui avait maintenu baissé le canon des armes lâcha celui du mercenaire interpellé, avec quelques brèves paroles en langue commune. Sans doute intimait-elle à l'homme d'obéir, car le soldat recula jusqu'à l'extérieur, puis il se tourna vers le camion.

— Hervé, tu surveilles la porte, lança Ouri, et tu ne laisses entrer que Bugeault. Antoni, il y a une porte de communication dans cette pièce…

Ce disant, il montrait la salle qui s'ouvrait du côté droit du couloir. Avec un geste d'invite, il s'adressa aux trois personnes qui étaient demeurées dans l'entrée.

— Je vous en prie, passez donc au salon…

Chapitre 21

C'était bel et bien un salon qu'il y avait de ce côté, un salon confortable, meublé de fauteuils, de tables basses et habillé d'un tapis hindustani. Et il s'y trouvait bel et bien une porte de communication, ouverte, devant laquelle se tenait Antoni. En face de lui, un jeune homme, pas beaucoup plus âgé que le rebelle, s'était arrêté sur le seuil, surpris par la présence de ces visiteurs inattendus.

Le jeune hôte questionna, dans la langue commune, la femme qui accompagnait les mercenaires. Elle répondit dans la même langue, mais Ouri interrompit l'échange.

— Nous ne vous voulons aucun mal, nous sommes venus pour discuter.

Le jeune hôte sursauta et tourna vers Ouri son regard pâle ébahi.

— Qui es-tu ?

Ouri eut son sourire sans joie.

— Je crois que tu le sais.

L'autre ouvrit la bouche, la referma. À cet instant Hervé, resté dans l'entrée, annonça l'arrivée de Bugeault. Le mercenaire pénétra à son tour dans le salon, à pas mesurés.

— Que se passe-t-il, ici ?

Il vit Ouri, fronça les sourcils.

— Piccino ?

Puis, il aperçut Frédérique et détourna les yeux, embarrassé. Davit, qui avait pris la place de Hervé pour surveiller Mangeshkar, avait relâché l'ingénieur, qui se dirigea vers le nouveau chef des mercenaires. L'Hindustani prononça avec peine :

— Je ne comprends pas…

Frédérique se rendit compte que l'ingénieur portait un petit adaptateur dans la prise qui servait normalement au branchement dans le Monde. Il s'agissait d'un ordinateur capable de reproduire dans la réalité certains outils du monde virtuel, comme un traducteur quasi instantané.

— Edmond, si on faisait les présentations ? soupira Ouri.

Il s'adressa aux autres.

— Bugeault est le nouveau chef des mercenaires, en remplacement de Méline, vous le savez ?

L'homme qui s'était tenu tout à l'heure dans l'entrée en compagnie des mercenaires, et qui n'était pas de la première jeunesse, intervint aussitôt :

— En remplacement de Méline ? Comment ça ?

Ouri eut une expression de sombre satisfaction.

— Je le savais, tu ne leur as rien dit, hein, Edmond ? (Et, aux autres :) Méline est mort. Notre ami Edmond Bugeault a pris la succession, mais il a préféré ne pas vous prévenir au cas où ça vous donnerait l'idée d'obliger ses hommes à arrêter les combats…

Bugeault pointa un doigt accusateur sur Frédérique.

— C'est elle qui l'a tué !

— Commandante Laganière ? s'exclama Mangeshkar avec effarement.

— Il a tenté de la droguer, précisa Ouri avec vivacité, elle s'est défendue.

La femme d'âge mûr lança une question dans la langue commune, et son compagnon âgé intervint :

— Si on reprenait depuis le début, hein ? Qui êtes-vous et que faites-vous ici ?

— Moi, rétorqua Ouri, je sais qui tu es. Tu ne me reconnais pas, Julian Neil ?

L'homme eut un mouvement de recul. Ouri se tourna vers la femme :

— Et vous, vous devez être Line Feynmann. Vous travailliez déjà pour le coordonnateur, à l'époque de mon père. Et vous avez continué avec Sacha...

Sacha. Ce n'était qu'un diminutif, Frédérique le savait – le diminutif d'Alexandre.

Et le jeune homme au regard pâle, le jeune homme qui était le coordonnateur Alexandre de Langis, contemplait son frère avec une mine horrifiée.

— Victor, tu es... tu étais...

Mort.

— Eh non.

« Mort-vivant », avait dit Natalia Ourianova.

Alexandre bredouilla :

— Est-ce que... maman... Elle est... elle aussi... vivante ?

Ouri détourna les yeux.

— Oui, mais... on en parlera plus tard.

— Plus tard ? protesta le jeune homme. Comment peux-tu... et puis, pourquoi, pourquoi tu n'es pas revenu avant, pourquoi tu ne nous as pas fait savoir que vous étiez vivants ? Victor, cela fait vingt ans !

Vingt ans. Alexandre de Langis avait pourtant reconnu son frère. Même s'ils ne se ressemblaient pas tellement, du moins de prime abord. Ouri semblait si... hâve, à côté de son frère. Cependant, oui, si l'on y regardait de plus près, il y avait un indéniable petit air de parenté.

Hervé avait quitté son poste à l'entrée et se tenait sur le seuil du salon, les yeux braqués sur Ouri. Les autres rebelles paraissaient frappés de stupeur. Julian Neil et Line Feynmann observaient les deux frères avec incrédulité. Quant à Bugeault et à l'autre mercenaire resté dans la maison, leur visage exprimait l'ahurissement.

Frédérique, elle, se sentait franchement bête de n'avoir pas deviné plus tôt la véritable identité de Viktor Ourianov. Mais comment aurait-elle pu? Ah, elle comprenait maintenant pourquoi Nora avait été si inquiète de ce que Natalia Ourianova pouvait lui raconter... Et pourquoi Korasi, Nora et Sylvio avaient tout risqué pour tirer leur ami des griffes de Méline... Et la nature du «différend» qui opposait Ouri à Rossy.

Ouri qui, pendant toutes ces années, avait eu le pouvoir de mettre fin au conflit. Il lui aurait suffi de venir ici, à Ville de Langis...

— Pourquoi? répéta Alexandre avec un accent de désespoir.

— C'est... une longue histoire, Sacha. Et c'est compliqué... Tu étais trop petit, à l'époque, pour te rappeler comment papa et maman se disputaient parce que maman n'était pas d'accord avec les décisions de papa... Elle a été affreusement brûlée pendant l'émeute.

Il s'interrompit, se tourna vers Julian Neil.

— Je vais tout vous raconter, mais, d'abord (il désigna Bugeault), je vous demande d'ordonner aux mercenaires d'arrêter les combats.

Julian Neil parut désemparé.

— Les combats?

Bugeault bougonna:

— Nous avons cessé le feu hier soir.

— Vous n'étiez pas au courant de ça non plus, hein? souligna Ouri en regardant vers Neil. L'appareil qui a atterri tout à l'heure au dispensaire amenait un bon nombre de blessés.

Le visage du vieil homme montra une horreur incrédule.

— Nous nous sommes seulement défendus! contesta Bugeault. Ce sont les rebelles qui nous ont attaqués à Howell!

— Et qu'est-ce que vous alliez fabriquer à Howell? répliqua Ouri. Et pourquoi les hommes de Rossy s'étaient-ils rendus là-bas, eux aussi?

Bugeault jeta un coup d'œil rapide du côté de Mangeshkar.

— Nous devions sécuriser les lieux en vue de leur utilisation ultérieure. Les rebelles nous ont suivis et attaqués.

— Sécuriser les lieux ! railla Ouri. Tu comptes mettre ça sur le dos des Hindustani, maintenant?

Du menton, il désignait l'ingénieur resté bouche bée.

— On a essayé... de mettre fin au conflit, s'entêta Bugeault.

Avec une expression de colère glacée, Ouri fit un pas vers lui.

— Mettre fin au conflit, c'est ce qu'on va faire, tout de suite.

Il se tourna vers le coordonnateur.

— Sacha, tu me reconnais, tu l'admets?

— Ou... oui.

— Dis-le, dis qui je suis.

Avec un temps de retard, Bugeault comprit où son adversaire voulait en venir, il leva une main d'avertissement en direction du coordonnateur, mais la laissa retomber, car Sacha bredouillait:

— Tu es Victor de Langis, mon frère.

— Ton frère *aîné*, Sacha.

Ouri revint vers le chef des mercenaires.

— Tu as entendu, Bugeault. Tu sais ce que ça implique.

Les autres écarquillaient les yeux, mais pas Frédérique. Elle ignorait si elle devait applaudir ou gifler Ouri.

Sacha, quant à lui, avait le regard étrangement fixe.

— Alors, c'est pour ça que tu es revenu aujourd'hui... prendre ma place... Et pendant vingt ans...

Ouri eut un haussement d'épaules empreint de lassitude.

— Tu voulais savoir pourquoi je n'ai rien dit, rien fait durant toutes ces années ? Tu ignores ce qui s'est passé durant l'émeute, hein ? Ce devait être une manifestation pacifique, une simple marche pour montrer à papa que nous n'étions pas d'accord avec lui, pas d'accord pour céder à rabais le sol de notre planète. Maman n'avait pas voulu t'emmener, et tu as pleuré pendant des heures, tu te rappelles ?

Alexandre de Langis hocha la tête d'un mouvement machinal. Ouri se tourna vers Julian Neil.

— Toi, tu sais ce qui est arrivé, Julian.

L'homme âgé acquiesça :

— Quand Guillaume a voulu leur adresser la parole, les manifestants ont commencé à lancer des projectiles, puis des têtes brûlées ont jeté des cocktails Molotov et ç'a été la panique.

— C'était moi, Julian. J'étais avec ma bande d'énervés, et je ne sais plus qui a eu l'idée de mettre le feu, mais c'est moi qui ai lancé la première bouteille enflammée. Et, oui, ç'a été la panique. Je me suis retrouvé au milieu de la folie collective, et j'ai cherché maman, je l'ai cherchée partout. Quand je l'ai découverte, elle était emmenée par des gens qui fuyaient. J'ai cru qu'elle était morte. Elle était horriblement brûlée.

Avec un soupir, il revint vers son frère.

— Défigurée, Sacha. Et aveugle. Mais ça, je l'ai appris plus tard seulement, quand elle a repris conscience. En attendant, je ne savais pas quoi faire. Quand je me suis rendu compte que ceux qui nous aidaient étaient des nationalistes, je n'ai pas osé leur dire qui j'étais. J'avais peur… à cause de ce que j'avais fait. Ces gens, c'étaient Raju Korasi et sa famille. Tu ne le connais pas, on ne le connaissait pas à l'époque. Il s'est occupé de maman et de moi. Maman est restée entre la vie et la mort durant des mois… Quand elle est revenue à elle, elle a choisi de rester avec les Korasi. À cause de son état physique. Et à cause de moi.

Alexandre de Langis parut soudain recouvrer ses esprits. Il se redressa.

— D'accord, à ce moment-là, tu n'étais qu'un gamin, mais, merde, Victor, tu as fini par grandir, tu aurais dû donner signe de vie !

— Tu ne comprends pas, Sacha, je n'ai pas grandi, justement. Je me sentais tellement coupable que je me suis mis à consommer tout ce qui me tombait sous la main, drogue ou alcool, j'étais un vrai monstre de colère, contre moi et contre papa.

— Et maman ?

Ouri détourna le regard.

— Elle ne voulait pas qu'il la voie comme ça, défigurée.

— Mais tu n'étais pas défiguré, toi ! Tu pouvais revenir, même si c'était pour lui jeter ta colère au visage ! As-tu une idée de ce qu'il a vécu, toutes ces années ? Il avait perdu sa femme et son fils aîné !

— Et quand il a fait venir les mercenaires pour attaquer mes amis, ceux qui nous avaient sauvés, maman et moi ?

— Ce n'est pas vrai, il a engagé ces hommes pour nous protéger… Et puis, il est mort il y a quatre ans, Vic. Si tu ne voulais pas le voir, lui, tu ne pouvais pas revenir pour moi ?

— Je te l'ai dit, j'étais un drogué… Dis-lui, Bugeault…

L'interpellé resta muet.

— Alors, souffla Alexandre, pourquoi maintenant ?

Ce fut à Julian Neil que Ouri s'adressa :

— Tu dois avoir connu Vincenzo Tossa et sa femme Maria, je me trompe ?

Surpris, Neil opina de la tête.

— Vincenzo est décédé il y a sept ou huit ans. Le couple avait deux fils. Le plus jeune, Sylvio, est mort hier, au combat. Andrea, lui, est mort il y a un peu plus de deux ans, tué par Méline et ses hommes. Ils l'ont drogué.

Bugeault sembla un moment sur le point d'intervenir, mais il garda bouche close.

— Vois-tu, Sacha, les mercenaires consomment de l'amplix, une drogue interdite à peu près partout sur Cristobal, mais qui circule encore en Hindustan. Ils se sont amusés à tester des doses de plus en plus fortes sur les nationalistes qu'ils capturaient. Andrea a été l'un de leurs cobayes.

Il soupira.

— Moi, je m'en fichais, jusqu'à la mort d'Andrea. J'étais même plutôt copain avec eux, parce qu'ils me filaient de la drogue. Hein, Bugeault ?

Le mercenaire se contenta d'émettre un grognement plus ou moins approbateur.

— Mais quand ils ont tué Andrea… j'ai vraiment été choqué. J'ai essayé d'en finir, mais j'ai raté mon coup. C'est le médecin cristobalien qui m'a tiré d'affaire qui m'a convaincu d'aller en désintoxication.

Oncle Yiren.

Ouri ne précisa pas qu'il s'agissait d'un médecin chinois. Frédérique jeta un regard à Mangeshkar, mais l'Hindustani semblait avoir peine à suivre la conversation.

— Et même alors, continuait Ouri, je ne voulais pas me mêler du conflit, je voulais seulement sauver ma peau. Mais la mort de Sylvio, hier… Maria Tossa ne verra pas vieillir ses fils, elle n'aura jamais de petits-enfants, et ce sera le cas de combien d'autres femmes à Bourg-Paradis ?

— Arrête ! cria soudain Alexandre. Tais-toi ! Ça suffit ! On a compris !

Il regarda autour de lui, tremblant de tous ses membres, puis se lança vers Bugeault.

— Vous avez entendu, retournez à votre campement et faites vos bagages !

Il éclata d'un rire nerveux.

— Mais qu'est-ce que je fiche là à vous donner des ordres ! Je ne suis plus le coordonnateur. (À Mangeshkar, qui semblait hérissé de frayeur :) Vous avez entendu ? Vous aussi, vous pliez bagages ! Vous n'avez plus rien à faire ici !

Ses épaules s'affaissèrent, il semblait soudain si pitoyable que Frédérique esquissa un geste vers lui. Mais Line Feynmann s'était approchée, elle lui entoura les épaules de son bras. Le jeune homme – il paraissait bien plus jeune qu'Antoni, maintenant – demanda :

— Qu'est-ce qui va se passer, maintenant, Line ?

— La paix, répondit Ouri. Ce qui va se passer, Sacha, c'est la paix.

L'expression de son visage, lorsqu'il prononça ces mots… ce n'était pas une expression de joie.

◆

Plus tard ce jour-là, Frédérique était assise en haut de la volée de marches qui menait à la porte d'entrée de la maison des de Langis. Elle attendait que quelqu'un se rappelle son existence, que quelqu'un l'informe de ce qui allait advenir d'elle. Elle, à tout le moins, n'oubliait pas qu'elle avait commis un meurtre.

Oh, ce n'était pas qu'on l'avait laissée seule : une petite foule s'était amassée autour de la maison depuis des heures. Les habitants de Ville de Langis étaient d'abord restés prudemment chez eux, quand ils avaient entendu le camion des mercenaires se précipiter dans la rue. Ils avaient risqué le nez dehors quand il avait été clair que les mercenaires attendaient quelque chose. Puis, lorsque Bugeault avait quitté la maison, la nouvelle s'était répandue comme une traînée de poudre.

Le fils du coordonnateur… non, pas Alexandre, son frère Victor, qu'on croyait mort depuis vingt ans…

Assise au sommet des marches, Frédérique aurait pu tout aussi bien être une souveraine sur son trône. Les gens la regardaient, mais plus personne n'était venu lui parler après qu'elle eut montré son ignorance de la langue commune. Ce n'était pas elle qui pourrait raconter les événements ou donner des nouvelles. Alors, les gens attendaient.

Line Feynmann se trouvait dans une maison voisine avec l'ingénieur Mangeshkar. L'Hindustani avait mis du temps à comprendre les péripéties de l'après-midi, et le voir soudain devenir furieux avec une bonne heure de retard aurait été du plus haut comique si Frédérique n'avait craint que sa colère ait des conséquences funestes. Car qui pouvait savoir comment les Hindustani réagiraient maintenant ? Frédérique avait entendu Ouri exhorter madame Feynmann à calmer l'ingénieur et, surtout, à lui faire comprendre que le nouveau coordonnateur n'allait pas bouter les Hindustani hors d'Arkadie, en tout cas pas du jour au lendemain.

Les négociations seraient longues…

Alexandre de Langis, lui, semblait s'être calmé. Julian Neil lui tenait compagnie dans sa chambre, à la demande d'Ouri. Ce dernier craignait-il que le jeune homme, inspiré par le récit de son aîné, tente de mettre fin à ses jours ?

Edmond Bugeault et la plupart de ses mercenaires étaient repartis vers Bourg-Paradis. Bugeault avait été chargé de prévenir Luis Delprado des derniers développements. Monsieur Delprado était prié d'organiser une rencontre entre l'Assemblée et le coordonnateur de Langis – le coordonnateur *Victor* de Langis.

Frédérique n'arrivait pas à s'habituer à ce nom.

Bugeault avait laissé quelques hommes pour garder la maison, au cas où des loyalistes, apprenant ce qui s'était passé, viendraient réclamer des comptes au coordonnateur, l'ancien ou le nouveau. Frédérique goûtait l'ironie de savoir que les mercenaires, cette fois, étaient présents pour protéger Ouri.

Elle vit une ombre la couvrir et entendit les cris de frayeur des gens avant de lever les yeux pour constater que la barge descendait dans la rue. Deux mercenaires se précipitèrent pour intimer aux gens de s'écarter. La plupart des badauds reculèrent à bonne distance. Évidemment, ils ignoraient d'où venait la barge, qui la pilotait et si son arrivée représentait une menace pour eux.

Frédérique se mit sur pied. Dans la rue, les mercenaires parurent surpris de voir un Chinois débarquer de l'appareil, mais Christane suivait de près et elle leur lança:

— Nous sommes attendus par le coordonnateur… par Victor de Langis.

Frédérique avait appelé Christane, un peu plus tôt, pour lui raconter les événements de l'après-midi. Elle avait appris ainsi que les blessés avaient tous été traités au dispensaire. Le docteur Bhushan garderait ceux qui nécessitaient le plus de soins, alors que les blessés légers seraient reconduits à Bourg-Paradis dans les prochaines heures.

— Tout va bien? demanda la pilote en approchant.

Frédérique n'eut pas le temps de répondre, elle vit le regard de Christane changer de destination et se retourna. Ouri se tenait derrière elle, sur le seuil de la porte – et son apparition avait déclenché bien des murmures parmi les gens qui les observaient de loin.

Ouri resta silencieux. Il fixait Yiren. Qui hocha la tête.

— C'est très bien, commenta le médecin, mais ce n'est pas encore fini.

Chapitre 22

Six semaines s'étaient écoulées depuis les horribles journées de guerre, six longues semaines pendant lesquelles la poussière n'avait pu retomber sur la route menant de Bourg-Paradis à Ville de Langis. Des camions effectuaient sans cesse la navette entre les deux agglomérations, avec en général un arrêt à Howell en chemin, car tout le monde voulait *voir*, même si, dès les premiers jours, il ne restait plus guère de trace des combats. On parlait d'ériger un monument du souvenir.

Quels gens bizarres, ces Arkadiens, prêts à se taper dessus par conviction politique, et qui devenaient soudain de grands pacifistes une fois qu'ils avaient enterré leurs morts.

Parmi les passagers de ces camions, on avait souvent compté Raju Korasi, qui escortait l'un ou l'autre représentant de l'Assemblée. Frédérique était chaque fois heureuse de le revoir, même quand l'une de ces visites avait signifié qu'il était temps pour elle de comparaître devant un tribunal arkadien afin de répondre du meurtre de Carl Méline.

Après coup, Frédérique s'était déclarée déçue par la brièveté et la simplicité des procédures. Mais, pendant toute la durée du procès, elle avait vécu dans la honte, parce qu'il lui avait fallu décrire, devant des gens qu'elle aimait et respectait, l'acte horrible qu'elle avait commis. Même si les procédures se déroulaient en langue commune et que les témoignages parvenaient à Frédérique par le truchement d'un interprète, elle entendait quand même l'émotion dans la voix des témoins, elle voyait leur regard posé sur elle.

L'un des pires moments avait été le témoignage de Mandula. Frédérique n'avait pas été d'accord pour que soit convoquée l'épouse de Korasi ; elle avait protesté : qu'est-ce que Mandula avait à voir avec l'affaire ? S'il n'en avait tenu qu'à elle... Hélas, ce n'était pas l'avis d'Horace Lehtonen, son « conseil » qui, à la façon très arkadienne de concevoir la justice, était à la fois son protecteur et un membre de l'Assemblée.

Apparemment, sur Arkadie, on pouvait être à la fois juge – ou, plus exactement, avocat – et partie.

Mandula, donc, était venue témoigner. Elle avait décrit les journées passées chez elle (chez elle ! dans des grottes) par l'accusée, elle avait rapporté ce qu'elle avait compris quand Sylvio avait narré la mort de son frère Andrea. Cela, avait enchaîné Horace Lehtonen, indiquait que dès son arrivée en sol arkadien, la Cristobalienne avait été effrayée par des récits portant sur les ravages de l'amplix. Dans le même ordre d'idées, Nora avait été conviée à raconter la nuit que Frédérique avait passée au chevet d'Ouri, autre victime de la même drogue.

Mais Ouri, lui, ne fut pas appelé à témoigner.

Heureusement, car, aux yeux de Frédérique, les deux témoignages présentés à ses juges ajoutaient des circonstances aussi aggravantes qu'atténuantes : puisqu'elle connaissait les ravages causés par la drogue, elle savait qu'elle mettait la vie, ou à tout le moins la santé, de Carl Méline en danger en lui injectant une dose massive d'amplix.

Bref, palabres, palabres.

Personne n'était venu témoigner pour l'accusation. Bugeault aurait peut-être été tenté de s'y risquer, mais il lui aurait fallu alors expliquer aux juges pourquoi le meurtre de Méline n'avait pas été dénoncé sitôt commis.

En vérité, Frédérique aurait été le meilleur témoin à charge, si son conseil lui avait laissé toute liberté de parler.

Méline lui manquait.

Peut-être, là-bas dans le monde des esprits, se réjouissait-il de sa mort, car, vivant, il n'aurait pas aimé perdre la partie de jeu politique qui avait suivi les combats.

Quoi qu'il en fût, après avoir siégé deux jours et délibéré durant une troisième journée, les juges avaient rendu leur verdict. Frédérique était coupable, bien sûr, mais on ne lui imposerait aucune peine d'emprisonnement puisqu'elle avait été impliquée dans les affaires arkadiennes contre son gré. Elle paierait sa dette au moyen de travaux communautaires. Par exemple, en assurant des quarts de travail à la Piste – quarts de travail pendant lesquels elle pouvait également s'occuper de sa barge en la préparant au départ…

Quand elle aurait récupéré le *Gagneur*, elle continuerait de payer sa dette en effectuant du transport pour l'Assemblée, car il y aurait beaucoup d'allées et venues entre Cristobal et Arkadie, maintenant que le Zhongguó tout autant que l'Hindustan seraient invités à participer au développement de la planète. Le remboursement de sa dette débuterait d'ailleurs dès le moment où la barge se rendrait à Agora, puisque Frédérique devait emmener un premier passager au nom de l'Assemblée… Monsieur Mangeshkar ne se sentait plus à son aise sur Arkadie, il préférait retourner chez lui.

Frédérique, elle, aurait préféré une plus lourde punition pour son crime, qui aurait libéré son esprit du remords.

Vrai qu'il lui restait encore à rentrer chez elle, où l'on aurait certainement entendu parler des événements sur Arkadie. Mon Dieu, il faudrait expliquer à sa mère comment elle en était venue à prendre la vie d'un homme… Fervente chrétienne, Marthe Laganière se montrerait bien moins indulgente que les juges arkadiens.

Ah oui, combien elle regrettait. Et comme elle aurait aimé maintenant prendre une bière avec Méline, pour l'entendre ironiser sur la situation.

Car la paix n'était pas chose simple à réaliser.

D'abord, il fallait renvoyer les mercenaires chez eux, ce qui ne posait pas de problèmes… à condition de leur verser le salaire qui leur était dû. Or, les fonds du coordonnateur provenaient essentiellement, jusqu'ici, du soutien discret apporté par les Hindustani… qui n'étaient pas très heureux des changements en cours… et qui seraient encore plus mécontents s'il devenait manifeste que le coordonnateur demandait de l'aide du côté du Zhongguó…

Ensuite, il fallait abolir le poste de coordonnateur, de l'avis même de celui qui occupait cette fonction – ce qui n'était pas chose réglée, loin de là. En effet, une question cruciale se posait : qui allait assumer le gouvernement sur Arkadie ? L'Assemblée ? Hum. Jusqu'à présent, l'Assemblée avait constitué une sorte de conseil des sages composé des « anciens » et, surtout, des représentants des familles souches, et servait surtout à contrebalancer le pouvoir du coordonnateur. Mais l'Assemblée ne pouvait être le seul maître, car comment prétendre à la démocratie si seule une partie de la population avait accès au pouvoir ?

Bref, encore palabres, palabres.

De toute manière, impossible de remettre la moindre petite décision des affaires quotidiennes entre les mains d'un groupe entier de personnes âgées dont l'activité favorite était… les palabres. Il fallait tout revoir, de la composition de l'Assemblée à la façon d'y nommer quelqu'un. On avait hâtivement choisi un premier conseiller à qui l'autorité serait déléguée en attendant mieux. Luis Delprado avait déjà annoncé qu'il n'avait pas l'intention de porter ce titre très longtemps.

Pendant tout ce temps, la famille de Langis s'était montrée très discrète.

Et Frédérique n'avait pas revu Ouri.

Elle avait elle-même été plutôt occupée, avec Christane et les mécanos de la Piste, à nettoyer la barge, à vérifier l'état de l'appareil… De l'avis de ses compagnons de travaux communautaires, ce qui l'attendait à Agora était bien plus inquiétant pour son avenir que sa comparution devant les juges. En général, on s'entendait pour supposer que les Hindustani se montreraient peu empressés de collaborer avec l'Assemblée.

Bref, encore et encore palabres, palabres ?

Pourtant, cela ne préoccupait guère Frédérique. Le *Gagneur* et son équipage avaient connu bien des déboires, elle se débrouillerait pour le remettre dans le circuit du transport spatial, elle finirait par dénicher le moyen de payer la location du dock à Agora.

L'avenir lui aurait semblé moins embrouillé si seulement elle avait vu Ouri.

Elle avait entrepris une tournée d'au revoir à Bourg-Paradis. Mandula s'y trouvait, et Frédérique eut la chance de la revoir en compagnie de ses filles, car la famille s'apprêtait à quitter le refuge des grottes sitôt que Natalia se sentirait prête à sortir de sa réclusion.

Durant son séjour, Frédérique avait réintégré la chambre de Nora chez les Henke, non sans embarras : elle se sentait bien plus coupable du meurtre de Méline en face de ses hôtes, car elle les avait compromis ce jour-là en commettant ce meurtre, même si en fin de compte personne – à part Méline, évidemment – n'avait eu à pâtir de ce crime… De toute façon, l'acte le plus répréhensible était si facilement oublié dans la joyeuse agitation de la maisonnée !

Nora et sa mère étaient très prises par leur travail à l'hôpital, malgré l'aide de *Dàifu* et du docteur Bhushan, car il fallait soigner autant les mercenaires cristobaliens que les Arkadiens. Nora avait déclaré avec espoir :

— Je vais peut-être pouvoir compléter ma formation, maintenant. *Dàifu* m'en a parlé l'autre jour. Qui sait, à ton prochain voyage, peut-être que tu m'emmèneras au Zhongguó finir mes études ? En attendant, je dois changer le pansement de l'un de tes ex-concitoyens !

Curieusement, parmi les mercenaires, certains avaient demandé à demeurer sur Arkadie, à s'y établir, permission qu'ils avaient obtenue en échange de la promesse de garder la paix. Pour l'Assemblée, cela signifiait moins d'argent à rassembler à court terme, car on pourrait attendre un peu avant de payer ceux qui restaient.

Bref, tout semblait s'arranger pour tout le monde.

◆

— Il faut que je t'avoue une chose, déclara Christane la journée du départ. Je voulais te quitter depuis le tout premier jour, Frédérique.

Elles étaient assises à l'ombre d'un hangar, sur des caisses vides, en attente du camion qui amènerait l'ingénieur Mangeshkar. La barge était prête, elle n'attendait plus que son passager.

— Qu'est-ce que tu racontes ?

— Écoute, ne sois pas fâchée. Dès que je me suis embarquée sur le *Gagneur* après que tu m'as eu engagée, j'ai su que c'était une erreur. Je n'étais pas faite pour cette vie-là. Mais tu étais tellement gentille… j'étais incapable d'être celle qui romprait le contrat. Je ne pouvais pas te laisser tomber. C'est pour ça que je me suis comportée aussi mal, que j'ai accumulé les aventures... Et le pire, c'est que j'avais beau agir de la manière la plus horrible, tu me trouvais toujours des excuses. Pas moyen d'obtenir que tu me flanques à la porte !

Frédérique en était sciée. La seule personne qu'elle avait cru connaître vraiment...

Sa vie entière depuis l'achat du *Gagneur* n'était-elle donc que mensonge ou malentendu ?

— Mais ça ne t'empêche pas de revenir avec moi sur Cristobal, Chris. Je t'offre le passage gratuit !

Christane se mit à rire. Elle pouvait bien se moquer, Frédérique était heureuse d'entendre à nouveau s'exprimer la joie de son amie. Même à ses dépens.

— Comme si tu en avais les moyens ! la taquina Christane. Commence par récupérer ton gagne-pain à Agora, et on verra à ton prochain voyage.

Ton prochain voyage... Frédérique ne put réprimer un frisson.

Tout à l'heure, avant de quitter Bourg-Paradis, elle avait réussi à coincer Korasi et s'était écriée :

— Il ne vous a même pas confié un message pour moi ?

Elle avait détesté le ton plaintif de sa propre voix. Raju paraissait si désolé... il avait toujours été si désolé pour elle.

— Il en est incapable, Frédérique.

— Mais je croyais qu'il s'était attaché à moi... Il a pris soin de moi. Il m'a sauvée, après la mort de Méline !

Au bout d'un moment, Raju avait répondu :

— Oui, il a pris soin de vous, Frédérique. Vous devez le laisser prendre soin de lui-même, maintenant.

Et après une pause :

— Vous le reverrez. Plus tard. Quand vous reviendrez.

Oui, tout le monde comptait sur son retour, Korasi, Christane, Nora, et même l'Assemblée entière !

Mais pas Ouri.

Elle vit le nuage de poussière sur la route avant d'entendre le camion. Dans un instant, Mangeshkar serait là, ce serait le grand départ.

Elle bondit sur ses pieds.

Yiren ne l'avait-il pas dit à Ouri ? « Ce n'est pas fini tant que tout n'est pas réglé. »

— Christane, fais patienter l'ingénieur pour moi, tu veux ? Je reviens…

— Quoi ? Où vas-tu ? Frée…

Elle passa devant une Christane ahurie, s'engouffra dans la barge et décolla.

Par chance, la rue, devant la maison, n'était pas très achalandée. La gestion des affaires de l'État (et donc l'incessant va-et-vient des quémandeurs de toute sorte) s'était déplacée de Ville de Langis vers Bourg-Paradis et la salle de l'Assemblée, depuis que Luis Delprado assumait la charge de Premier conseiller. La barge causa quand même une petite sensation : elle déclencha l'avertisseur furieux d'un camion-benne qui arrivait du port, probablement en route pour la Piste. Frédérique l'évita, satisfaite de constater qu'elle ne se débrouillait pas trop mal pour quelqu'un qui n'avait pas piloté depuis des années.

Plus personne ne montait la garde devant la maison du coordonnateur. La porte n'était même pas verrouillée. Frédérique entra sans s'annoncer. Elle savait désormais où était situé le bureau du coordonnateur – c'était la pièce qui communiquait avec le salon. Elle ne croisa personne sur son chemin et s'arrêta seulement sur le seuil du bureau, étonnée d'y trouver Yiren en train de fermer une boîte de carton.

— Qu'est-ce que tu fais là ? demanda-t-elle.

— Je croyais que tu avais décollé. Est-ce qu'il y a un problème avec la barge, ou c'est Mangeshkar qui te cause des misères ?

Frédérique haussa les épaules.

— Non, il peut bien m'attendre quelques minutes.

— *Zhínu*...

Le regard compatissant d'oncle Yiren la couvait. Elle se sentit soudain vulnérable comme une enfant, et une bouffée de larmes lui monta aux yeux.

— Je ne peux pas partir... pas sans lui dire au revoir.

— Frédérique...

— Arrête de soupirer et de me regarder comme ça, on dirait Raju ! Vous m'énervez, tous les deux ! Pourquoi je ne pourrais pas lui dire au revoir ? Depuis qu'il est devenu Victor de Langis, je l'ai aperçu de loin comme n'importe quel quidam... Mais nous avons vécu des choses ensemble ! J'ai le *droit* de lui dire au revoir !

Yiren contourna le meuble bureau et s'approcha. Son visage exprimait une sorte de pitié horrifiée... C'était si étrange que Frédérique recula d'un pas. Oncle Yiren saisit ses mains entre les siennes.

— Dès la seconde où j'ai vu combien tu étais attachée à lui, j'aurais dû te prévenir... mais je ne pouvais pas.

Frédérique réprima un cri d'exaspération.

— De quoi est-ce que tu aurais dû me prévenir ? Qu'il ne m'aime pas, il ne peut pas m'aimer, il a trop souffert pour aimer quelqu'un ? Allez, quoi !

Les épaules d'oncle Yiren s'affaissèrent. Il contourna le bureau dans l'autre sens, écarta le carton qu'il avait posé sur le fauteuil et se laissa choir sur le siège.

— Il y a deux ans... après la mort d'Andrea, Ouri a tenté de s'enlever la vie.

Frédérique grogna, maussade :

— Je sais, il l'a dit devant moi à son frère.

— Je l'ai ranimé. Il était furieux contre moi. Je savais qu'il allait recommencer, on ne peut pas empêcher quelqu'un d'aussi déterminé. Alors, j'ai conclu un marché avec lui.

— Oui, ça aussi, il en a parlé. Tu l'as envoyé en désintoxication chez toi, au Zhongguó. Et cela a fonctionné, ou ça aurait fonctionné si Méline ne l'avait pas capturé et ne lui avait pas redonné de la drogue.

Oncle Yiren hocha la tête, il parut hésiter. Frédérique reprit :

— Bon, c'est ça que tu veux me dire ? Il se drogue toujours, il se tue à petit feu avec l'amplix ?

Nouveau hochement de tête, négatif cette fois.

— L'amplix, il a juré de ne plus y toucher après la mort d'Andrea.

— Alors quoi ?

Oncle Yiren passa une main lasse sur son visage.

— Il a rempli sa part de notre marché, même si j'ai pensé durant un bon moment qu'il ne s'y résoudrait jamais. Il est revenu ici, il a revendiqué le poste de coordonnateur, il a mis fin à la guerre, il a instauré des mesures pour assurer la paix à long terme.

C'était ça, le sens de leurs mystérieux échanges à propos d'une promesse à tenir ? Frédérique eut un rire incrédule.

— Alors, c'est toi qui l'as obligé à agir ? Quel drôle de manipulateur tu es ! Depuis le début, tu es derrière tous les événements... Tu l'as envoyé sur Cristobal, tu lui as parlé du *Gagneur*, tu l'as forcé à s'impliquer dans le règlement du conflit...

— Je me suis servi de lui pour mettre fin à la guerre, c'est vrai.

Silence. Oncle Yiren avait tourné la tête vers le mur. Frédérique croisa les bras sur sa poitrine. Ouri avait tenu sa promesse. Quelle en était la contrepartie ?

— C'était donnant-donnant, murmura Frédérique. Qu'est-ce qu'Ouri voulait en échange ?

Pas de réponse.

— Oncle Yiren ?

Il émit un soupir, très léger, puis :

— Un moyen sûr de mettre fin à ses jours. La garantie que, cette fois, aucun médecin ne pourrait le ranimer.

Frédérique se laissa submerger par l'horreur.

— Tu ne vas pas le faire, tu es médecin ! Et puis, sûrement, maintenant que la paix est rétablie, maintenant qu'il a été en désintoxication, il sait qu'il peut s'en sortir, il peut guérir de sa dépendance, il peut espérer en une vie meilleure… Yiren !

« Vous devez le laisser prendre soin de lui-même, maintenant », avait dit Raju tout à l'heure. Ouri n'avait plus le désir de mourir, sinon Korasi n'aurait pas… Mais Korasi était-il au courant de la promesse faite à Yiren, et de ce que Yiren avait offert en échange ?

Elle scanda :

— *Yi-ren !*

Il leva vers elle ses yeux remplis de larmes.

— C'est trop tard, *zhínu*. Il est parti en forêt, hier soir. Il a dit à tout le monde qu'il avait besoin d'être seul. Je lui avais donné… J'ai tenu ma promesse. Tout à l'heure… j'ai envoyé des hommes… récupérer son corps.

Elle se jeta sur lui comme une furie, le frappa à coups de poing, de toutes ses forces, en hurlant :

— Tu n'as pas fait ça, tu n'avais pas le droit, assassin, assassin !

◆

Monsieur Mangeshkar n'avait apporté aucune objection quand elle lui avait suggéré de s'isoler dans son cubicule.

— Vous sentirez moins les inconvénients de la montée en orbite, avait-elle déclaré d'un ton faussement poli.

Il avait acquiescé sans un mot. Il l'avait accueillie avec froideur lorsqu'elle était revenue sur la Piste pour prendre son passager, mais quand il avait affronté son regard, il avait semblé soudain si désemparé… Elle ignorait quelle tête elle devait avoir, et elle s'en fichait.

La barge avait décrit une courbe au-dessus de la ZEM, au-dessus de la blessure de la planète, une très longue courbe, car Frédérique voulait survoler les forêts de Grande Terre une dernière fois.

Sur la route, sous le ventre de la barge, elle vit un camion qui roulait à faible vitesse en direction de Ville de Langis. C'était peut-être celui qui ramenait le corps d'Ouri à la maison. Elle ne le saurait jamais. Ça n'avait pas d'importance. Plus rien n'aurait jamais d'importance.

Elle savait, maintenant, ce que cela signifiait qu'être une morte-vivante.

Remerciements

Je voudrais exprimer ma plus sincère et profonde reconnaissance aux personnes qui m'ont aidée à un moment ou à un autre de la rédaction de ce roman : Jean Alain pour le cours accéléré d'espéranto ; Valérie Bédard pour les aspects médicaux des effets de l'amplix ; Judith Rémillard-Bélanger et ses amis pour la recherche linguistique ; Mario Tessier pour avoir jadis répondu à mes questions... Et, bien sûr, un merci tout spécial à Jean Pettigrew pour m'avoir, comme d'habitude, poussée dans mes derniers retranchements.

Francine Pelletier...

... est née à Laval en 1959. Après des études en enseignement du français à l'UQAM, elle publie, à partir de 1983, de nombreux textes de science-fiction, d'abord en revue, puis en anthologies et collectifs. Elle a publié plus d'une quinzaine de romans pour jeunes adolescents, mais ce sont ses œuvres pour le grand public qui ont obtenu le plus de reconnaissance. En 1988, son recueil *Le Temps des migrations* recevait le Grand Prix de la science-fiction et du fantastique québécois pour la nouvelle « La Petite Fille du silence », puis le prix Boréal du meilleur livre de l'année. Les deuxième et troisième tomes de sa trilogie « Le Sable et l'Acier » ont à leur tour reçu le Grand Prix 1999. De plus, *Samiva de Frée*, le deuxième volume de cette trilogie, a reçu le prix Boréal 1999 ainsi que le prix Aurora du meilleur roman de la science-fiction canadienne.

EXTRAIT DU CATALOGUE

Collection « Romans » / Collection « Nouvelles »

015	*Sur le seuil*	Patrick Senécal
016	*Samiva de Frée* (Le Sable et l'Acier -2)	Francine Pelletier
017	*Le Silence de la Cité*	Élisabeth Vonarburg
018	*Tigane -1*	Guy Gavriel Kay
019	*Tigane -2*	Guy Gavriel Kay
020	*Issabel de Qohosaten* (Le Sable et l'Acier -3)	Francine Pelletier
021	*La Chair disparue* (Les Gestionnaires de l'apocalypse -1)	Jean-Jacques Pelletier
022	*L'Archipel noir*	Esther Rochon
023	*Or* (Les Chroniques infernales)	Esther Rochon
024	*Les Lions d'Al-Rassan*	Guy Gavriel Kay
025	*La Taupe et le Dragon*	Joël Champetier
026	*Chronoreg*	Daniel Sernine
027	*Chroniques du Pays des Mères*	Élisabeth Vonarburg
028	*L'Aile du papillon*	Joël Champetier
029	*Le Livre des Chevaliers*	Yves Meynard
030	*Ad nauseam*	Robert Malacci
031	*L'Homme trafiqué* (Les Débuts de F)	Jean-Jacques Pelletier
032	*Sorbier* (Les Chroniques infernales)	Esther Rochon
033	*L'Ange écarlate* (Les Cités intérieures -1)	Natasha Beaulieu
034	*Nébulosité croissante en fin de journée*	Jacques Côté
035	*La Voix sur la montagne*	Maxime Houde
036	*Le Chromosome Y*	Leona Gom
037	(N) *La Maison au bord de la mer*	Élisabeth Vonarburg
038	*Firestorm*	Luc Durocher
039	*Aliss*	Patrick Senécal
040	*L'Argent du monde -1* (Les Gestionnaires de l'apocalypse -2)	Jean-Jacques Pelletier
041	*L'Argent du monde -2* (Les Gestionnaires de l'apocalypse -2)	Jean-Jacques Pelletier
042	*Gueule d'ange*	Jacques Bissonnette
043	*La Mémoire du lac*	Joël Champetier
044	*Une chanson pour Arbonne*	Guy Gavriel Kay
045	*5150, rue des Ormes*	Patrick Senécal
046	*L'Enfant de la nuit* (Le Pouvoir du sang -1)	Nancy Kilpatrick
047	*La Trajectoire du pion*	Michel Jobin
048	*La Femme trop tard*	Jean-Jacques Pelletier
049	*La Mort tout près* (Le Pouvoir du sang -2)	Nancy Kilpatrick
050	*Sanguine*	Jacques Bissonnette
051	*Sac de nœuds*	Robert Malacci
052	*La Mort dans l'âme*	Maxime Houde
053	*Renaissance* (Le Pouvoir du sang -3)	Nancy Kilpatrick
054	*Les Sources de la magie*	Joël Champetier
055	*L'Aigle des profondeurs*	Esther Rochon
056	*Voile vers Sarance* (La Mosaïque sarantine -1)	Guy Gavriel Kay
057	*Seigneur des Empereurs* (La Mosaïque sarantine -2)	Guy Gavriel Kay
058	*La Passion du sang* (Le Pouvoir du sang -4)	Nancy Kilpatrick
059	*Les Sept Jours du talion*	Patrick Senécal
060	*L'Arbre de l'Été* (La Tapisserie de Fionavar -1)	Guy Gavriel Kay
061	*Le Feu vagabond* (La Tapisserie de Fionavar -2)	Guy Gavriel Kay
062	*La Route obscure* (La Tapisserie de Fionavar -3)	Guy Gavriel Kay
063	*Le Rouge idéal*	Jacques Côté
064	*La Cage de Londres*	Jean-Pierre Guillet
065	(N) *Treize nouvelles policières, noires et mystérieuses*	Peter Sellers (dir.)
066	*Le Passager*	Patrick Senécal
067	*L'Eau noire* (Les Cités intérieures -2)	Natasha Beaulieu

068	*Le Jeu de la passion*	Sean Stewart
069	*Phaos*	Alain Bergeron
070	(N) *Le Jeu des coquilles de nautilus*	Élisabeth Vonarburg
071	*Le Salaire de la honte*	Maxime Houde
072	*Le Bien des autres -1* (Les Gestionnaires de l'apocalypse -3)	Jean-Jacques Pelletier
073	*Le Bien des autres -2* (Les Gestionnaires de l'apocalypse -3)	Jean-Jacques Pelletier
074	*La Nuit de toutes les chances*	Eric Wright
075	*Les Jours de l'ombre*	Francine Pelletier
076	*Oniria*	Patrick Senécal
077	*Les Méandres du temps* (La Suite du temps -1)	Daniel Sernine
078	*Le Calice noir*	Marie Jakober
079	*Une odeur de fumée*	Eric Wright
080	*Opération Iskra*	Lionel Noël
081	*Les Conseillers du Roi* (Les Chroniques de l'Hudres -1)	Héloïse Côté
082	*Terre des Autres*	Sylvie Bérard
083	*Une mort en Angleterre*	Eric Wright
084	*Le Prix du mensonge*	Maxime Houde
085	*Reine de Mémoire 1. La Maison d'Oubli*	Élisabeth Vonarburg
086	*Le Dernier Rayon du soleil*	Guy Gavriel Kay
087	*Les Archipels du temps* (La Suite du temps -2)	Daniel Sernine
088	*Mort d'une femme seule*	Eric Wright
089	*Les Enfants du solstice* (Les Chroniques de l'Hudres -2)	Héloïse Côté
090	*Reine de Mémoire 2. Le Dragon de Feu*	Élisabeth Vonarburg
091	*La Nébuleuse iNSIEME*	Michel Jobin
092	*La Rive noire*	Jacques Côté
093	*Morts sur l'Île-du-Prince-Édouard*	Eric Wright
094	*La Balade des épavistes*	Luc Baranger
095	*Reine de Mémoire 3. Le Dragon fou*	Élisabeth Vonarburg
096	*L'Ombre pourpre* (Les Cités intérieures -3)	Natasha Beaulieu
097	*L'Ourse et le Boucher* (Les Chroniques de l'Hudres -3)	Héloïse Côté
098	*Une affaire explosive*	Eric Wright
099	*Même les pierres…*	Marie Jakober
100	*Reine de Mémoire 4. La Princesse de Vengeance*	Élisabeth Vonarburg
101	*Reine de Mémoire 5. La Maison d'Équité*	Élisabeth Vonarburg
102	*La Rivière des morts*	Esther Rochon
103	*Le Voleur des steppes*	Joël Champetier
104	*Badal*	Jacques Bissonnette
105	*Une affaire délicate*	Eric Wright
106	*L'Agence Kavongo*	Camille Bouchard
107	*Si l'oiseau meurt*	Francine Pelletier
108	*Ysabel*	Guy Gavriel Kay
109	*Le Vide -1. Vivre au Max*	Patrick Senécal
110	*Le Vide -2. Flambeaux*	Patrick Senécal
111	*Mort au générique*	Eric Wright
112	*Le Poids des illusions*	Maxime Houde
113	*Le Chemin des brumes*	Jacques Côté
114	*Lame* (Les Chroniques infernales)	Esther Rochon
115	*Les Écueils du temps* (La Suite du temps -3)	Daniel Sernine
116	*Les Exilés*	Héloïse Côté
117	*Une fêlure au flanc du monde*	Éric Gauthier
118	*La Belle au gant noir*	Robert Malacci
119	*Les Filles du juge*	Robert Malacci
120	*Mort à l'italienne*	Eric Wright
121	*Une mort collégiale*	Eric Wright
122	*Un automne écarlate* (Les Carnets de Francis -1)	François Lévesque
123	*La dragonne de l'aurore*	Esther Rochon
124	*Les Voyageurs malgré eux*	*Élisabeth Vonarburg*

ornière
fat
chape
haler

UN TOUR EN ARKADIE
est le cent quarante-quatrième titre publié
par Les Éditions Alire inc.

Il a été achevé d'imprimer
en mars 2009 sur les presses de

Imprimé au Canada par
Transcontinental Métrolitho

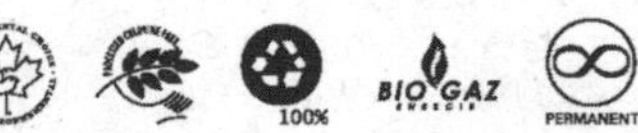

Imprimé sur Rolland Enviro 100, contenant 100% de fibres recyclées postconsommation, certifié Éco-Logo, Procédé sans chlore, FSC Recyclé et fabriqué à partir d'énergie biogaz.